TOUTE LA CUISINE FRANÇAISE

CUISSON TRADITIONNELLE – VAPEUR – MICRO-ONDES – GRIL

JEAN-PIERRE
TAILLANDIER

AVANT PROPOS

C e livre a été conçu pour répondre à tous les amoureux de bonne cuisine qui, malgré leur engouement, n'ont pas envie de passer des heures interminables en cuisine pour asssouvir leur passion ; pour transformer la cuisine -obligation en cuisine-plaisir.

G râce aux différentes techniques de cuisson, actuellement nous pouvons varier à l'infini les préparations tout en respectant les règles de base :

- utiliser de bons produits
- cuisiner le plus légèrement possible
- associer heureusement les goûts
- cuisiner le plus rapidement possible
- accompagner harmonieusement ces préparations du vin qui convient.

C 'est dans cet esprit que ces 600 recettes vous sont proposées, originales, simples ou plus élaborées, préparées de façon traditionnelle, à la vapeur, au gril ou au micro-ondes. Il y en a pour tous les goûts.

LES DIFFÉRENTS TYPES DE CUISSON

LA CUISSON TRADITIONNELLE

Comme son nom l'indique c'est en quelque sorte le reflet de tout le patrimoine culinaire français.

Au four, à la poêle, au gril, la cuisson traditionnelle appelle la qualité, qualité des produits, qualité de la tradition, qui donne toutes ces recettes authentiques, du terroir, qui font la grande réputation de la gastronomie française.

La cuisson traditionnelle, implique souvent une notion de temps, temps de préparation : épluchage, macération, etc...

Temps de cuisson : généralement plus longs , respectant une façon de faire "comme maman", "comme chez nous".

Les recettes traditionnelles ont toujours quelque chose de sentimental, de régional, c'est pourquoi elles se perpétuent de familles en familles sans subir véritablement l'évolution du temps.

Elles restent le lien avec ses racines. Il faut les respecter, continuer à les apprendre, à les faire, à les goûter pour conserver ce don que nous avons et qui nous est envié : le plaisir de la table.

LA CUISSON AU MICRO-ONDES

Différente et opposée de la précédente puisque la chaleur n'est plus obtenue soit par flamme soit par infrarouge, et que ce n'est plus l'air ambiant, les parois du four, et les récipients chauds qui transmettent par conduction la chaleur aux aliments.

La cuisson au micro-ondes est dûe à l'accélération du déplacement des molécules (la plus petite portion de matière) d'eau et de graisses contenues dans les aliments dégageant une chaleur instantanée et provoquant ainsi une cuisson immédiate de l'intérieur vers l'extérieur. Sachez que lorsque le four ne fonctionne plus, la chaleur au cœur des aliments continue son œuvre. Le temps de repos, absolument obligatoire et nécessaire permet la restructuration en achèvement de cuisson.

Cette cuisson est pratique car rapide, les qualités des aliments sont respectées, les vitamines et la fermeté préservées, ainsi que les couleurs. Elle demande des produits de grande fraîcheur ou bien conservés.

Elle conjugue efficacité, saveur et santé.

LA CUISSON À LA VAPEUR

Si vous voulez avoir un regard et un goût différent sur l'alimentation, choisissez des mets cuits à la vapeur. C'est une façon de vous assurer de la qualité des aliments, de préserver leur valeur nutritionnelle, de respecter leurs saveurs et même de les exalter !

En effet, la vapeur ne trahit pas le goût de ce qu'on lui donne à cuire, les sucs des aliments ne se diluent pas dans l'eau bouillante. De ce fait, choisissez les meilleurs légumes, poissons, viandes ou volailles.

Cette cuisson a l'avantage d'éliminer la quasi-totalité des engrais, pesticides, insecticides et autres produits chimiques que l'agriculture est obligée, hélas, d'utiliser (même dans le cas des cultures dites "biologiques", car l'homme n'est pas le maître des apports étrangers des pluies sur ses jardins). L'analyse de l'eau contenue dans le récipient inférieur - analyse dont nous vous ferons grâce - démontre amplement l'effet purificateur de ce mode de cuisson.

En un mot c'est une cuisine vérité, saine, légère, et sans souci parce que sans surveillance. N'étant pas au contact direct avec la flamme, les aliments ne risquent ni de brûler, ni d'attacher. Seule précaution à prendre, s'assurer toujours qu'il y a assez d'eau dans le compartiment inférieur (c'est si peu...).

LES DIFFÉRENTS TYPES DE CUISSON

LA CUISSON AU GRIL

Préférée en été car en plein air, la cuisine au gril est souvent synonyme de fête puisqu'elle se pratique à l'extérieur (dans le jardin, mais aussi sur le balcon grâce aux nouvelles techniques, pierres de lave, notamment). Dans ce cas les aliments sont exposés à l'action directe de la chaleur par contact. La cuisson au gril appelle peu ou pas de matière grasse et permet de griller viandes, volailles, poissons, légumes, fruits...de première qualité. Peu calorique et très savoureuse, la cuisine au gril saisit les aliments très rapidement.

PAS DE CUISSON

Les légumes, les fruits et quelque fois les poissons trouvent là, leur première expression naturelle. Frais, n'ayant subi aucune transformation, ils seront appréciés pour leur saveur, leur vitamines sans oublier cette notion, le bon goût de frais !

LES RECETTES

Répertoriées par type de plat , les recettes font appel aux différents types de cuisson.

LES SOUPES

Trop longtemps oubliées, elles sont fort heureusement remises à l'honneur car, simples ou raffinées, elles offrent aux gourmets toute une gamme de saveurs subtiles et délicates.

Pour les cuisiniers, c'est l'occasion de nombreuses créations originales, froides ou chaudes, elles sont faites de mélanges et de liaisons à l'onctuosité parfaite.

Les soupes c'est la tradition, un retour aux sources, des souvenirs de repas pris chez nos grand-mères, autant d'instants délicieux, synonymes de convivialité, chaleur, bonheur...

LES ENTRÉES FROIDES

D es salades composées, hymne à la joie du bien manger sans affeteries, mais avec une simplicité de l'instantané qui confine au génie de l'invention culinaire.

Chaudes ou froides, à base de poissons, crustacés, viandes et fromages, les salades que les auteurs ont composées pour vous, sont une palette riche en couleurs, nuances et saveurs.

LES ENTRÉES CHAUDES

P arce que dès le début du repas elles réchauffent le cœur. Rapidès ou plus élaborées, les entrées chaudes enchantent, complètent améliorent la cuisine quotidienne et permettent de trouver l'avant-propos idéal d'un mets principal.

C'est le moment d'utiliser le robot qui vous permettra de réaliser des farces simples ou complexes qui donneront aux mets une note de "cuisiné", celle que recherche et apprécie le gourmet souvent gourmand.

LES TERRINES

De la classique terrine de lapin à la sophistiquée terrine de homard, en passant par les subtiles terrines de volailles, vous découvrirez une variété de délicates et savoureuses terrines de poissons et une diversité de terrines de légumes aromatisées.

Autant de recettes, parce que les terrines sont devenues de telles vedettes que certains gourmets articulent tout un repas autour d'une seule.

On l'accompagne d'une salade originale (cf. chapitre entrées froides), d'une sauce inattendue ou d'un coulis subtil (cf. chapitre sauces), on la ponctue de petits condiments très relevés pour lui apporter une note exotique. Bref, il faut toujours en avoir une chez soi.

LES RECETTES

LES POISSONS

Ce n'est pas un hasard si la consommation des produits de la mer connaît une telle vogue. Les poissons, les coquillages et les crustacés sont parfaitement adaptés à notre actuelle façon de se nourrir, plus légère, moins contraignante et surtout plus naturelle, pour être en forme et léger toute la journée.

Vous trouverez dans cet ouvrage des recettes variées de coquillages et crustacés et de poissons où les préparations culinaires préservent les propriétés diététiques et toutes les saveurs de ces joyaux de la mer.

Leur dégustation en fait toujours un instant de plaisir.

LES VIANDES

Elles sont et restent souvent le plat principal d'un repas. Elles se prêtent à n'importe quelles cuissons, qu'elles soient rouges, blanches...

Le double plaisir de l'odorat et du goût, ainsi que la sensation d'être bien nourri ont fait de la viande l'aliment par excellence, le symbole de l'abondance et du bien-être.

Les modes de cuisson de la viande sont variés. On peut les poêler, les griller, les rôtir, les braiser, les bouillir.

LES RECETTES

LES VOLAILLES

C e sont des produits de choix : ils représentent le contact privilégié que beaucoup entretiennent avec la nature.

Les volailles comme les gibiers se prêtent aux mariages les plus divers. Ils peuvent être cuits et présentés de différentes manières pour obtenir des saveurs spécifiques. Et les garnitures peuvent être aussi variées.

LES LÉGUMES

C'est le "printemps" dans nos assiettes, même si nous avons des légumes spécifiques à chaque saison. Ils représentent la fraîcheur, la beauté, la douceur, la tendreté.

Vous trouverez un éventail de recettes dont certaines, dépassent leur simple statut de légumes et permettent de réaliser des plats délicieux, principaux ou un léger dîner léger très agréable.

N'oublions pas non plus les riz, pâtes et autres féculents figurant sous toutes leurs formes, ils sont essentiels à l'apport de fibres alimentaires que l'on nous incite à présent à consommer.

LES RECETTES

LES SAUCES

Indispensables pour l'accompagnement de tous ces plats, elles donneront de la joie dans vos assiettes, relèveront les saveurs et goûts des mets...

LES DESSERTS

Ils sont très souvent ce dont on se souvient des repas. Les desserts sont merveilleux, inoubliables.
C'est le plaisir total !

Des recettes de tous les jours, des recettes de fêtes, des recettes pour les enfants, un assortiment aussi varié que seul les desserts peuvent suggérer pour le plaisir des yeux et du palais.

Des recettes de gâteaux, de salades de fruits, de tartes, de sorbets, mais aussi de confitures, de gelées qui se veulent traditionnelles mais parfois osées.

LES COCKTAILS ET CANAPÉS

A rt du goût, art des couleurs, art des formes, pour séduire vos amis, à tout moment, toutes saisons.

A la maison, entre amis, lors d'une réception, ces recettes vous permettront de découvrir le secret des ambiances réussies.

Elles donneront tous les atouts indispensables au succès d'un moment de joie et de détente.

PETIT GLOSSAIRE

Abaisser : étendre une pâte au rouleau à l'épaisseur voulue qui s'appelle alors abaisse.

Aiguillette : mince tranche de chair découpée en long.

Amourettes : morceau de moelle épinière de veau de boeuf ou de mouton.

Appareil : mélange de plusieurs produits crus ou cuits destinés à l'apprêt d'un plat.

Aromates : herbes d'origine végétale utilisées en cuisine pour parfumer les préparations (thym, laurier, basilic etc...)

Bain-marie : casserole spéciale entièrement étamée, servant à maintenir au chaud, sauces ou garnitures. Le bain-marie est placé dans une autre casserole ou sauteuse plus large et remplie d'eau bouillante. Il sert aussi pour certaines cuissons par pochage.

Barder : recouvrir d'une mince tranche de lard gras ("barde"), une pièce de boucherie, de volaille, ou même de poisson.

Blanchir : passer à l'eau bouillante quelques minutes viandes et légumes.

Blondir : faire revenir un aliment jusqu'à coloration blond clair.

Bouquet garni : brindille de thym et petite feuille de laurier entourées d'une branche de persil, le tout ficelé ensemble.

Braiser : mettre des aliments à cuire, en braisière ou dans une cocotte en fonte fermée avec peu de liquide et des aromates.

Brider : attacher les membres d'une volaille en les traversant d'une ficelle, à l'aide d'une "aiguille à brider".

Chemiser : garnir les parois d'un moule avec de la gelée, de la glace, du caramel etc... avant de l'emplir de la préparation choisie.

Chiffonnade : composition de feuilles de laitue et d'oseille ou d'épinards fondues au beurre. Peuvent s'ajouter, en complément aromatique, des pluches de cerfeuil ne comportant que la feuille, pas la tige.

Ciseler : couper finement des herbes ou salades. Ne pas confondre avec "hacher". Se dit aussi pour inciser un poisson afin d'en faciliter la cuisson.

Concasser : écraser grossièrement les aliments.

Crépine : ou crépinette, sorte de membrane graisseuse servant à envelopper les aliments dans certaines cuissons.

Darne : tranche coupée dans du poisson.

Décanter : séparer la partie bonne de la partie mauvaise d'un liquide, en le versant doucement dans un autre récipient.

Déglacer : mouiller légèrement le "gratin" restant au fond d'un plat, après cuisson, pour le transformer en jus. Faire réduire, en cas de besoin, pour amener à point.

Dégorger : mettre dans de l'eau vinaigrée, viandes, poissons et abats afin de les débarrasser de leur sang.

Dessécher : travailler, à la spatule en bois, un aliment en cuisson afin de lui faire perdre toute humidité.

Ebarber : à l'aide de ciseaux, couper les barbes et les nageoires d'un poisson.

Ecumer : ôter l'écume à la surface d'un liquide en cours de cuisson.

Emincer : couper en tranches très fines.

Escaloper : couper en tranches larges viandes et poissons.

Etamine : tissu particulièrement fin servant à passer les jus, les sauces, les gelées... (doit être mouillée avant utilisation).

Etouffée : cuire des aliments en vase clos dans un peu de liquide.

Flamber : passer des volailles au-dessus d'une flamme vive. Arroser également des aliments d'alcool et les faire flamber (sans les brûler).

Fumet : synonyme de "fond" de cuisson. Se dit pour les gibiers et les poissons.

Habiller : préparer une volaille ou un gibier, c'est-à-dire plumer, vider, flamber, nettoyer.

Larder : "piquer" l'intérieur d'une pièce de boucherie de part en part, à l'aide d'un "lardoir".

Lier : ajouter un élément à une préparation jugée trop liquide afin de l'épaissir (farine, crème épaisse, etc..)

Luter : fermer hermétiquement le couvercle d'une terrine, en le collant avec un cordon de pâte composée de farine et d'eau.

Macérer : laisser tremper des aliments, durant un temps variable, dans un liquide (alcool, vin vinaigre ...)

Marinade : mélange d'aromates, de vin, d'alcool, de vinaigre, etc

Masquer : recouvrir un plat cuisiné d'une légère couche de sauce.

Mijoter : cuire des aliments le plus lentement possible.

Napper : recouvrir de sauce, crème, gelée etc. Un plat cuisiné pour le terminer.

Parer : débarrasser, à l'aide d'un couteau ou de ciseaux, les parties non comestibles de viandes, volailles ou poissons.

Piquer : faire des petits trous, à l'aide des dents d'une fourchette, sur une abaisse de pâte afin de l'empêcher de gonfler.

Pluches : sommités des tiges de cerfeuil.

Pocher : cuire sans faire bouillir, la cuisson étant maintenue à une température voisine de celle de l'ébullition (liquide frémissant).

Raidir : saisir très rapidement un aliment dans un corps gras brûlant sans le faire colorer.

Réduire : laisser bouillir une cuisson sans couvercle, afin de la rendre plus corsée ou plus liée.

Revenir : faire colorer une viande ou des légumes.

Rissoler : faire colorer une viande ou des légumes.

Saisir : faire partir à feu vif.

Salpicon : aliments divers détaillés en dés réguliers.

Sauter : faire dorer au beurre ou autre matière grasse, dans une sauteuse (ou cocotte en fonte), des aliments - viandes, volailles, légumes et divers ingrédients, pour les saisir.

Travailler : battre ou remuer un appareil quelconque, soit à la main, soit avec un fouet ou une spatule, afin de le rendre homogène.

Vanner : remuer à l'aide d'une spatule, une sauce ou une crème afin de l'empêcher de tourner ; ou encore, lorsqu'elle refroidit, afin d'éviter la formation d'une peau à la surface.

Zeste : partie externe de l'écorce du citron et autres agrumes que l'on retire à l'aide d'un "zesteur" ou d'un petit couteau, en séparant le zeste de la partie interne, blanche et amère.

POIDS ET MESURES				
	cuillère rase		débordante	
	à café	à soupe	à café	à soupe
eau	5 g	18 g		
sirop	6 g	20 g		
sucre en poudre	4 g	15 g	9 g	30 g
farine	3 g	10 g	9 g	25 g
riz		20 g		
semoule	4 g	12 g	8,5 g	25 g
tapioca		16 g		
gruyère râpé		10 g		
café moulu	2,5 g	15 g		
sel	5 g	16 g	7,5 g	30 g

Légumes (de taille moyenne) 1 navet : 150 g - 1 tomate : 100 g - 1 carotte : 100 g - 1 pomme de terre : 90 g - 1 oignon : 10 g - 1 gousse d'ail : 5 g.

Liquides 1 grand verre à eau : 25 cl - 1 verre ordinaire : 1 dl - 6 cuillères : 1 dl - 1 verre à vin : 1 dl ou 1,5 dl - 1 verre à madère : 6 cl - 1 verre à liqueur : 2 cl.

HERBES ET EPICES

Basilic : vert fin nain compact, grand vert, à feuilles de laitues (également pistou ou pesto).

Cannelle : écorce du cannelier, présentée en lamelle enroulée ou bien en poudre.

Cerfeuil : petites feuilles au goût anisé.

Ciboulette : ou civette, on utilise ses tiges ou ses bulbes.

Clou de girofle : bouton de fleur du giroflier (grand arbre exotique) ayant la forme d'un clou à tête.

Curry : assaisonnement indien composé de piment, de curcuma et de diverses épices pulvérisées.

Estragon : longues feuilles parfumées.

Genièvre : fruit de genévrier, petite baie violette ou noire très parfumée. Séchée pour les choucroutes et marinades, distillée pour l'eau de vie.

Laurier : feuille séchée pour bouquet garni

Marjolaine : à coquilles, grand origan.

Menthe : menthe verte , poivrée, pouliot, bergamote.

Muscade : graine du fruit du muscadier, ovoide, brune et nommée noix de muscade. On la râpe, on la trouve également en poudre.

Paprika : variété de piment hongrois utilisé en poudre, de couleur rouge et de forte saveur.

Persil commun : tiges minces et feuilles plates, très parfumé.

Persil frisé : vert foncé à tiges épaisses, très décoratif.

Piment de Cayenne : plante potagère herbacée, des régions chaudes, cultivée pour ses fruits qui servent de condiments.

Romarin : encensier, herbe aux couronnes, rose marine. Parfum très pénétrant.

Safran : plante monocotylédone appelée couramment "crocus" dont les fleurs portent des stigmates orangés. Elle est utilisée en poudre, comme aromate et comme colorant, dans certains aliments.

Sarriette vivace : parfum aromatique très fort, épicé et camphré, aux arômes mêlés de thym et d'origan ; goût évoquant le poivre et la menthe.

Sauge : herbe sacrée, thé de Grèce, de Provence. Arôme très fort.

Thym : thym ordinaire, serpolet, citron. Accompagne le bouquet garni.

GASPACHO

Préparation : 20 mn
Macération : 2 h
Pas de cuisson

- 8 tomates
- 1 concombre
- 2 oignons
- 1 poivron jaune
- 1 poivron rouge
- 2 gousses d'ail
- 1/2 feuille de laurier
- 1 branche de thym
- 1 bouquet de basilic
- 2 dl de crème fraîche
- Sel, poivre

- Laver les tomates, les couper en quatre.
- Peler l'ail et les oignons.
- Laver et couper le concombre en morceaux.
- Laver les poivrons, les couper en deux et retirer les graines et les parties blanches. Couper la chair en lamelles puis en petits dés. Les faire blanchir 1 mn dans de l'eau bouillante, les égoutter et les passer sous l'eau froide.
- Dans le bol d'un mixeur, mettre les tomates, les oignons, l'ail, le concombre, les poivrons, le laurier, le thym et le basilic. Saler et poivrer. Bien mixer le tout pour obtenir une purée fine. Ajouter 2 verres d'eau.
- Verser la préparation dans une soupière et mettre au réfrigérateur pendant 2 h.
- Servir bien frais avec la crème fraîche et au besoin quelques croûtons de pain de campagne grillé.

Vin blanc
Côtes-du-Rhône
un vin assez puissant,
corsé, franc de goût,
à la charpente solide
et aux arômes
de garrigue,
de fruits jaunes et secs.
Servir à 8-9°

Par personne
248 Calories (6 pers.)

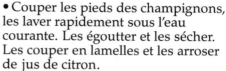

CREME ANGEVINE

Préparation : 12 mn
Cuisson : 16 mn

Pour 4 personnes
- 400 g de champignons de Paris, petits et bien fermes
- 3 ou 4 lamelles de cèpes séchés (en sachet)
- 2 échalotes grises
- 1 gousse d'ail
- 1 c. à soupe de beurre
- le jus d'1 citron
- 1 l de bouillon de volaille
- 1 pot de 40 cl de crème fraîche épaisse
- 1 jaune d'œuf
- 3 à 4 branches de cerfeuil frais
- 1 pincée de muscade, sel et poivre

- Couper les pieds des champignons, les laver rapidement sous l'eau courante. Les égoutter et les sécher. Les couper en lamelles et les arroser de jus de citron.
- Hacher fin les échalotes et l'ail écrasé.
- Faire chauffer le plat à brunir. Ajouter le beurre pour qu'il chauffe. Verser l'ail et les échalotes et faire cuire 2 mn à th. 8. Remuer puis cuire encore 1 mn.
- Ajouter les champignons égouttés, sans oublier les lamelles de cèpes. Couvrir et faire cuire 5 mn à th. 9.
- Ajouter ensuite le bouillon, le sel et le poivre. Couvrir et mettre à cuire 8 mn.
- Délayer dans la soupière, le jaune d'œuf avec la crème fraîche et la pincée de noix de muscade râpée. Effeuiller le cerfeuil et le réserver.
- Vous pouvez servir la soupe sans mixer les champignons. Ce sera plus rustique mais, pour une crème digne de ce nom, mixer la soupe et la verser en fouettant dans la soupière. Mélanger 10 secondes puis parsemer de brindilles de cerfeuil. Servir immédiatement.

Vin blanc
Si vous avez pris les vins suivants en apéritif, continuer :

Saumur d'Origine (mousseux)
Crémant de Loire
Servir à 6-7°
ou bien, si vous préférez, ces vins blancs secs :
Saumur
Vouvray
Montlouis sec.
Servir à 8-10°

Par personne
222 Calories

CREME D'ASPERGES

Préparation : 20 mn
Cuisson : 20 mn

Pour 4 personnes
- 1 botte d'asperges blondes
- 12 pointes d'asperges violettes ou vertes
- 2 c. à soupe de riz rond de Camargue
- 1 tasse de bouillon léger de volaille
- 1 bouquet de cerfeuil
- 10 cl de crème fraîche épaisse
- Sel, poivre blanc du moulin

• Eplucher les asperges blondes, conserver 5 cm de pointes.
• Retirer les feuilles du bouquet de cerfeuil et jeter les tiges dans 1,5 litre d'eau salée avec le riz rond. Porter doucement à ébullition et, celle-ci atteinte, ajouter les tiges d'asperges. Laisser cuire jusqu'à ce qu'elles soient tendres, ce qui demande environ 15 à 20 mn selon leur fraîcheur.
• Porter la tasse (25 cl environ) de bouillon à ébullition. Y ajouter les pointes les plus grosses d'abord puis lorsque l'eau se remet à bouillir, les plus petites. Faire cuire à feu vif 8 à 10 mn pour qu'elles restent « al dente ». Les laisser dans le bouillon chaud pendant le reste de la préparation : passer au moulin à légumes, grille fine ou au mixeur (mais dans ce cas il sera nécessaire de tamiser), le mélange riz, cerfeuil, asperges, le moulin posé au-dessus d'une casserole inoxydable.
• Reposer la casserole sur feu doux, ajouter la crème fraîche en fouettant et tout en continuant de battre, porter à frémissement. Goûter, poivrer et rectifier en sel selon votre goût.
• Mélanger le jus de volaille - où les pointes se tenaient au chaud - avec la crème, verser dans une soupière. Disposer un quart de pointes blanches, 3 asperges vertes ou violettes dans chaque assiette et verser doucement dessus la crème bien chaude.
• Parsemer de cerfeuil effiloché et offrir, à part, des petits feuillages ou des croûtons grillés au four.

Vin
Si votre apéritif
a été le Champagne
continuer avec ce vin
sur cette entrée.
Servir à 8°

Par personne
144 Calories

SOUPE A L'OIGNON

Préparation : 30 mn
Cuisson : 1 h 30 mn

Pour 6 personnes
- 3 kg d'oignons
- 1 l de vin blanc sec
- 3 l de fond blanc ou de bouillon de bœuf en cube
- 250 g de gruyère râpé
- 1/2 baguette rassie
- 50 g de beurre
- 1 dl d'huile
- Sel, poivre

- Peler et émincer les oignons.
- Les faire suer dans une cocotte avec l'huile et le beurre jusqu'à ce qu'ils prennent une légère couleur.
- Déglacer avec le vin blanc et laisser cuire 5 mn. Mouiller avec le fond blanc ou le bouillon dissout dans de l'eau. Saler et poivrer.
- Laisser cuire sur feu doux pendant 1 h 30 mn.
- Goûter et rectifier l'assaisonnement si nécessaire.
- Couper la baguette en tranches, les faire griller.
- Répartir la soupe dans des bols.
- Ajouter quelques rondelles de pain grillé.
- Parsemer de gruyère râpé.
- Passer sous le gril du four environ 3 mn, le temps que le gruyère soit doré.
- Servir aussitôt.

> *Vin*
> Cahors
> Vin puissant, tonique, fruité, vanillé notes sauvages, bien structuré.
> Servir à 16-17°
> Riesling
> Vin élégant, fondu dans sa matière et ses arômes un peu fauves, épicés, minéraux.
> Servir à 8-9°

Par personne
720 Calories

SOUPE CRESSONNEE

Préparation : 15 mm
Cuisson : 35 mn

8 petits poireaux
4 belles pommes de terre
1 botte de cresson
1 grosse noix de beurre
1,5 l de bouillon léger de volaille
2 c. à soupe de crème fraîche
1 bottillon de cerfeuil
Sel, poivre

• Eplucher et laver avec soin la botte de cresson. Garder quelques jolis bouquets. Laver les poireaux, les tronçonner jusqu'à leur vert tendre puis les recouper en deux. Eplucher les pommes de terre, en couper une en très petits dés. Couper en morceaux plus gros les 3 autres. Faire chauffer le beurre dans une cocotte émaillée. Y mettre à dorer les dés de pommes de terre puis ajouter les poireaux. Lorsque tout est fondu mettre dans une casserole avec les morceaux de pommes de terre et mouiller avec le bouillon chaud. Faire cuire 20 mn à petit feu. Saler et poivrer.
• Hacher menu le cresson (sauf les bouquets réservés) et faire fondre dans la cocotte avec le beurre restant pendant 5 mn.
• Passer au moulin à légumes, grille fine, les pommes en morceaux, celles en dés (si vous pouvez en sauver le maximum pour faire joli dans l'assiette…) et les poireaux. Rincer le moulin avec un peu de bouillon pour entraîner la purée de légumes.
• Réserver sur feu doux et laisser mijoter 5 mn. Ajouter la crème, le cerfeuil déchiqueté, les bouquets de cresson et les dés de pommes de terre réservés et servir aussitôt dans des assiettes bien chaudes.
• C'est peut-être ainsi que l'on dînait sur les bords de Nogent quand il y avait encore des guinguettes, des fritures et de lentes et silencieuses barques.

Vous pouvez raffiner cette soupe ménagère en y mélangeant (hors du feu) 3 jaunes d'œufs et en présentant, à part, des petits croûtons grillés au four.

Vin
Sancerre
On ne peut chosir qu'un vin blanc sec, vif, nerveux, délicieusement acide et très aromatique.
Servir à 8°

Par personne
503 Calories (4 assiettes)

SOUPE FAMILIALE AUX POIREAUX

Préparation : 5 mn
Cuisson : 15 mn

Pour 4 personnes
- 4 poireaux et leur vert tendre
- 4 pommes de terre farineuses
- 1 c. à soupe rase de beurre
- 1 bouquet garni
- 2 c. à soupe de crème fraîche
- 1 l de bouillon de volaille
- Sel, poivre noir, pincée de Cayenne

- Eplucher les poireaux et les pommes de terre. Tronçonner finement le blanc des poireaux, tailler très fin le vert tendre et conserver un peu de vert plus foncé.
- Râper les pommes de terre. Préparer le bouquet garni avec un brin de thym. 1/2 feuille de laurier frais, 1 branche de persil plat, 1 branchette de céleri et quelques brins de vert de poireau. Ficeler serré.
- Faire chauffer la cocotte à brunir et ajouter le beurre. Dès qu'il est chaud, y verser les pommes de terre râpées bien étalées. Couvrir et cuire à th. 9, 2 mn. Découvrir, remuer et ajouter les poireaux. Recouvrir et faire encore cuire 2 mn à th. 9.
- Chauffer le bouillon de volaille avec le bouquet. Verser dans la cocotte, couvrir et faire cuire 12 mn à th. 9.
- Mixer ou non après ce temps et ajouter la crème fraîche, les épices, après avoir retiré le bouquet garni. Remuer, recouvrir et passer 30 secondes au four à th. 9.

* Vous pouvez saupoudrer d'herbes à votre guise : persil simple, cerfeuil (de préférence) ou estragon.

Vin blanc
Entre-Deux-Mers
de 2 ans
(à dominante Sauvignon)
Servir à 8-9°
Muscadet de 2 à 3 ans
Servir à 8-9°

Par personne
232 Calories

SOUPE DE POIREAUX - POMMES DE TERRE

Préparation : 15 mn
Cuisson : 17 mn 30

Pour 3 / 4 personnes
• 600 g de poireaux
• 500 g de pommes de terre à chair ferme (BF15, Rattes...)
• 24 brins de cerfeuil
• 30 g de beurre
• 1 c. 1/2 à soupe d'huile d'olive fruitée, 1re pression à froid
• Sel, poivre blanc du Brésil

Nettoyer et laver soigneusement les poireaux, garder le blanc et le vert tendre, compter 250 g. Emincer en rondelles de 5 mm d'épaisseur.
• Eplucher les pommes de terre, les laver, les couper en cubes de 5 mm et réserver 300 g.
• Laver le cerfeuil, l'essuyer, l'effeuiller et le ciseler grossièrement.
• Mettre le beurre dans une cocotte de 20 cm de diamètre, le faire fondre au four à micro-ondes, sélecteur 9, 2 mn.
• Mettre les poireaux dans le beurre chaud, mélanger 10 secondes. Couvrir, mettre le plat au four, sélecteur 9, 3 mn.
• Ajouter les pommes de terre. Saler. Mouiller avec 1 dl d'eau. Couvrir la cocotte. Laisser cuire, sélecteur 9, 12 mn.
• Au moment de servir, saupoudrer la soupe de cerfeuil, verser l'huile d'olive, bien remuer.
• Si vous préférez la mixer, ajouter alors 5 cl de crème liquide.

Vin Chablis Un Chablis simple est suffisant car il adhérera à cette soupe par ses subtils arômes dans toutes les faces des harmonies. Servir à 8°

Par personne 313 Calories

SOUPE LIMOUSINE AUX CHATAIGNES

Préparation : 30 mn
Cuisson : 45 mn

• 800 g de marrons décortiqués
• 1 poireau
• 1 carotte
• 1 branche de céleri
• 1 oignon
• 1 gousse d'ail
• 1 c. à soupe rase
de graisse d'oie ou de canard
• 2 l de bouillon de petit salé,
de carcasse de volaille
• 10 cl de crème épaisse
• Sel et poivre noir du moulin

Vin blanc
Pouilly-Fuissé
un blanc sec, élégant,
vif et tendre au lieu
d'un rouge pour que
de l'harmonie naisse un
goût subtil et pour créer
un plaisir inattendu.
Un rouge risque
d'éteindre tout plaisir.
Servir à 8-9°

Par personne
496 Calories (4 assiettes)

• Porter de l'eau à ébullition et y plonger les marrons par 5 ou 6 à la fois. Les laisser 2 mn dans l'eau puis les plonger dans de l'eau froide et égoutter. Faire ainsi pour tous les marrons, sauf si vous en avez acheté comme aux marchés de Tulle ou de Brive, déjà épluchés. (On en trouve lyophilisé ou en bocaux qui conviennent pour cette recette).
• Les nettoyer des cloisons intérieures et de la peau beige. Réserver.
• Eplucher tous les légumes, les émincer. Ecraser l'ail. Dans un faitout en fonte émaillée ou en verrerie culinaire, faire chauffer la graisse. Y verser la carotte et l'oignon et lorsqu'ils sont tendres mais non colorés, ajouter l'ail, le poireau, le céleri. Laisser à peine blondir à feu doux puis verser le bouillon bien dégraissé.
• Remonter à feu moyen et attendre l'ébullition pour précipiter les marrons. Poivrer légèrement.
• Laisser cuire 40 mn. Vérifier la cuisson en prélevant un marron qui doit se défaire lorsqu'on le touche. Passer la soupe au moulin à légumes posé sur une casserole, après avoir réservé les marrons intacts. Faire réchauffer. Goûter, rectifier l'assaisonnement en fonction du bouillon. Mettre la crème dans la soupière chaude et verser la soupe bien chaude dessus. Pain grillé et pluches d'herbettes seront les bienvenus avec cette soupe délicate malgré son apparence rustique. Faire «chabrot» avec un cahors ou un bordeaux rouge.

* Avec les mêmes ingrédients mais en supprimant carotte et poireau, en réduisant à 50 cl le bouillon, préparer une purée de marrons pour accompagner gibiers, porcs et volailles. Egoutter les marrons et les réduire en purée fine au pilon ou au tamis. Mélanger avec beurre et crème. Le bouillon de cuisson délicieux sera la base d'un potage ou d'une sauce.

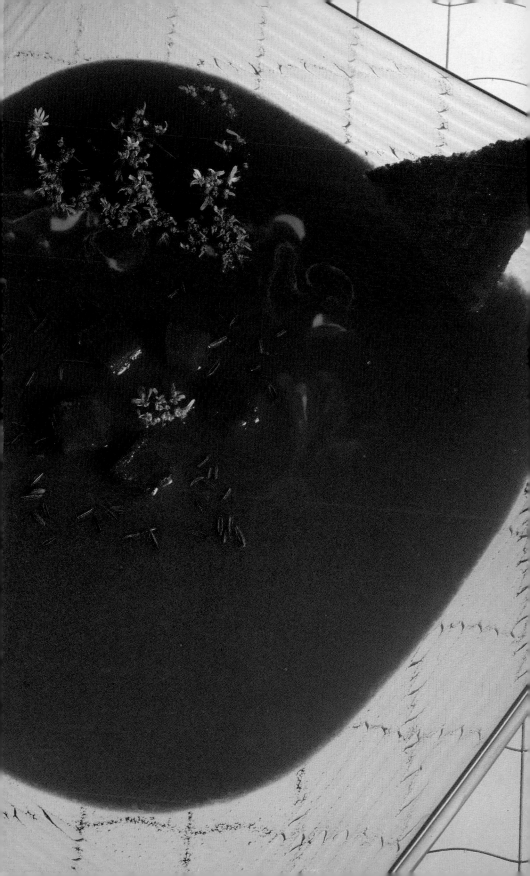

SOUPE AU POTIRON

Préparation : 8 mn
Cuisson : 12 mn

Pour 4 personnes
- 600 g de potiron
- 25 g de beurre
- 2 c. à soupe de crème fraîche
- 50 cl de lait bouilli chaud
- Sel, poivre, muscade râpée
- 12 petits croûtons
- 1 branche de cerfeuil

- Eplucher le potiron, couper la chair en petits cubes. Mettre dans la cocotte avec le beurre et couvrir. Enfourner pour 10 mn à toute puissance.
- Mixer ou passer au moulin à légumes et verser dans la cocotte.
- Fouetter peu à peu avec le lait chaud d'abord, puis la crème. Ajouter le poivre et la muscade, couvrir et faire cuire 2 mn à th. 9.
- Saler à présent et servir parsemé de pluches de cerfeuil.
- Offrir, à part, des croûtons grillés.

Vin blanc
Châteauneuf-du-Pape
de 2 à 3 ans
Servir à 10-11°
Cidre
Sec, non bouché, jeune
Servir à 12-13°

Par personne
229 Calories

SOUPE DE FEVES ET DE PETITS POIS

Préparation : 10 mn
Cuisson : 12 mn

Pour 4 personnes
- 1,250 kg de fèves en cosses
- 500 g de petits pois en cosses
- 1 oignon, 1 carotte moyenne
- 1 pomme de terre bien farineuse
- 1/2 c. à soupe de beurre demi-sel
- 1 brindille de sarriette ou de thym
- 1 tranche de jambon cuit
- Sel, pincée de Cayenne, poivre moulu

- Ecosser les petits pois et les fèves. Tailler l'oignon, la carotte et la pomme de terre en dés, aussi petits que les petits pois.
- Faire chauffer la cocotte à brunir. Y mettre ensuite le beurre à fondre.
- Y répartir les dés de carotte, d'oignon et de pomme de terre. Enfourner pour 3 mn à th. 9. Remuer les légumes après 2 mn.
- Mouiller ensuite avec 1 l 1/2 d'eau bouillante. Ajouter les fèves et les petits pois, le thym. Couvrir et faire cuire 9 mn à th. 9. Saler et poivrer en fin de cuisson.
- Ayant eu le temps de hacher le jambon assez gros, l'ajouter à la soupe et laisser reposer 3 mn.
- Servir aussitôt avec, si vous voulez, des petits croûtons grillés et frottés d'ail et 2 cuillères à soupe de crème fraîche.

* Si vous utilisez des fèves séchées (et décortiquées), il faudra les faire tremper la veille dans de l'eau fraîche en changeant l'eau 2 fois et les cuire 10 mn avant de mettre les petits pois.

Vin rosé
Tavel
de 2 à 3 ans
Servir à 8-9°
Vin rouge
Côtes-de-Provence
de 2 à 3 ans
Servir à 12-13°

Par personne
448 Calories

SOUPE AU PISTOU

Préparation : 40 mn
Cuisson : 50 mn

Pour 4 à 6 personnes
• 200 g d'haricots frais écossés
• 200 g d'haricots verts
pas trop fins
• 4 pommes de terre
• 1 bouquet garni
• 2 oignons moyens
• 1 clou de girofle
• 1 poireau
• 3 courgettes
• 4 tomates
• 200 g de « coudes » ou de gros
vermicelles
• Sel, poivre
Pour le pistou
• 4 gousses d'ail
• 1 branche de persil simple
• 1 branche de basilic
à grosses feuilles
• 100 g de gruyère sec râpé
ou de parmesan
• 20 cl d'huile d'olive
• Sel et poivre

Vin rouge
Côtes-de-Provence
Bandol
Ces vins rouges fortifient
le plaisir et la curiosité.
Servir à 15°

Par personne
428 Calories

• Tailler en petits cubes les haricots verts, le poireau, les courgettes avec leur peau, les pommes de terre épluchées. Hacher fin les oignons. Peler et épépiner les tomates sans les égoutter. Dans une casserole, y jeter le hachis d'oignons puis les cubes de poireau, enfin les tomates, déchiquetées au-dessus.
• Laisser tomber et fondre, à feu doux, pendant 5 mn, puis ajouter tous les autres légumes, le bouquet garni, le clou de girofle, le sel et le poivre. Mouiller d'eau chaude largement au-dessus des ingrédients. Couvrir.
• Après 30 mn de cuisson, ajouter les « coudes » ou les gros vermicelles. Goûter et rectifier l'assaisonnement, si nécessaire rajouter un peu d'eau bouillante. Continuer la cuisson encore 10 à 15 mn selon les pâtes choisies. Dès qu'elles sont cuites, servir la soupe avec du parmesan râpé et 3 feuilles de basilic ciselées.
• Ça c'est la « soup d'Lieumé », la soupe de légumes, une des plus populaires en pays niçois. Mais vous allez, avec l'apport du « pistou », en faire la reine des soupes de la région. Cette sauce d'été, par excellence, aura été, « broyée » pendant la cuisson des légumes et des pâtes : piler dans un mortier, l'ail épluché avec les feuilles de basilic lavées et séchées. Lorsque tout est en pâte fine, ajouter tout en pilant quelques instants, le gruyère sec ou, mieux, le parmesan.
• Incorporer peu à peu l'huile d'olive et finir d'assouplir la sauce en la malaxant avec une fourchette. Saler et poivrer.
• Ajouter le « pistou » cru hors du feu et au moment de servir la soupe.

* Si vous n'avez pas de haricots blancs frais écossés, les remplacer par des fèves ou des petits pois (qui ne doivent pas cuire longtemps) ou par des haricots secs, rouges ou blancs, à faire tremper la veille pour le lendemain midi.

SOUPE D'ORTIES

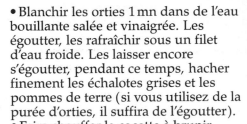

Préparation : 12 mn
Cuisson : 12 mn

Pour 4 personnes
- 2 bonnes poignées de sommités d'orties
- 1 petit flacon de purée d'orties
- 4 échalotes grises
- 1 c. à soupe de beurre
- 1 l de bouillon de volaille
- 2 pommes de terre farineuses
- 50 cl de lait bouilli
- 25 cl de crème fraîche
- 1 pincée de sucre roux en poudre
- 1 c. à café de vinaigre de vin
- Sel, poivre moulu, pincée de muscade
- Quelques croûtons grillés

Vin rouge
Gamay de Touraine
primeur
Servir à 8-9°
Beaujolais nouveau
(millésime précédent)
Servir à 8-9°
Pinot Noir d'Alsace
de 1 à 2 ans
Servir à 10-11°

Par personne
275 Calories

- Blanchir les orties 1 mn dans de l'eau bouillante salée et vinaigrée. Les égoutter, les rafraîchir sous un filet d'eau froide. Les laisser encore s'égoutter, pendant ce temps, hacher finement les échalotes grises et les pommes de terre (si vous utilisez de la purée d'orties, il suffira de l'égoutter).
- Faire chauffer la cocotte à brunir. Mettre le beurre et les échalotes pour 2 mn de cuisson à th. 9. Remuer après 1 mn et recouvrir.
- Pendant ce temps, râper les pommes de terre. Les ajouter aux échalotes, couvrir et laisser cuire à th. 7 pendant 2 mn. Les remuer avec une cuillère, recouvrir et cuire encore 2 mn.
- Ajouter les orties blanchies, le lait, le sucre, le sel et le poivre. Couvrir et faire cuire à th. 8 pendant 8 mn (si vous utilisez de la purée d'orties en flacon, ne mettre l'ortie que 2 mn avant la fin de la cuisson des pommes de terre).
- Vous pouvez, pour plus de finesse, passer le potage au mixeur. Faire alors cette opération avant d'ajouter la crème et la muscade. Le potage ayant refroidi faire cuire 2 mn au lieu d'1.
- Ajouter, en délayant à la cuillère, la crème fraîche et la muscade. Sans couvrir, faire cuire 1 mn à th. 9.
- Servir aussitôt avec de petits croûtons grillés.

SOUPE DE PAUL

Préparation : 20 mn
Cuisson : 25 mn

Pour 4 personnes
- 2 carottes
- 2 oignons
- 4 pommes de terre Belle de Fontenay
- 2 poireaux
- 1 petit bouquet de cerfeuil
- 250 g de bœuf
- 80 g de beurre
- Sel, poivre

- Peler les carottes, les oignons et les pommes de terre.
- Nettoyer les poireaux. Couper le tout en petits morceaux.
- Dans une casserole à fond épais, faire fondre le beurre, y faire revenir les légumes pendant 5 à 6 mn. Saler et poivrer, ajouter le cerfeuil effeuillé. Couvrir le tout d'eau et laisser cuire pendant 20 mn sur feu doux.
- Couper le bœuf en lanières, les ajouter à la préparation.
- Verser dans une soupière et servir aussitôt.

Vin blanc
Mâcon-Village
C'est un vin blanc de caractère, au nez floral/fruité, capiteux et charpenté. Il mettra en valeur cette soupe.
Servir à 8-9°

Par personne
485 Calories

PATES ET POIS CHICHES

Préparation : 10 mn
Cuisson : 4 h

Pour 4 personnes
- 2 l d'eau
- 200 g de fettuccine tagliate
- 200 g de pois chiches
- 3 branches de persil plat
- 1 petite branche de romarin frais
- 1 gousse d'ail
- 6 c. à soupe d'huile d'olive extra
- 1 c. à café de bicarbonate de soude
- Sel, poivre du moulin

- La veille, faire tremper les pois chiches avec le bicarbonate de soude.
- Le lendemain, les égoutter et les verser dans une casserole avec 2 l d'eau, 3 cuillères à soupe d'huile et le romarin. Couvrir et laisser cuire à feu doux pendant 4 h sans jamais soulever le couvercle.
- Hacher le persil, presser l'ail dégermé.
- A la fin de la cuisson des pois, saler, poivrer, ajouter l'ail et les pâtes.
- Les faire cuire « al dente ».
- Après 3 mn, verser dans une soupière, assaisonner avec le reste d'huile et le persil haché. Mélanger et servir aussitôt dans des assiettes creuses.
- C'est un plat d'hiver, très populaire, surtout dans le Sud de l'Italie, dans la région de Naples.
- On peut remplacer le persil par 1 cuillère à café d'origan.

* Spécialité de Campania - Campanie.

Vin
Côtes-du-Rhône
Gigondas
Vacqueyras
Un vin rouge de cette région puissant, tannique et généreux.
Servir à 15-16°

Par personne
504 Calories

POTAGE AUX BETTERAVES

Préparation : 10 mn
Cuisson : 20 mn

- 1 betterave crue de 200 g
- 1 gros oignon
- 1 petite branche de céleri
- 200 g de tendron de veau
ou 1/2 cube de bouillon de bœuf
- 8 dl d'eau chaude
- Ciboulette ciselée
- Sel, poivre
- Croûtons ou vermicelles

• Eplucher la betterave et l'oignon, les émincer en fines tranches, les mettre dans une cocotte avec 2 cuillerées à soupe d'eau. Couvrir, cuire 8 mn pg cuisson maxi. Ajouter l'eau, la branche de céleri, la viande, saler, couvrir, cuire 10 à 12 mn. Filtrer le bouillon, le poivrer, le parsemer de ciboulette.
• Servir avec des croûtons ou du vermicelle. Consommer les légumes et la viande avec une sauce vinaigrette.

Vin
Minervois
Tannique mais souple,
avec une belle puissance
alcoolique, du fruit et une
certaine rusticité qui fait
son élégance.
Servir à 16-17°

Par personne
300 Calories

SOUPE DE LENTILLES AU CUMIN

Préparation : 7 mn
Cuisson : 16 mn

Pour 4 personnes
- 200 g de lentilles vertes du Puy
- 1 oignon piqué de son clou de girofle
- 1 échalote grise
- 1 gousse d'ail
- 1 bouquet garni avec du vert de poireau
- 1 belle carotte
- 1 gros oignon
- 1 pincée de sucre
- 1 c. 1/2 à café de cumin
- 2 c. à soupe de beurre
- 1 c. à soupe de ciboulette hachée
- Sel et poivre moulu

- Rincer les lentilles, les mettre dans une cocotte avec le bouquet garni, l'oignon clouté, l'ail, la carotte tronçonnée. Verser 1,25 l d'eau froide, couvrir et cuire à th. 9, 13 mn.
- Pendant ce temps, hacher séparément l'échalote et l'oignon. Hacher aussi la ciboulette.
- Retirer, après cuisson, la cocotte du four à micro-ondes et la laisser reposer le temps de préparer l'accompagnement d'oignon.
- Faire chauffer le plat à brunir et y mettre le beurre. Ajouter le hachis d'oignon et faire blondir, sans couvrir, 1 mn à th. 2. Ramener l'oignon au centre du plat et répartir l'échalote autour. Couvrir et faire blondir 1 mn.
- Saupoudrer ensuite de sucre. Couvrir et faire «caraméliser» 1 mn. Verser 2 cuillères de liquide de cuisson des lentilles et cuire à th. 6, 2 mn.
- Mélanger avec le potage et saupoudrer de ciboulette. Servir aussitôt.

Vin blanc
Pinot
Klevner
de 1 à 2 ans
Servir à 8-9°
Riesling
de 1 à 3 ans
Servir à 8-9°
Sauvignon de Loire
d'1 an
Servir à 8-9°

Par personne
204 Calories

POTAGE AUX RAVIOLIS

Préparation : 20 mn
Cuisson : 10 mn

Pour 4 personnes
• 400 g de raviolis frais
• 300 g d'épinards
• 2 tomates
• 1 l de bouillon de volaille
• 2 c. à soupe de crème fraîche
• 4 branches de cerfeuil
• Sel, poivre

• Laver et équeuter les épinards. Les hacher grossièrement.
• Peler les tomates après les avoir plongées 2 mn dans de l'eau bouillante, les épépiner, couper la chair en dés.
• Dans une grande casserole, verser le bouillon et le porter à ébullition. Ajouter les raviolis et laisser cuire 6 à 8 mn. Ajouter les épinards, les tomates et le cerfeuil haché. Laisser cuire 2 mn.
• Incorporer la crème fraîche, servir aussitôt.

Vin
Bandol blanc ou rosé
Chercher la fraîcheur
en rose ou en blanc,
selon votre goût pour
trouver une harmonie
car épinards et tomates
aiment peu le vin rouge.
Servir à 8-9°

Par personne
177 Calories

VELOUTE DE LAITUE

Préparation : 3 mn
Cuisson : 13 mn

Pour 4 personnes
- 2 laitues très tendres
- 1 c. à café de beurre demi-sel
- 1 petit pot de yaourt
- 1 tasse à thé de lait bouilli
- 2 jaunes d'œuf
- 1 c. à soupe de crème fraîche
- 3 c. à soupe de tapioca
- 2 c. à soupe de cerfeuil ciselé
- Sel et poivre blanc moulu
- Pincée de muscade

- Couper en lanières les laitues nettoyées, lavées et bien égouttées.
- Chauffer une cocotte à brunir puis mettre le beurre à fondre. Ajouter les lanières de laitue et couvrir. Elles doivent fondre pendant 5 mn à th. 8.
- Ajouter 1 l d'eau bouillante, couvrir et laisser cuire 7 mn à th. 9. Ajouter le tapioca et faire cuire 3 mn. Mixer ou non et laisser reposer 3 mn.
- Dans un bol, fouetter le yaourt avec les jaunes d'œufs et délayer avec le lait bouilli.
- Prélever un peu de potage et y incorporer en fouettant au contenu du bol puis, remettre au four, à th. 5, 1 mn et laisser reposer 1 mn.
- Servir aussitôt, saupoudré de cerfeuil ou de persil.

Vin blanc
Le cépage Chardonnay
doit bien s'harmoniser
Rully
de 1 à 2 ans
Servir à 9-10°
St-Véran
de 1 à 3 ans
Servir à 9-10°
Chablis
de 2 à 3 ans
Servir à 9-10°

Par personne
107 Calories

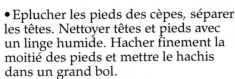

VELOUTE DE CEPES DE PUYMIROL

Préparation : 8 mn
Cuisson : 16 mn

Pour 4 personnes
- 500 g de cèpes fermes et frais
- 3 gousses d'ail
- 3 échalotes grises
- 20 g de beurre
- 1 bouillon cube
- 10 cl de crème fraîche
- 1 jaune d'œuf
- Quelques branches de persil

- Eplucher les pieds des cèpes, séparer les têtes. Nettoyer têtes et pieds avec un linge humide. Hacher finement la moitié des pieds et mettre le hachis dans un grand bol.
- Hacher l'ail et les échalotes, les ajouter au bol et mélanger avec 10 g de beurre. Couvrir le bol avec une assiette dans laquelle vous disposerez les têtes et le reste des pieds coupés en lamelles. Assaisonner et parsemer de beurre restant. Couvrir l'assiette de film.
- Enfourner 3 mn à th. 9. Remuer le contenu du bol et celui de l'assiette, recouvrir et remettre dans le four à micro-ondes pour 4 mn à th. 9.
- Retirer l'assiette. Ajouter dans le bol 30 cl d'eau dans laquelle vous avez dilué le bouillon cube. Couvrir et faire cuire 5 mn à th. 9. Laisser reposer 2 mn.
- Passer le contenu du bol et les pieds émincés de l'assiette au mixeur. Ajouter 40 cl d'eau chaude, la crème fraîche et le jaune d'œuf. Mixer encore quelques secondes.
- Passer ou non (selon votre goût) au chinois et rectifier l'assaisonnement.
- Verser le velouté obtenu dans 4 bols, y répartir les têtes de cèpes et faire réchauffer 4 mn à th. 4.
- Parsemer de persil ciselé au moment de servir.

Vin rouge
Côtes-de-Fronsac
de 4 à 5 ans
Servir à 14-15°
Lalande de Pomerol
de 5 à 6 ans
Servir à 15-16°

Par personne
105 Calories

VELOUTE AUX CHAMPIGNONS DES BOIS

Préparation : 15 mn
Cuisson : 40 mn

- 200 g de girolles
- 300 g de cèpes
- 60 g de beurre
- 30 g de farine
- 1 l 1/2 de consommé de volaille
- 20 cl de crème fleurette
- 2 jaunes d'œufs
- 3 branches de cerfeuil
- Sel, poivre, muscade

- Préparer un roux très blond en jetant la farine dans le beurre chaud. Faire mousser puis cuire quelques instants avant de mouiller avec le consommé et de le laisser réduire 30 mn en écumant de temps à autre.
- Essuyer les champignons avec un linge humide. Emincer finement les chapeaux des cèpes. Réserver les pieds. Couper au maximum ceux des girolles et émincer les chapeaux. Passer les pieds au mixeur ou les hacher menu menu. Jeter les chapeaux émincés et pieds mixés dans le velouté dont vous avez retiré la peau s'il s'en était formé une. Faire cuire, à feu très doux, 10 mn.
- Retirer du feu, ajouter en travaillant au fouet (sans fouetter pour autant mais le fouet aère mieux la préparation que la cuillère) la crème d'abord, puis les jaunes.
- Goûter et ajouter la muscade après avoir rectifié en sel et en poivre.
- Verser dans une jolie soupière (c'est un joli potage) et parsemer de cerfeuil.
- Servir aussitôt.

Vin
Sancerre
Pour «fouetter» cette
soupe sur le plan du goût
(un rouge la «tuerait»),
le Sancerre vif
et fougueux redonnera
de l'ardeur à tous
les arômes.
Servir à 8-9°

Par personne
380 Calories

TOURAIN A LA TOMATE

Préparation : 10 mn
Cuisson : 17 mn

Pour 4 personnes
- 1 kg de tomates de Marmande
- 1 oignon moyen
- 3 gousses d'ail
- 1 branche de céleri
- 1 c. à soupe d'huile d'olive
- 1,5 l de bouillon de volaille
- 1 bouquet garni
- 2 c. à soupe de pâtes «cheveux d'ange»
- Sel et poivre moulu frais

- Eplucher l'ail, l'oignon et retirer les fils du céleri. Hacher l'ail et le céleri, émincer l'oignon. Couper les tomates en quatre.
- Faire chauffer une cocotte à brunir. Y mettre ensuite l'huile à chauffer et y jeter les émincés d'oignon. Laisser cuire 3 mn à th. 9.
- Ajouter l'ail et le céleri, couvrir et faire cuire 2 mn à th. 9.
- Pendant ce temps, le bouillon a chauffé sur le feu ou, après avoir retiré la cocotte, dans le four à micro-ondes.
- Ajouter dans la cocotte les tomates, le bouquet garni et le bouillon. Couvrir et faire cuire 7 mn.
- Retirer le bouquet garni, passer la soupe au moulin à légumes, la remettre dans la cocotte, couvrir et laisser repartir à ébullition. Saler et poivrer.
- Ajouter les «cheveux d'ange», ne pas couvrir et laisser cuire 5 mn.
- Laisser reposer, couvert, 5 mn.

Vin rouge
Les vins peuvent être «tués» par ce plat.
Mais essayer :
Cahors
de 6 à 8 ans
Servir à 13-14°
Madiran
de 3 à 4 ans
Servir à 14-15°

Par personne
129 Calories

BOUILLON DE NIDS DE BARBINE

Préparation : 10 mn
Cuisson : 20 mn

Pour 4 personnes
- 200 g de barbine a nido
- 1,2 l de bouillon de poule dégraissé
- 80 g de blanc de poireau
- 3 à 4 feuilles blanches de céleri
- 20 g de beurre
- 75 g de parmesan râpé
- Sel, poivre du moulin

- Hacher finement le poireau et les feuilles de céleri.
- Mettre le beurre dans une casserole avec les légumes. Les faire suer sans les laisser prendre couleur.
- Verser alors le bouillon, chauffer. Lorsqu'il bout, jeter les barbine et les faire cuire «al dente». Verser dans une soupière.
- Servir accompagné de parmesan râpé.

* On peut casser les barbine a nido avant de les faire cuire, ce sera plus facile pour les déguster.

Vin
Châteauneuf-du-Pape
De la vigueur, de la matière, des tanins présents mais ronds, des senteurs riches et complexes pour toute harmonie avec ce mets.

Par personne
325 Calories

ORECCHIETTE AUX POMMES DE TERRE

Préparation : 15 mn
Cuisson : 20 mn

Pour 6 personnes
- 4 l d'eau
- 300 g d'orecchiette
- 400 g de pommes de terre
- 300 g de sauce tomate « maison »
- 40 g de pecorino ou parmesan râpé
- 4 branches de pourpier (salade)
- Sel, poivre du moulin

• Eplucher les pommes de terre, les laver et les couper en grosses tranches de 1 à 1,5 cm d'épaisseur.
• Les mettre dans une casserole avec 4 l d'eau froide.
• Saler, porter à ébullition puis baisser le feu.
• Après 5 mn de cuisson, ajouter les branches de pourpier lavées et les pâtes. Mélanger et laisser cuire.
• Pendant ce temps, faire chauffer la sauce.
• Lorsque les pâtes sont « al dente » égoutter le tout, jeter le pourpier et couper rapidement les pommes de terre en dés.
Verser le tout dans un plat de service, poivrer et assaisonner avec la sauce tomate.
• Mélanger délicatement, servir sans attendre, accompagné du fromage râpé.

* Spécialité de Puglie - Pouilles.

Vin blanc
Bellet de Nice
Du fruité, du floral (fleurs jaunes), une note agréable de fruits secs dans une matière riche, dense et fraîche (belle acidité).
Servir à 8°

Par personne
304 Calories

POTAGE AU POULET ET AU BASILIC

Préparation : 10 mn
Cuisson : 15 mn

Pour 4 personnes
- 2 blancs de poulet
- 1 bouquet de basilic
- 2 c. à soupe de crème fraîche
- 1 l de bouillon de volaille
- 2 échalotes
- 40 g de beurre
- Sel, poivre

- Couper les blancs de poulet en petites lanières.
- Peler et émincer les échalotes.
- Laver et essuyer le basilic, le hacher finement.
- Dans une poêle, faire fondre le beurre, ajouter les blancs de poulet et les échalotes, les faire rissoler 5 à 6 mn.
- Dans le bol d'un mixeur, mettre les blancs de poulet et les échalotes, le bouillon, le basilic, sel et poivre. Mixer le tout. Si le mélange est trop épais, ajouter un peu d'eau.
- Verser le potage dans une casserole et le faire chauffer sur feu doux pendant 15 mn. Ajouter la crème et servir aussitôt.

Vin
Pinot Noir d'Alsace
Restons en Alsace avec cette version à laquelle j'aurais préféré un vin plus tannique
en choisissant un Pinot Noir de Bourgogne.
Servir à 14°

Par personne
250 Calories

POTAGE A L'OIE ET A L'ORGE PERLE

Préparation : 15 mn
Cuisson : 2 h 05

Pour 4 personnes
- 2 kg de cous et de carcasses, d'ailerons d'oie
- 2 gésiers
- 2 poireaux
- 1 oignon moyen
- 1 carotte
- 1 morceau de céleri-rave (d'environ 30 g)
- 2 c. à soupe d'orge perlé
- 1 jaune d'œuf
- 10 cl de crème fraîche
- 2 branches de cerfeuil
- Sel, poivre, muscade

- Faire cuire longuement à feu très doux avec de l'eau à hauteur, les carcasses, les cous, les abattis et les gésiers avec l'oignon, la carotte, le vert des poireaux hachés, le céleri et les branches du cerfeuil effeuillé. Réserver le fin feuillage au frais.
- Pendant la cuisson, dégraisser, écumer.
- Emincer les blancs et un peu de vert tendre des poireaux. Réserver.
- Après 1 h 30 mn environ, les chairs seront cuites. Prélever un peu de bouillon filtré et le verser dans une casserole avec l'orge perlé rincée à l'eau tiède. Faire cuire 20 mn puis ajouter les blancs de poireaux pour encore 15 mn de douce cuisson.
- Retirer les gésiers du reste du bouillon, les couper en très petits dés. Ajouter à la cuisson de l'orge.
Dans une soupière mélanger la crème fraîche et le jaune d'œuf. Verser à travers un chinois le bouillon très chaud tout en fouettant vivement. Ajouter dans la soupière, l'orge, les dés de gésiers, les poireaux et leur jus. Parsemer de pluches de cerfeuil et servir aussitôt.

Vin
Madiran
Rechercher les tanins et l'acidité dans un bel équilibre, avec des notes fruitées (fruits rouges mûrs), de cuir, de sous-bois et des nuances animales (venaison).
Servir à 16-17°

Par personne
162 Calories

SOUPE GLACEE DE HOMARD

Préparation : 40 mn
Cuisson : 20 mn

Pour 4 personnes
- 1 homard de 600 g
- 100 g de carottes
- 100 g d'oignons
- 3 échalotes
- 2 gousses d'ail
- 300 g de tomates fraîches
- 50 g de concentré de tomates
- 1 bouteille de vin blanc sec
- 1/2 l de fumet de poisson
- 1 c. à soupe de cognac
- 10 cl d'huile d'arachide
- 1 bouquet garni avec 1 branche d'estragon
- 1 pincée de Cayenne
- Sel, poivre du moulin

Pour la garniture
- 1 tomate
- 100 g de haricots verts
- 50 g de céleri en julienne
- 30 g de caviar Sévruga

- Tronçonner le homard vivant en trois et couper la tête en deux dans le sens de la longueur. Réserver le corail sans l'estomac.
- Peler les légumes, l'ail et les échalotes, les couper en mirepoix.
- Peler, épépiner et concasser les tomates.
- Dans une sauteuse faire chauffer l'huile, ajouter les morceaux de homard jusqu'à ce que la carapace soit rouge. Réserver au chaud.
- Dans la même casserole faire revenir les légumes. Ajouter le homard et flamber au cognac. Ajouter les tomates concassées et le concentré de tomates. Bien mélanger le tout et laisser cuire 5 mn.
- Mouiller avec le vin blanc et le fumet de poisson. Ajouter le bouquet garni, le Cayenne, le sel et le poivre.
- Laisser cuire 10 mn.
- Retirer les morceaux de homard. Réserver, laisser réduire le bouillon d'un quart, le passer. Mixer le corail et l'incorporer au bouillon. Laisser refroidir. Mettre au réfrigérateur jusqu'au moment de servir.
- Préparer la garniture : peler, épépiner et concasser la tomate.
- Equeuter et faire cuire les haricots verts.
- Faire la julienne de céleri. Dans les assiettes de service, déposer la garniture bien froide, la napper de soupe glacée. Décortiquer les morceaux de homard, les poser sur la garniture. Placer au centre un peu de caviar.
- Servir glacé.

Vin
Pauillac
Ne pas lésiner sur la grandeur du vin, l'harmonie n'en sera que plus grandiose grâce à la noblesse des tanins.
Servir à 16°

Par personne
474 Calories

SOUPE DE GAMBAS PATRICE

Préparation : 20 mn
Cuisson : 6 mn
Micro-ondes : 5 mn

Pour 4 personnes
- 1/2 l de bouillon de poule
- 400 g de champignons de Paris
- 3 tiges de citronnelle fraîche
- 3 feuilles de citrus
- 1 poignée de vermicelles chinois
- 16 gambas crues
- 1 bouquet de coriandre
- Sel
- Poivre

- Laisser décongeler les gambas à température ambiante ou 3 mn au four à micro-ondes. Les décortiquer. A l'aide d'une paire de ciseaux, les partager en 2 sans les couper entièrement, en partant de la queue.
- Emincer la citronnelle et les feuilles de citrus.
- Laver et émincer les champignons.
- Dans une casserole, verser le bouillon et 1/2 l d'eau. Ajouter la citronnelle et les champignons. Porter à ébullition. Saler et poivrer. Mettre les gambas, les vermicelles et laisser cuire encore 3 mn.
- Parsemer de feuilles de citrus et servir aussitôt.

Micro-ondes :
- Dans une cocotte, verser le bouillon et 1/2 l d'eau, glisser au four pour 3 mn à pleine puissance. Ajouter la citronnelle et les champignons, laisser cuire 1 mn les gambas et les vermicelles pour 2 mn encore.
- Ajouter les feuilles de citrus au dernier moment.
- Laisser reposer 3 mn avant de servir.

Vin rouge
Corbières
La puissance, l'élégance et des arômes très fruits mûrs avec des notes de cerise et de réglisse.
Servir à 16°

Par personne
170 Calories

CHAUDREE DE LA ROCHELLE

Préparation : 40 mn
Cuisson : 1 h 15 mn

Pour 4 personnes
- 300 g de blanc de petites seiches
- 1 grondin rouge de 200 g
- 200 g de séteaux
- 250 g de raiteaux
- 200 g de petites anguilles
- 1 mulet de 200 g
- 1 bouteille de vin blanc de l'île de Ré
- 4 pommes de terre
- 2 oignons moyens
- 1 gousse d'ail
- 1 bouquet garni avec des queues de persil
- 250 g de beurre demi-sel
- Gros sel marin
- Poivre blanc

• Laver, sécher le blanc de seiche. Le couper en lanières assez fines. Nettoyer les petits poissons (anguilles, raiteaux et séteaux), les laisser entiers. Tronçonner le grondin vidé et privé de ses nageoires. Faire de même avec le mulet. Laisser les têtes savoureuses. Réserver.

• Peler, émincer les oignons, écraser l'ail.

• Dans une marmite posée sur feu doux, faire chauffer une cuillère de beurre et y jeter les émincés d'oignons. Laisser à peine blondir puis ajouter les lanières de seiche, l'ail et le bouquet garni. Laisser étuver, sans couvercle, en remuant souvent pendant 15 mn (les seiches rendent beaucoup de jus).

• Saler, poivrer, mouiller avec le vin et 50 cl d'eau. Couvrir et cuire 30 mn à feu doux. Si vous avez choisi comme à Fouras la chaudrée aux pommes de terre, en éplucher 4 pendant la cuisson des seiches et les ajouter coupées en morceaux 10 mn après avoir versé le vin et l'eau. Compter 20 mn de cuisson.

• Après ce temps, ajouter les tronçons de grondin et de mulet, recouvrir puis 3 mn après, mettre les petites anguilles, les séteaux et les raiteaux. Couvrir et cuire 5 mn. Retirer le bouquet garni, ajouter la dernière cuillère de beurre, rectifier l'assaisonnement si nécessaire et servir aussitôt.

* Les pommes de terre sont souvent remplacées par de petits croûtons frits ou grillés, taillés en dés. La célèbre chaudrée de Jacques Le Divellec servie jadis au Pacha à La Rochelle, comportait aussi de petites anguilles pêchées en mer et aussi un petit mulet, un «meuille» comme on dit là-bas.

Vin blanc
Vin blanc d'Oléron
ou de Ré
au léger goût de varech.

Par personne
1113 Calories

POTAGE DE CRESSON AUX BOUQUETS

Préparation : 15 mn
Cuisson : 12 mn 30

- 1 botte de cresson
- 150 g de bouquets
- 20 cl de vin blanc
- 2 pommes de terre moyennes
- 20 g de beurre demi-sel
- 10 cl de crème fraîche
- 1 jaune d'œuf
- Sel et poivre

• Peler, hacher fin l'échalote. Peler, laver les pommes de terre, les couper en petits dés. Effeuiller le cresson, le laver, l'égoutter.
• Mettre le beurre dans une cocotte avec les dés de pomme de terre et le hachis d'échalote. Couvrir, programmer à th. 9, 3 mn. Ajouter le cresson, couvrir, faire cuire à th. 8, 2 mn.
• Préparer 75 cl d'eau bouillante.
• Retirer la cocotte aux légumes. Laisser reposer 2 mn.
• Verser 15 cl d'eau et le vin blanc dans une plus petite cocotte. Saler peu, poivrer bien. Ajouter les bouquets, couvrir et faire cuire 1 mn 30 à th. 9. Retirer et laisser reposer.
• Pendant cette cuisson, passer au mixeur ou au moulin à légumes le contenu de la première cocotte.
• Remettre la purée dans la grande cocotte. Ajouter le reste d'eau. Couvrir, remettre au four pour 2 mn à th. 7. Réserver.
• Décortiquer les bouquets, réserver les queues. Passer les têtes et les carapaces au moulin à légumes au-dessus de la petite cocotte. Reverser dans le liquide de cuisson et couvrir.
• Enfourner, à la place de la première cocotte, pour 2 mn à th. 9.
• Sortir ensuite la petite cocotte et passer le liquide très parfumé au-dessus de la grande cocotte à travers un chinois.
• Mélanger dans un bol la crème et le jaune d'œuf. Verser en fouettant dans la grande cocotte, y ajouter les bouquets. Goûter et rectifier l'assaisonnement. Couvrir et remettre au four à th. 9 pour 30 secondes pas plus.
• Servir avec des croûtons frits et un muscadet bien frais.

Vin
Difficile de boire du vin sur le cresson (ça donne un goût de punaise)

Par personne
210 Calories

SOUPE DE POISSONS

Préparation : 20 mn
Cuisson : 55 mn

Pour 8 personnes
- 1 kg de poissons (rascasses, vives, congres, grondins, merlans)
- 50 cl d'huile d'olive
- 120 g de carottes
- 120 g de poireaux
- 200 g de tomates fraîches
- 40 g d'échalotes
- 80 g de fenouil
- 100 g de concentré de tomates
- 3 dl de vin blanc
- 60 g de céleri branche
- 30 g d'ail
- 5 g de safran
- 2 fleurs d'anis étoilé
- 1 bouquet garni
- Poivre de Cayenne, sel

- Demander à votre poissonnier de préparer les poissons (écailler, vider et couper en tronçons).
- Peler les carottes et les oignons, les tailler en mirepoix (tout petits carrés), éplucher et émincer les échalotes, l'ail, les poireaux, le fenouil et le céleri.
- Plonger les tomates 1 mn dans de l'eau bouillante puis dans de l'eau froide pour les peler aisément.
- Dans un faitout, faire chauffer l'huile, y faire revenir les poissons.
- Ajouter les légumes sauf les tomates. Remuer souvent, laisser mijoter quelques instants.
- Mouiller avec le vin blanc et 3,5 l d'eau.
- Saler, ajouter le bouquet garni, l'ail, 1 pincée de Cayenne, les tomates réservées, le concentré de tomates, le safran et l'anis étoilé. Laisser cuire à couvert pendant 45 mn, amener à forte ébullition, écumer et arrêter le feu.
- Goûter et rectifier l'assaisonnement si nécessaire.

Vin rosé
Côtes-de-Provence
Fruité et caressant, tendre et puissant, ce vin est une sève pleine de charme.
Servir à 8-9°
Vin rouge
Côtes-de-Provence
Les accents méditerranéens (arômes de garrigue ou de fruits) dans une belle structure de tanins fondus avec de la rondeur.
Servir à 15-16°

Par personne
218 Calories

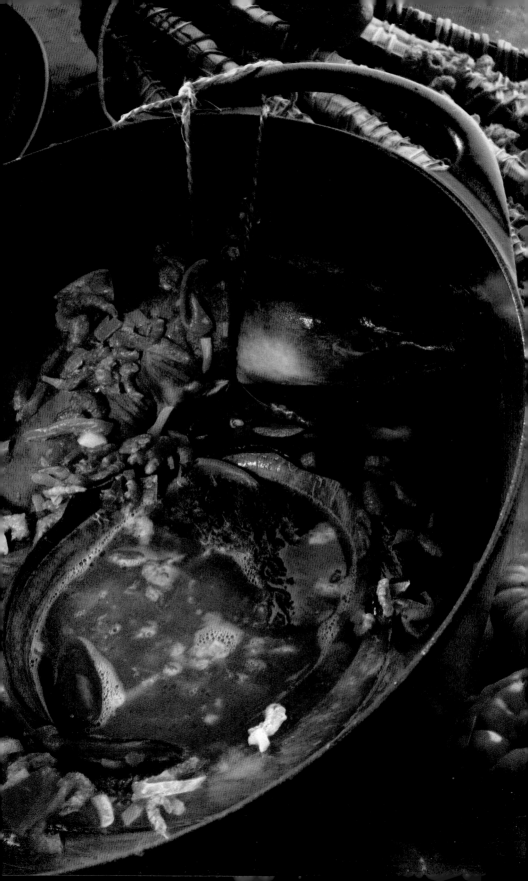

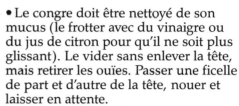

SOUPE DE CONGRE A LA FICELLE

Préparation : 20 mn
Cuisson : 1 h 10

Pour 8 personnes
- 1 congre de 3 kg
- 5 tomates mûres
- 1 gros oignon
- 50 g de crevettes séchées (en épicerie exotique)
- 1 feuille de laurier
- 3 c. à soupe d'huile de palme (ou d'arachide à défaut)
- 1 petit piment, rouge et fort
- 5 gros piments, verts et doux
- Vinaigre d'alcool ou jus de citron
- Gros sel

Vin rosé
Côtes-de-Provence
Pour élever le débat du goût, choisir un rosé très épicé et fruité, bien charpenté et puissant.
Servir à 8°

Par personne
486 Calories

- Le congre doit être nettoyé de son mucus (le frotter avec du vinaigre ou du jus de citron pour qu'il ne soit plus glissant). Le vider sans enlever la tête, mais retirer les ouïes. Passer une ficelle de part et d'autre de la tête, nouer et laisser en attente.
- Concasser grossièrement les tomates sans les éplucher, râper l'oignon, hacher menu les piments doux égrénés. Piler ou non les crevettes.
- Dans une marmite assez large pour contenir le congre enroulé, faire chauffer l'huile de palme. Ajouter l'oignon râpé et les piments hachés. Remuer. Laisser cuire, à feu doux, 10 mn. Ajouter les tomates, remuer et cuire encore 10 mn.
- Disposer le poisson en rond dans la marmite en attachant la ficelle à une poignée. Poser le couvercle et baisser le feu. Compter 20 à 25 mn de cuisson. Le poisson doit être archi-cuit. Eteindre et sans découvrir laisser reposer 5 mn. Saisir le bout de la ficelle détachée de la poignée et secouer le poisson au-dessus du jus pour faire tomber toute la chair dans le récipient. Il ne doit, à la fin, ne rester dans la main que l'arête et la tête ficelée.
- Verser toute la cuisson dans un moulin à légumes posé sur une jatte pour recueillir le jus.
- Reposer le moulin sur la marmite vide et réduire peu à peu en purée. Verser le jus dessus de temps en temps pour aider le travail.
- Remettre la marmite sur le feu, très bas, ajouter le piment fort haché et faire mijoter 10 mn. Goûter et rectifier l'assaisonnement à votre goût.
- Servir avec du tapioca, de grosses pâtes cuites à part ou des croûtons grillés frottés d'ail et de thym.

COTRIADE DES PECHEURS

Préparation : 20 mn
Cuisson : 54 mn

Pour 6 personnes
- 1,2 kg de poissons à chair ferme congre, rouget, lieu ou maquereau etc. et à chair molle : merlan, vieille, etc.
- 600 g de coquillages de saison
- 4 à 6 étrilles
- 300 g de bigorneaux
- 1 poignée de crevettes
- 2 c. à soupe de beurre breton demi-sel
- 2 oignons moyens
- 1 blanc de poireau
- 1 branche de céleri
- 1 gousse d'ail
- 1 kg de pommes de terre
- 1 bouquet garni
- Gros sel, poivre, Cayenne

> *Vin*
> Muscadet sur lie
> Sélectionner le plus fruité des Muscadets, de 3-4 ans d'âge, mais encore vif et nerveux.
> Servir à 8°

- Nettoyer les poissons, les vider et les écailler, les laver, et les couper en tronçons et les répartir dans deux mousselines différentes. Réserver les têtes et les arêtes et les enfermer aussi dans une mousseline.
- Eplucher, laver, tronçonner les légumes. Ecraser l'ail, le hacher fin ainsi que les oignons. Dans une marmite, faire dorer au beurre les oignons puis, quelques instants après, le blanc de poireau. Ajouter l'ail, le céleri, le bouquet garni et les parures de poissons. Mouiller avec 3 l d'eau et faire cuire 30 mn à gros bouillon.
- Couper ensuite en tranches épaisses les pommes de terre épluchées, les ajouter dans la soupe avec gros sel et poivre écrasé. Après 15 mn vérifier leur cuisson de la pointe du couteau. Si elles sont presque tendres, ajouter les poissons à chair ferme. Couvrir et laisser cuire sans remuer 6 mn.
- Disposer ensuite sur le tout les étrilles, les bigorneaux, les crevettes, les coquillages et les poissons à chair molle. Couvrir et laisser cuire un peu plus calmement 3 mn. Eteindre et laisser reposer, le temps de chauffer un grand plat creux, des assiettes "calotte", et de tailler des croûtons.
- Retirer à l'écumoire les pommes de terre, les légumes, les poissons et les coquillages dans le plat, et tenir au chaud couvert.
- Passer la soupe dans une passoire au-dessus d'une soupière où il y a du poivre et une bonne pincée de Cayenne, parfois de fines herbes ciselées.
- Présenter le plat de poisson (retiré des mousselines ou des filets) avec une bonne vinaigrette bien relevée. La soupe tenue au chaud sera dégustée après, avec les croûtons.

PANACHE DE LA MER AU SAFRAN

Préparation : 16 mn
Cuisson : 16 mn

Pour 3 personnes
- 1 filet de rascasse du Nord, écaillé mais non pelé, de 180 g
- 2 filets de merlan écaillés mais non pelés de 90 g chacun
- 200 g de lotte pelée et désossée
- 500 g de coques
- 1 petite carotte
- 1 côte tendre de céleri
- 1 échalote
- 1 dl de vin blanc sec
- 125 g de crème fraîche épaisse
- 1 dosette de filaments de safran
- 2 c. à soupe de cerfeuil ciselé
- 20 g de beurre
- Sel, poivre de baies mélangées

Vin
Bandol
Rechercher l'élégance mais aussi la puissance sans négliger la grandeur d'un bouquet riche.
Servir à 16°

Par personne
427 Calories

- Rincer les coques à l'eau froide puis les laisser tremper dans une grande quantité d'eau froide pour leur faire rendre leur sable.
- Egoutter et les verser dans un plat haut en porcelaine à feu. Couvrir et les faire ouvrir au four à micro-ondes, sélecteur 9 pour 4 mn. Mélanger à mi-cuisson.
- Egoutter les coques dans une passoire placée au-dessus d'un saladier. Réserver.
- Peler, laver et râper finement la carotte.
- Laver, couper la côte de céleri, en trois tronçons, les détailler en fins bâtonnets.
- Eplucher et hacher finement l'échalote.
- Mettre dans un plat en porcelaine à feu de 18 cm de diamètre : les carottes, le céleri, l'échalote et le beurre. Couvrir et le glisser au four, sélecteur 9, 2 mn.
- Tourner à mi-cuisson.
- Verser les légumes, le vin. Couvrir, remettre à cuire, sélecteur 9, 2 mn.
- Ajouter alors le jus des coques filtré, la crème, le safran, saler, poivrer, couvrir et enfourner pour 2 mn.
- Détailler la lotte en médaillons de 5 mm d'épaisseur, couper les filets de rascasse et de merlan en «goujonnettes» (lamelles obliques) de 1,5 cm de large, mettre à leur tour les poissons dans le plat. Couvrir, mettre à cuire dans le four à micro-ondes, à couvert, sélecteur 9, pour 6 mn. Tourner à mi-cuisson.
- Ajouter le cerfeuil et les coques en fin de cuisson. Mélanger.
- Servir aussitôt, dans le plat.

SALADE DE PAQUES

Préparation : 30 mn
Cuisson : 1 h

Pour 4 personnes
- 500 g de carottes
- 1 botte de cresson
- 12 œufs de caille
- 1 petit pot de brisures de truffes
- 1 branche d'estragon
- le jus d'1/2 citron non traité
- 6 c. à soupe d'huile d'arachide
- Sel, poivre du moulin

- Nettoyer et laver le cresson très soigneusement. Essorer et réserver.
- Faire cuire les œufs de caille. Compter 1 mn d'ébullition pour les avoir mollets. Les refroidir sous l'eau courante avant de les écaler.
- Peler et laver les carottes, les râper très finement.
- Dans un saladier, préparer la vinaigrette en mélangeant bien l'huile, le citron, le sel, le poivre et, enfin, l'huile.
- Y mettre les carottes râpées, bien les retourner pour les imprégner de sauce.
- Sur quatre assiettes, disposer le cresson en couronne, au centre placer les carottes en formant un nid. Poser à l'intérieur 4 œufs de caille. Parsemer le nid de brisures de truffe, terminer par quelques feuilles d'estragon pour la décoration et le goût.

Vin
Saint-Emilion-Grand Cru
Des notes aromatiques intenses de sous-bois, de fruits confits évolués, de truffe...
Structure souple avec des tanins présents et ronds.
Servir à 17-18°

Par personne
324 Calories

CHAMPIGNONS DES BOIS DES ENFANTS

Préparation : 20 mn
Cuisson : 10 mn

Pour 4 personnes
- 4 œufs
- 4 œufs de cailles
- 2 tomates
- 4 tomates cerises jaunes
- 2 c. à soupe de mayonnaise
- 1 cœur de romaine

- Dans une casserole, verser 1 litre 1/2 d'eau, ajouter les œufs et les faire cuire pendant 10 mn. Les faire refroidir sous l'eau froide. Les écaler.
- Laver et essorer la salade.
- Couper la base des œufs pour qu'ils soient stables.
- Couper les tomates en deux, retirer délicatement les graines.
- Couper un tiers des tomates cerises.
- Sur les assiettes de service, déposer joliment la salade, puis un œuf de poule et un de caille, les recouvrir d'un grand chapeau et d'un petit. Dessiner des points avec la mayonnaise sur les chapeaux des champignons. Ajouter le reste de mayonnaise dans les assiettes, poivrer et servir aussitôt.

Vin
Servir le vin que
vous aurez sélectionné
pour accompagner
tout le repas.

Par personne
208 Calories

ŒUFS EN GELEE

Préparation : 10 mn
Cuisson : 5 mn

Pour 4 personnes
• 4 œufs
• 1/2 sachet de gelée
• Persil
• 1 tomate
• 1/4 l d'eau froide
• 1 citron

• Mettre la gelée dans l'eau froide avec 1 cuillerée à café de jus de citron, porter à ébullition 3 mn pg cuisson maxi.
• Casser les œufs dans 4 ramequins, les poser en couronne sur la sole du four.
• Cuire 1 mn 30 à 2 mn. Surveiller la cuisson (le temps peut varier selon la puissance de l'appareil, la température des œufs, la matière et la forme du ramequin).
• Dans un récipient assez large de manière à pouvoir mettre les 4 œufs, verser une petite couche de gelée, poser dessus quelques tranches de citron et de tomates, des branches de persil, ou toute autre garniture de votre choix.
• Dès que la gelée est refroidie, mettre les œufs sur cette préparation, puis le reste de la gelée. Placer au réfrigérateur et laisser prendre.
• Démouler en passant le fond du récipient dans l'eau froide. Décorer avec des feuilles de salade.

Vin
Choisir le vin
du plat principal :
si possible un rouge léger
ou un rosé.

Par personne
93 Calories

PATES A LA «CHECCA»

Préparation : 15 mn
Cuisson : 10 mn

Pour 4 personnes
• 4 l d'eau
• 400 g de sedani ou de pennette lisce
• 4 à 5 tomates bien en chair
• 1 grosse mozzarella di bufala (bufflonne)
• 20 feuilles de basilic
• 1/4 de gousse d'ail
• 4 c. à soupe d'huile d'olive extra
• Sel, poivre du moulin

• Porter à ébullition 4 l d'eau dans une casserole.
• Laver et couper les tomates en deux longitudinalement. Les épépiner en les pressant légèrement. Tailler la chair et la mozzarella en petits dés de 1 cm de côté, ciseler le basilic, presser l'ail dégermé.
• Mettre tous ces ingrédients dans un plat de service avec 3 cuillères à soupe d'huile, saler, poivrer.
• Lorsque l'eau bout, saler et faire cuire les pâtes.
• Les égoutter «al dente» et les étaler dans un plat long, poivrer, les arroser d'huile et mélanger pour éviter qu'elles collent.
• Laisser refroidir et les verser dans le plat de service. Mélanger et servir.
• C'est un plat délicieux et rafraîchissant pour l'été.
• On le mange dans les restaurants à la mode «in Trastevere» dans le vieux Rome.

Vin
Chablis
Gouleyant, nerveux, dans une onctuosité agréable, avec au nez, des accents de noisette, de pain grillé et de fleurs blanches.
Servir à 9-10°

Par personne
620 Calories

SPAGHETTI AUX TOMATES CRUES

Préparation : 20 mn
Repos : 1 h
Cuisson : 6 mn

Pour 4 personnes
- 4 l d'eau
- 350 g de spaghettini
- 500 g de tomates mûres
- 10 feuilles de basilic
- 1 gousse d'ail
- 4 c. à soupe d'huile d'olive extra
- 3 c. à soupe de parmesan râpé
- Sel, poivre du moulin

- Passer les tomates lavées et coupées en gros morceaux à la moulinette.
- Recueillir la pulpe dans un récipient préalablement frotté avec l'ail écrasé.
- Ajouter l'huile et le basilic ciselé. Saler, poivrer. Laisser reposer 1 heure.
- Un peu avant la fin de ce temps, porter à ébullition 4 l d'eau.
- Lorsqu'elle bout, saler et faire cuire les pâtes.
- Les égoutter «al dente» et les verser dans le récipient sur les tomates. Mélanger et servir.

Vin
Difficile de boire du vin
à cause de la tomate crue
qui gêne le vin.
On peut tenter
du vin rosé bien frais,
à la rigueur.

Par personne
470 Calories

TABOULE

Préparation : 10 mn
Macération : 12 h
Pas de cuisson

Pour 4 personnes
- 1/2 paquet de semoule de couscous moyenne
- 2 bouquets de persil
- 1 bouquet de menthe
- 2 tomates
- 4 c. à soupe d'huile d'olive
- Le jus de 6 citrons
- Sel, poivre

- Dans une jatte, verser le jus des citrons et 2 dl d'eau. Saler et poivrer. Ajouter les graines de semoule. Bien mélanger le tout.
- Laver les tomates, les épépiner puis couper la chair en petits dés. Les ajouter à la semoule ainsi que l'huile d'olive. Mélanger le tout et laisser macérer au frais pendant 12 heures.
- Au moment de servir, hacher le persil et la menthe, les incorporer à la préparation, goûter et rectifier l'assaisonnement si nécessaire. Servir aussitôt.

Vin
Côtes du Roussillon
Vin tanique
(délicieusement) et fruité,
plein d'élégance et de
finesse.
Servir à 10°

Par personne
313 Calories

CHAMPIGNONS A LA GRECQUE

Préparation : 20 mn
Cuisson : 14 mn

Pour 4 personnes
- 500 g de champignons de Paris
- 4 c. à soupe de sauce tomate
- 4 échalotes
- 1 fragment de feuille de laurier
- Un peu de thym
- 1 c. à café de coriandre écrasée
- Le jus d'1/2 citron
- 2 c. à soupe d'huile d'olive
- 1 dl de vin blanc
- Sel, poivre

- Choisir des champignons bien frais, couper les pieds terreux, les laver, les émincer, les mettre dans un saladier, les arroser de jus de citron. Eplucher les échalotes, les couper grossièrement, les ajouter aux champignons ainsi que le reste des ingrédients. Couvrir et cuire 8 mn pg cuisson maxi.
- Mélanger, remettre à cuire 6 mn. Servir bien frais.

Vin
Pas de vin
car cette recette
est trop acide.

Par personne
116 Calories

EMINCE DE FENOUIL A L'HUILE D'OLIVE

Préparation : 20 mn
Macération : 1 h
Pas de cuisson

Pour 4 personnes
- 2 bulbes de fenouil
- 1 c. à soupe de graines de coriandre
- 4 c. à soupe d'huile d'olive
- Le jus de 3 citrons
- Sel, poivre

- Laver et émincer finement les bulbes de fenouil.
- Dans un plat creux, verser l'huile d'olive et le jus des citrons, ajouter les graines de coriandre, sel et poivre, puis le fenouil. Saler et poivrer. Bien mélanger le tout et laisser macérer 1 h.
- Servir frais avec des tranches de pain de campagne grillé.

Vin
Côtes-de-Provence
blanc ou rosé.
Servir très frais 7-8°

Par personne
120 Calories

SALADE NISSARDA

Préparation : 30 mn
Repos : 20 mn
Pas de cuisson

Pour 4 personnes
- 4 tomates moyennes bien mûres
- 1 petit concombre
- 150 g de fèves fraîches et jeunes
- 2 poivrons verts
- 4 petits oignons frais
- 1 gousse d'ail
- 2 œufs durs + 1 pour la sauce
- 8 filets d'anchois à l'huile (ou 200 g de thon à l'huile)
- 70 g d'olives noires de Nice
- Huile d'olive, sel, poivre noir, basilic

- Couper les tomates en quartiers sans les peler et les réserver saupoudrées de sel. Couper les œufs durs en quartiers.
- Fractionner les filets d'anchois (après avoir retiré le maximum d'arêtes) en 4 à 5 morceaux. S'ils étaient au sel, les faire tremper 30 mn à l'avance dans plusieurs eaux. S'ils sont à l'huile, conserver celle-ci pour l'assaisonnement. Le thon sera simplement émietté. Retirer avec le couteau économe, une lanière de peau sur deux au concombre. L'émincer finement.
- Oter le pédoncule des poivrons. Tailler ceux-ci en fins anneaux et supprimer les parties blanches intérieures ainsi que les graines.
- Emincer très finement les oignons et leur tige verte tendre. Retirer la pellicule des fèvettes, qui doivent être choisies très petites, très tendres.
- Eplucher l'ail, le couper en deux et frotter le fond et les parois d'un joli saladier. Ecraser et hacher menu ce qu'il en reste.
- Mettre tous les légumes dans le saladier. Parsemer de feuilles de basilic (4 environ selon leur grosseur) ciselées.
- Préparer une sauce avec l'huile, le jaune d'œuf, du poivre, peu ou pas de sel, à cause des anchois et des tomates. Verser la sauce sur les légumes, parsemer d'olives noires et mettre au réfrigérateur 20 mn au moins avant de servir sur des assiettes froides.

Vin rouge
Côtes-de-Provence
La puissance élégante
et la belle tanicité
n'auront d'égal les arômes
de fruits rouges
et de cuir, de rôti…
Servir à 14-15°

Par personne
217 Calories (thon)
339 Calories (anchois)

SALADE BOUL' MICH

Préparation : 40 mn
Cuisson : 30 mn

Pour 6 personnes
- 500 g de pommes de terre (Ratte, Roseval ou Belle de Fontenay)
- 500 g de champignons de Paris
- 3 c. à soupe de vin blanc sec
- 1 pomme
- 2 tomates
- 2 laitues ou lolorossa
- Quelques brins de ciboulette, cerfeuil et civette

Sauce lobster
- 2 jaunes d'œufs
- 25 cl d'huile d'arachide
- 1 c. à café de moutarde blanche
- 2 c. à soupe de ketchup
- 1/2 c. à soupe de sauce Worcestershire
- Quelques gouttes de tabasco
- 1 c. à café de sucre en poudre
- 2 c. à café de Cognac ou de Vodka
- 2 jus de citron
- Sel, poivre

- Laver les pommes de terre, les faire cuire dans de l'eau salée pendant 15 à 20 mn. Les égoutter, Laisser tiédir.
- Couper le bout terreux des champignons, les laver et les émincer. Les mettre dans un bol et les citronner pour éviter qu'ils noircissent.
- Peler les pommes de terre, les couper encore chaudes en cubes d'un centimètre environ. Les déposer dans une jatte et les arroser de vin blanc.
- Laver et essorer les salades. Laver les tomates, les couper en quartiers. Laver et ciseler les herbes.
- Peler la pomme, retirer le cœur et couper la chair en lamelles.
Préparer la sauce. Dans un bol mettre les jaunes d'œufs, ajouter la moutarde, sel et poivre (modérément), quelques gouttes de jus de citron.
- Travailler la préparation comme une mayonnaise.
- Ajouter le ketchup, la sauce Worcestershire, le sucre et l'alcool. Terminer par le jus de citron.
- Dans les assiettes de service, déposer les feuilles de salade, les pommes de terre, les champignons, les pommes et les tomates. Arroser de sauce. Décorer d'herbes ciselées.
- Mettre au frais 30 mn avant de servir.

Vin rouge
Côtes-du-Rhône-Villages
Assez tanique,
mais rond et souple,
fruité et élégant.
Servir à 15-16°

Par personne
425 Calories

AVOCAT DE L'EST

Préparation : 20 mn
Pas de cuisson

Pour 4 personnes
- 2 avocats
- 4 blinis
- 1 oignon rouge
- 1 pot d'œufs de saumon
- 4 rollmops
- Le jus d'1 citron
- 4 c. à soupe de crème fraîche
- Quelques pluches d'aneth
- Sel, poivre

• Peler l'oignon, le couper en lamelles fines.
• Envelopper les blinis dans du papier d'aluminium, les placer dans un four chaud pendant 10 mn pour les réchauffer.
• Egoutter les rollmops, les couper en morceaux.
• Dans un bol, mélanger la crème, les pluches d'aneth, sel et poivre.
• Au moment de servir, peler les avocats et couper la chair en tranches.
• Sur les assiettes de service, déposer les lamelles d'avocat, les arroser de jus de citron pour éviter qu'elles noircissent. Ajouter les œufs de saumon et les morceaux de rollmops, décorer de lamelles d'oignon rouge et de pluches d'aneth.
• Servir aussitôt avec les blinis chauds et la crème.

Vin
Entre-Deux-Mers
Belle élégance au nez
(vanillé, citronné, fumé,…)
et dans sa texture
(fin, vif, gouleyant…).
Servir à 8-9°

Par personne
690 Calories

SALADE D'AVOCAT AUX ORANGES ET AUX PAMPLEMOUSSES

Préparation : 15 mn
Pas de cuisson

Pour 4 personnes
- 2 avocats
- 2 pamplemousses
- 2 oranges
- 1 salade feuille de chêne
- 1 bouquet de ciboulette
- 3 c. à soupe d'huile d'arachide
- 2 c. à soupe de vinaigre de cidre
- 2 oignons
- Le jus d'1 citron
- Sel, poivre

- Laver et essorer la salade.
- Peler et émincer les oignons.
- Peler à vif les pamplemousses et les oranges. Puis dégager les quartiers à l'aide d'un petit couteau en longeant les membranes.
- Peler les avocats, couper la chair en lamelles. Les arroser de jus de citron pour éviter qu'elles noircissent.
- Dans un bol, mélanger l'huile, le vinaigre, sel et poivre. Ajouter la ciboulette ciselée.
- Sur les assiettes de service, déposer les feuilles de salade, les quartiers d'agrumes et les lamelles d'avocat. Arroser le tout de vinaigrette et servir aussitôt.

Vin
Muscat de
Beaumes-de-Venise
Arômes exotiques,
de cire, de miel,
de fleurs de tilleul…
gouleyant.
Servir à 8-9°

Par personne
364 Calories

SALADE A LA VIETNAMIENNE

Préparation : 30 mn
Pas de cuisson

Pour 4 personnes
- 400 g de soja
- 2 tomates
- 4 oignons blancs à tige verte
- 1/2 poivron rouge
- 1/2 poivron vert
- Le jus d'1 citron non traité
- Quelques branches de menthe lavée
- 4 tranches de jambon blanc
- 2 c. à soupe de Nuoc-Mâm
- 2 c. à soupe d'huile d'arachide
- Sel, poivre du moulin

- Laver le soja, l'égoutter.
- Laver les tomates, les couper en tranches.
- Laver les poivrons et les couper en lanières.
- Eplucher les oignons, les émincer ainsi que la tige qui sera coupée en «sifflets». Réserver.
- Couper le jambon en lanières.
- Dans un bol, mettre le sel, le poivre, le Nuoc-Mâm, le jus de citron et l'huile. Bien mélanger.
- Dans un plat, tapisser le fond de soja. Ajouter les tomates, les poivrons, les lanières de jambon, les rondelles d'oignons, les poivrons. Arroser de la vinaigrette, garnir de feuilles de menthe et des queues d'oignons.
- Servir frais.

Vin
Gewurztraminer
Un vin d'Alsace qui va très bien avec la cuisine asiatique. L'exotisme qui habite au fond de ce vin par ses arômes (cumin, fruits exotiques, épices) s'harmonisera avec ce plat.
Servir à 8-9°

Par personne
241 Calories

SYMPHONIE DE HARICOTS ET DE FEVES EN SALADE

Préparation : 30 mn
Cuisson : 1 h

Pour 4 personnes
- 200 g de haricots verts
- 200 g de haricots blancs «lingots»
- 200 g de fèves fraîches
- 1 échalote
- 1 branche de thym
- 1 clou de girofle
- 2 œufs durs
- 1/4 de poivron
- 1 c. à café de ciboulette et persil ciselés
- 50 g de beurre
- 8 c. à soupe d'huile d'olive
- 3 c. à soupe de vinaigre de Xérès
- 1 c. à soupe de moutarde au poivre vert
- Sel, poivre du moulin

- Faire tremper, la veille les haricots blancs.
- Les faire blanchir dans l'eau froide, les enlever au premier bouillon, les égoutter et les rincer.
- Mettre, dans la même casserole, le beurre, les haricots, l'échalote piquée du clou, le thym. Saler et mouiller à 3 cm au-dessus des haricots. Laisser cuire 1 h à petit feu. Egoutter et réserver.
- Eplucher les fèves, les plonger dans l'eau bouillante 5 à 6 mn, les retirer. Les plonger dans l'eau froide pour enlever la peau qui claque sous la pression des doigts. Réserver.
- Eplucher les haricots verts. Les cuire, à découvert, dans de l'eau bouillante salée, 10 mn environ : ils doivent être croquants. Les retirer et les mettre dans l'eau glacée. Egoutter et réserver.
- Couper 1/4 de poivron épluché en longues et fines lanières.
- Préparer la vinaigrette dans un bol avec la moutarde, le sel, le poivre, le vinaigre. Bien mélanger.
- Réunir les haricots verts en petits fagots attachés avec les lanières de poivrons.
- Disposer, sur des assiettes, par petits tas, des haricots blancs, les fèves, le petit fagot de haricots verts attaché avec la lanière de poivron. Placer au centre 1/2 œuf dur écalé. Arroser de vinaigrette et terminer par les herbes.

Vin
Difficile de mettre
un vin sur cette entrée.
Je choisirai simplement
en fonction du plat
principal : rouge ou blanc
sans importance.

Par personne
506 Calories

TARAMA

Préparation : 30 mn
Pas de cuisson

Pour 4 personnes
- 1 poche de 400 g d'œufs de cabillaud fumés
- 1/4 l d'huile
- 1 petite tranche d'oignon
- 1/2 blanc d'œuf cru

• Choisir une poche rose pâle (aussi claire que possible) et molle. Retirer les œufs de cabillaud de leur poche à l'aide d'une cuillère en éliminant les parties trop dures.
• Les mettre dans un récipient, les écraser avec une fourchette jusqu'à obtenir une pommade lisse dans laquelle, avec une cuillère en bois, vous ajoutez un peu de blanc d'œuf. Bien amalgamer, puis monter cette pommade en mayonnaise avec l'huile, tout en veillant à ne pas la noyer.
• Quand cette pommade est bien homogène, y ajouter l'oignon préalablement haché avec une lame de rasoir et rincé à l'eau froide, bien mélanger, égaliser et mettre au frais couverte d'un papier film.

Vin
Le tarama supporte
mal les vins à cause
de son acidité
et de sa saveur salée.

Par personne
214 Calories

RILLETTES AUX DEUX SAUMONS

Préparation : 20 mn
Cuisson : 25 mn

Pour 10 personnes
- 1 court-bouillon
- 500 g de saumon frais
- 150 g de saumon fumé
- 250 g de beurre
- 15 cl d'huile d'olive
- 3 jaunes d'œufs
- Le jus d'1 citron
- 1 botte de ciboulette hachée
- 3 gouttes de tabasco
- Sel, poivre de Cayenne, poivre

Décoration
- 300 g de salade panachée
- 1 baguette de pain
- 2 citrons
- 1 botte d'aneth

Sauce
- 3 dl d'huile d'olive
- Le jus de 3 citrons

Vin
Muscadet
de Sèvre-et-Maine
Des rillettes d'une saveur
exquise. De la dentelle de
saumon !
Ce muscadet est
magnifique. Arômes
fruités (fruits exotiques
et secs) avec de la vanille
et d'épices légères.
Une rondeur remarquable,
de la longueur et une
puissance de bon aloi.
Avec ces rillettes c'est
un mariage d'amour !
Servir à 9°

- Préparer le court-bouillon. Y faire pocher le saumon. Aux premiers frémissements, arrêter la cuisson et laisser complètement refroidir.
- Egoutter le saumon, l'effeuiller en retirant les arêtes.
- Mettre le beurre amolli dans un grand saladier. Le réduire en pommade au batteur, ajouter le saumon, le sel, le Cayenne, bien mélanger le tout. Puis incorporer les jaunes d'œufs et l'huile d'olive. Fouetter d'abord à grande vitesse pour bien émulsionner, puis verser le jus de citron et le tabasco, poursuivre à petite vitesse.
- Enfin, terminer avec la ciboulette et le saumon fumé coupé en petits dés.
- Mêler intimement l'ensemble et mettre en terrine. Garder au frais pendant quelques heures avant de servir.
- Pendant ce temps, couper le pain en tronçons puis en 4 dans le sens de la longueur, les faire légèrement griller.
- Laver, égoutter la salade.
- Préparer la sauce, en mélangeant dans un bol l'huile d'olive, le jus de citron, saler et poivrer.
- Dresser la salade au milieu de chaque assiette.
- Partager les citrons en 6.
- Mouler à la cuillère passée dans l'eau bouillante, des quenelles de poisson, en disposer 3 harmonieusement sur la salade avec 3 petits pains grillés et 1 quartier de citron. Décorer avec l'aneth.
- Servir aussitôt.

Par personne
482 Calories

SALADE DE SAUMON AUX AGRUMES

Préparation : 12 mn
Cuisson : 35 secondes

Pour 4 personnes
- 400 g de saumon frais
- 1 c. à soupe de gros sel
- 1 salade frisée

Vinaigrette d'agrumes
- 1/2 pomelos, 1 orange, 2 citrons verts
- Le jus d'1 citron
- 1 pointe de couteau de sel de céleri
- 1 c. à café de sauce soja
- 5 c. à soupe d'huile d'olive
- 1 c. à café de vinaigre de Xérès
- 2 c. à soupe d'eau bouillante
- 1 c. à café de julienne de gingembre frais
- 1 jet de Tabasco
- 1 c. à café de baies roses
- 1 c. à soupe de cerfeuil haché
- Quelques pluches de coriandre

- Eplucher, laver et égoutter la salade. La réserver dans un linge.
- Emincer le saumon en fines lamelles d'1 mm d'épaisseur que vous disposez en rond au bord de chaque assiette. Saler (quelques grains de gros sel). Couvrir de film et laisser en attente jusqu'au moment de passer à table.
- Au-dessus d'un saladier, peler à vif le demi-pomelos, l'orange et les citrons verts. Les tailler en quatre morceaux. Vous ne perdrez ainsi rien du délicieux jus des agrumes.
- Presser sur les fruits, le jus d'un citron.
- Passer au mixeur le jus rendu par les fruits avec le sel de céleri, 1 jet de Tabasco, la sauce soja, l'huile d'olive, l'eau bouillante. Faire tourner quelques secondes.
- Verser cette vinaigrette dans le saladier, ajouter la julienne de gingembre, les morceaux d'agrumes, les baies roses, mélanger délicatement avec le cerfeuil et la coriandre.
- Assaisonner la salade avec la moitié de la sauce. Réserver l'autre moitié.
- Mettre les assiettes dans le four à micro-ondes à th. 7 pour 35 secondes.
- Sortir et laisser reposer, après avoir retiré le film et en nappant le poisson du reste de sauce vinaigrette. Installer joliment la salade au milieu et servir aussitôt.

Vin blanc
Xérès fino
Amontillado
assez vieux
Servir à 8-9°
Vin jaune
Château-Châlon Vieux
Servir à 10-11°

Par personne
240 Calories

TARTARE DE SAUMON ET DE COQUILLES SAINT-JACQUES

Préparation : 15 mn
Pas de cuisson

Pour 4 personnes
- 250 g de saumon frais
- 250 g de noix de Saint-Jacques sans le corail
- Le jus de 2 citrons
- 2 c. à soupe d'huile d'olive
- 2 c. à soupe de ciboulette ciselée
- 1 échalote
- Sel, poivre du moulin

- Hacher séparément au couteau le saumon et les noix de Saint-Jacques. Mélanger en fouettant le jus de citron, l'huile, l'échalote hachée, la ciboulette. Saler, poivrer, épicer selon votre goût.
- Déposer le tartare sur les assiettes de service, l'arroser de sauce et mettre au frais jusqu'au moment de servir.

Vin
Muscadet sur lie
Sancerre
Chablis
On peut choisir
un de ces vins selon
votre goût.
Servir à 9°

Par personne
220 Calories

CARPACCIO DE LOTTE ET SAUMON A L'ANETH

Préparation : 15 mn
Pas de cuisson

Pour 8 personnes
- 300 g de filets de lotte
- 550 g de filets de saumon
- 40 g de baies roses
- 1 petite botte de ciboulette
- 16 tranches fines de pain de mie
- 4 citrons
- 100 g de beurre doux
- 1 tomate

Sauce carpaccio
- 10 cl d'huile d'olive
- 1 citron
- Sel, poivre

- Escaloper finement les poissons. Les disposer en alternant saumon et lotte sur les assiettes.
- Laver et ciseler la ciboulette et l'aneth.
- Préparer la sauce carpaccio, en mélangeant l'huile, le citron. Saler, poivrer. En napper les poissons, poudrer d'herbes et de baies roses.
- Réserver 2 h au froid.
- Au moment de servir, faire griller les tranches de pain de mie.
- Plonger la tomate dans de l'eau bouillante pour la peler aisément, tailler sa chair en julienne, en décorer le carpaccio.
- Ajouter 1/2 citron coupé en dents de loup et servir aussitôt accompagné de toasts et de beurre.

Vin
Muscadet
de Sèvre-et-Maine
Vin blanc tendre, velouté,
charpenté, riche, équilibré
avec ses odeurs de fruits
exotiques (agrumes),
ses notes florales
et boisées.
Servir à 8-9°

Par personne
406 Calories

LISETTES MARINEES AU VINAIGRE

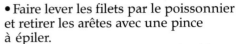

Préparation : 20 mn
Repos : 1 h
Pas de cuisson

Pour 4 personnes
- 4 petits maquereaux de printemps
- 1 c. à soupe de gros sel gris de Guérande
- 1 c. à café bombée de sucre roux
- 1 c. à café de poivre mignonnette
- 15 cl de vinaigre de cidre
- 1 poireau
- 2 échalotes
- 1 bouquet garni
- 1 petite carotte
- 1 noisette de gingembre frais râpé
- 1 c. à entremets de sauce soja

Vin
Difficile de boire un vin sur ce mets à cause de l'acidité excessive du vinaigre.

Par personne
400 Calories

- Faire lever les filets par le poissonnier et retirer les arêtes avec une pince à épiler.
- Prendre un plat de la taille des filets. Saupoudrer le fond de quelques tours de moulin à sel, de poivre et d'un peu de sucre.
- Ranger les filets tête-bêche, peau en-dessus et poudrer du reste de sel moulu.
- Couvrir d'une feuille d'aluminium ménager et mettre au frais pour 10 à 12 h.
- Ce temps achevé, sortir le plat, le rincer et le sécher ainsi que les filets. Les laisser sur du papier absorbant.
- Mélanger dans une coupelle les 2/3 du sucre restant, du vinaigre et un peu de poivre.
- Remettre les filets dans le plat. Les arroser du mélange. Recouvrir et mettre dans un endroit assez frais, mais pas au réfrigérateur, pour 1 h environ.
- Après ce temps, préparer la sauce japonaise : éplucher et émincer au robot Magimix la carotte, les échalotes, le poireau. Les mettre dans une casserole avec le reste du vinaigre (5 cl environ), le sucre restant, le bouquet garni et la sauce soja. Poser sur feu doux et dès que l'ébullition est atteinte, éteindre et laisser refroidir.
- Egoutter les filets, les éponger avec du papier absorbant, les poser sur une planche et les découper en très fines lanières obliques.
- Déposer ces lanières dans 4 petites assiettes ou 4 coupelles avec, selon votre goût, du concombre en bâtonnets, des pétales de gingembre, du radis noir râpé gros et une cuillère de riz cuit à la vapeur.
- Arroser avec la sauce, parsemer d'une herbe ciselée : persil, ciboulette, cerfeuil, poivrer encore selon le goût et déguster à la baguette !

SALADE DE HADDOCK ET DE RADIS NOIRS

Préparation : 20 mn
Pas de cuisson

Pour 8 personnes
- 800 g de haddock
- 2 gros radis noirs
- 1 laitue
- 2 pieds de feuille de chêne
- 1 cœur de frisée
- 4 c. à soupe de raifort
- 160 g de crème fraîche
- Ciboulette
- Vinaigrette
- Sel, poivre

- Peler et râper finement les radis noirs. Dans un bol, bien mélanger la crème fraîche et le raifort. Saler et poivrer.
- Trier et nettoyer les salades, les essorer.
- Préparer la vinaigrette.
- Couper le haddock en très fines lamelles. Ciseler la ciboulette.
- Sur les assiettes de service, mettre les feuilles de salade en mélangeant les couleurs. Au centre déposer le radis noir en dôme les tranches de haddock en éventail. Arroser de vinaigrette.
- Parsemer de ciboulette ciselée.
- Servir très frais.

Vin
Pas de vin.
De l'eau ou de la bière
si l'on veut.

Par personne
200 Calories

SALADE DE HARENGS

Préparation : 20 mn
Cuisson : 20 mn

Pour 4 personnes
- 4 filets de harengs
- 4 pommes de terre
- 3 pommes acidulées
- 3 cornichons (molossols)
- 1 oignon
- 150 g de yaourt nature
- 100 g de crème fraîche
- 1 c. à soupe de vinaigre
- 1 c. à café de persil haché
- 1 c. à café d'estragon
- 1/4 c. à café de fenouil ou d'aneth
- 1/4 c. à café de sel fin
- 1/2 c. à café de poivre gris

- Faire cuire les pommes de terre, les laisser refroidir.
- Peler et couper en dés les pommes de terre, les pommes acidulées.
- Eplucher et détailler en rondelles les oignons.
- Epépiner et découper en petits dés les molossols.
- Prendre les harengs et faire des carrés de 2 cm de côté.
- Mélanger tous ces ingrédients dans un saladier.
- Réserver au frais.
- Préparer la sauce : battre ensemble le yaourt, la crème fraîche, le vinaigre, le persil, l'estragon, l'aneth. Saler, poivrer.
- Incorporer cette sauce à la salade. Mélanger bien.
- Laisser au frais 2 h avant de servir avec du pain noir au cumin.

Vin
Difficile de mettre
un vin sur ce plat
à cause du gras
et de la forte flaveur
du hareng.
Je propose une Vodka
ou de l'Aquavit
(Eau-de-Vie
du nord de l'Europe).

Par personne
418 Calories

MOUSSE DE HARENGS FUMES

Préparation : 30 mn
Macération : 4 h
Pas de cuisson

Pour 6 personnes
- 300 g de filets de harengs fumés
- 50 cl de lait bouilli froid
- 100 g de mie de pain
- 1 oignon (rouge de préférence)
- 3 échalotes grises
- 1 gousse d'ail
- 1 c. à café de moutarde douce
- 1 bouquet de persil plat
- 12 cl de crème fraîche épaisse
- 1 pincée de sucre roux
- 250 g de beurre doux
- 1 citron non traité
- 1 c. à café de poivre moulu
- 1 trait d'Aquavit ou de Vodka

- Faire tremper les harengs 4 h au moins, dans le lait froid. Tenir au frais.
- Mettre le beurre à température ambiante.
- Hacher gros les échalotes, l'ail et l'oignon.
- Egoutter les harengs. Tremper le pain dans le lait.
- Mixer le hachis avec les harengs, le pain essoré, le persil effeuillé.
- Dans une jatte, mélanger la crème, la moutarde, le poivre, le sucre et un peu de jus de citron. Ajouter le beurre fractionné et amalgamer à la spatule en bois. Lorsque tout est homogène, incorporer, peu à peu, la purée de harengs. Goûter et rectifier l'assaisonnement.
- Ajouter l'Aquavit ou la Vodka et mélanger encore.
- Verser le tout dans une terrine, bien tasser, recouvrir d'une feuille d'aluminium ménager et mettre au réfrigérateur jusqu'au moment de servir.

* Utilisation : à l'apéritif sur des toasts, du pain de campagne grillé, des blinis ou des crêpes de sarrasin. En accompagnement d'une assiette nordique. Pour farcir des tomates crues ou des courgettes blanchies, des écorces de citrons.

Vin
Difficile de mettre un vin
sur ce mets à cause
de la force des flaveurs
de hareng.
Je propose de la Vodka
ou de l'Aquavit.

Par personne
495 Calories

ANCHOIS MARINES AU MUSCADET

Préparation : 1 h 20 mn
Macération : 24 h
Pas de cuisson

Pour 6 personnes
- 1 kg d'anchois
- 200 g de gros sel marin
- 200 g d'échalotes
- 4 gousses d'ail
- 1 branche d'estragon
- 2 feuilles de laurier
- 1 branche de thym
- 1 piment
- 1 carotte
- 1 bouteille de Muscadet
- 1 c. à soupe de poivre en grain

- Etêter les anchois, retirer les entrailles (ne pas les laver).
- Dans un plat creux, déposer la moitié des anchois, les recouvrir de sel, faire une seconde couche d'anchois.
- Laisser macérer 1 h.
- Au bout de ce temps, essuyer délicatement les anchois avec du papier absorbant.
- Peler et ciseler les échalotes et l'ail. Peler la carotte, la canneler et la couper en rondelles fines. Hacher les herbes.
- Dans un plat creux, alterner en couches les anchois, les légumes, les herbes et les épices.
- Verser le Muscadet de façon à recouvrir tous les ingrédients et mettre au frais pour 24 h.
- Servir tel quel avec du pain de campagne grillé.

Vin
Surtout ne pas choisir le Muscadet qui ne sera pas à la hauteur du mets. Avec les anchois prendre plutôt un vin rustique, blanc de préférence (VDQS : Fiefs-Vendéens ou un bon vin de pays). Servir à 8-9°

Par personne
380 Calories

SALADE DE RAIE AU PAMPLEMOUSSE

Préparation : 30 mn
Cuisson : 15 mn

Pour 4 personnes
- 2 ailes de raie surgelées
- 1 feuille de chêne
- 3 pamplemousses roses
- Le zeste d'1/2 orange
- 4 c. à soupe d'huile d'arachide
- 2 c. à soupe de vinaigre de Xérès
- Quelques pluches de cerfeuil
- Sel, poivre

- Faire décongeler la raie sous un filet d'eau froide.
- Laver la feuille de chêne, l'essorer.
- Peler à vif les pamplemousses : couper la peau en entamant la chair, et dégager les quartiers à l'aide d'un couteau bien aiguisé.
- Couper le zeste d'orange en fines lanières, les faire blanchir 1 mn dans de l'eau bouillante, les égoutter et réserver.
- Dans un cuisson-vapeur, verser un peu d'eau dans la partie inférieure, couvrir et porter à ébullition.
- Déposer 1 aile de raie sur la partie supérieure et laisser cuire à couvert pendant 8 mn. La retirer délicatement et faire de même avec la seconde.
- Effeuiller la chair en la détachant des cartilages.
- Préparer la vinaigrette en mélangeant huile, vinaigre, sel et poivre.
- Dans les assiettes de service, déposer la salade, les morceaux de raie, les pamplemousses. Arroser avec la vinaigrette, décorer de pluches de cerfeuil et de zestes d'orange.
- Servir très frais.

Vin
Sancerre
Entre-Deux-Mers
Deux possibilités.
Un Sauvignon pur
et un en dominance
Sauvignon.
Leurs arômes de fruits
exotiques accueilleront
favorablement les flaveurs
de ce mets.
Servir à 8-9°

Par personne
236 Calories

SALADE DE HOMARD AU POURPIER

Préparation : 30 mn
Cuisson : 20 mn

Pour 4 personnes
- 1 homard de 800 g
- 2 c. à soupe d'huile d'olive
- 3 c. à soupe d'huile d'arachide
- 1 jus de citron
- 1 c. à soupe de vinaigre de vin
- 1 c. à café de moutarde
- 500 g de pourpier
- 1 c. à café de ciboulette, d'estragon, de persil plat ciselés
- 1 échalote
- Sel, poivre du moulin

Court-bouillon
- 2 gousses d'ail
- 1 oignon
- 2 carottes
- 1 bouquet garni

- Préparer un court-bouillon avec oignon, carottes, ail, bouquet garni et 2 l 1/2 d'eau.
- Plonger le homard la tête la première dans le court-bouillon en ébullition. Laisser cuire 20 mn à frémissement.
- Sortir le homard du court-bouillon et le saigner en perçant la carapace à la tête et à la queue avec la pointe d'un couteau.
- Le laisser égoutter et le tenir au chaud.
- Préparer la vinaigrette : dans un bol, mettre le jus de citron, le vinaigre, la moutarde, sel et poivre. Mélanger le tout à l'aide d'un fouet, ajouter les huiles progressivement puis les herbes avec l'échalote hachée.
- Laver le pourpier, l'assaisonner d'un peu de vinaigrette.
- Répartir le pourpier dans les assiettes de service.
- Couper le homard en deux dans le sens de la longueur, décortiquer queue et pinces, les disposer sur la salade. Arroser avec la vinaigrette tiédie. Servir aussitôt.

Vin
Chablis Premier Cru.
L'onctuosité, la fraîcheur,
la texture élégante,
fine et délicate
s'harmoniseront
merveilleusement
avec ce mets.
Servir à 10°

Par personne
225 Calories

SALADE AUX MOULES

Préparation : 5 mn
Cuisson : 10 mn

Pour 4 personnes
- 1 l de moules de bouchot
- 25 cl de crème fraîche
- 10 cl de vinaigrette aux fines herbes
- 1 oignon
- 1 gousse d'ail

• Gratter et laver les moules. Dans une casserole verser la crème fraîche et ajouter l'oignon et l'ail émincés, faire revenir à feu doux. Jeter les moules dans la casserole et les faire ouvrir pendant 5 à 10 mn.

• Dès qu'elles sont ouvertes, les retirer et les décoquiller. Les mettre dans un saladier. Arroser d'une vinaigrette aux fines herbes. Laisser au réfrigérateur et servir très frais.

Vin
Pouilly-Fumé
Belle texture,
toute en finesse,
délicatesse, avec
ses arômes mi-fruités,
mi-floraux, sous-tendus
par des épices.
Servir à 9°

Par personne
340 Calories

SALADE DE CALMAR

Préparation : 30 mn
Cuisson : 20 mn

Pour 6 personnes
- 1 kg de petits calmars surgelés
- 1 poivron rouge
- 1 poivron jaune
- 1 cœur de céleri
- 4 c. à soupe de câpres au vinaigre
- 1 dl et 3 c. à soupe de vinaigre de cidre
- 4 c. à soupe d'huile d'olive
- 1 c. à café de basilic ciselé
- Sel, poivre

- Envelopper les poivrons dans du papier aluminium, mettre au four 20 mn th. 7/210°.
- Dans une grande casserole porter à ébullition 1,5 l d'eau. Saler et ajouter 1 dl de vinaigre et les calmars encore surgelés. Porter à nouveau à ébullition et compter 15 mn de cuisson.
- Pendant ce temps, laver le céleri et le couper en fines rondelles.
- Dans un saladier mélanger le vinaigre, l'huile, sel et poivre. Ajouter le basilic ciselé, les câpres égouttées, le céleri coupé et ses feuilles.
- Retirer les poivrons du four. Ouvrir les papillotes. Les peler, retirer les graines. Couper la chair en lamelles, laisser tiédir.
- Egoutter les calmars, les ajouter dans le saladier ainsi que les lamelles de poivron. Bien mélanger le tout et laisser refroidir. Laisser macérer au moins 4 h. Servir bien frais.

Vin
Collioure
Vin rouge du sud
de la France près
de l'Espagne, aux accents
de puissance, de
générosité, de chaleur.
Des arômes fruités
(fruits rouges mûrs et
chauds), de cuir,
de truffe, de café…
Servir à 15°

Par personne
225 Calories

SALADE DE COQUILLAGES AU POURPIER ET ŒUFS DE SAUMON

Préparation : 15 mn
Cuisson : 10 mn

Pour 4 personnes
- 200 g de palourdes
- 200 g de coques
- 400 g de moules
- 1 salade frisée
- 300 g de salade pourpier
- 1 échalote hachée
- 3 c. à soupe de ciboulette hachée
- 4 c. à soupe d'huile d'olive
- 2 c. à soupe de vinaigre
- 1 c. à soupe de moutarde
- 2 c. à soupe d'œufs de saumon
- Sel, poivre

- Gratter les moules, rincer les autres coquillages.
- Verser 1/2 verre d'eau dans une casserole, ajouter les coquillages. Faire ouvrir à feu vif. Les sortir dès qu'ils s'ouvrent. Jeter les coquilles. Réserver les palourdes, les coques, les moules au chaud.
- Nettoyer, laver, essorer les salades.
- Préparer la vinaigrette en mélangeant le vinaigre, le sel, le poivre, la moutarde au fouet. Verser l'huile sans cesser de tourner.
- Sur chaque assiette disposer le pourpier sur le pourtour, la frisée au milieu. Arranger harmonieusement dessus les coquillages et l'échalote hachée. Arroser le tout de vinaigrette, parsemer de ciboulette et des œufs de saumon.
- Servir frais.

Vin
Meursault
Finesse, élégance,
rondeur, onctuosité, gras
seront très efficaces
face à cette recette
qui a bien besoin d'un
seigneur en face.
Servir à 10°

Par personne
327 Calories

ASPIC DE BOUQUETS ET COQUILLES SAINT-JACQUES

Préparation : 30 mn
Cuisson : 10 mn

Pour 4 personnes
- 20 langoustines ou 24 gros bouquets
- 6 noix de Saint-Jacques
- 75 cl de fumet de poissons blancs
- 8 feuilles de gélatine
- 1 branche de menthe
- Quelques feuilles de salade : cresson, roquette, pourpier, etc.

Sauce
- 1 citron non traité
- 2 c. à soupe d'huile d'olive
- 1 zeste d'orange non traitée

- Préparer un fumet avec des parures de poisson blanc (Saint-Pierre, sole ou merlan).
- Décortiquer les langoustines ou les bouquets. Réserver les corps et mettre carapaces et têtes dans la préparation du fumet (le fumet peut être fait la veille et passé au chinois pour gagner du temps. Vous conserverez au froid noix de Saint-Jacques et queues de langoustines).
- Couper les noix en deux dans l'épaisseur. Les jeter dans le fumet en ébullition en même temps que les queues de crustacés. Retourner les noix après 1 mn et les retirer après 1 mn 30. Selon leur grosseur cuire les langoustines ou les bouquets 1 mn puis les retirer avec une spatule.
- Mettre la gélatine à tremper dans un peu d'eau fraîche. Ciseler le zeste d'orange. Le jeter dans le fumet et éteindre le feu. Laisser les filaments d'orange s'assouplir jusqu'à tiédissement du liquide puis les retirer et les réserver. Egoutter la gélatine, la mettre à fondre dans le fumet encore chaud, remuer bien.
- Verser un peu de gelée (fumet + gélatine) au fond de quatre ramequins en les inclinant pour répartir la gelée et mettre au froid.
- Ensuite répartir les éléments dans chaque moule et remplir de gelée. Mettre au réfrigérateur au moins 1 h.
- Préparer la salade et la sauce : ciseler les feuilles de menthe. Battre l'huile d'olive avec le sel, poivre et jus de citron.
- Disposer les feuilles sur chaque assiette bien froide. Renverser le moule dessus, décorer de zestes d'orange et de basilic ciselé. Servir frais.

Vin blanc
Montravel
Vin de la région de Bergerac présentant des arômes vifs, de belle facture : feuilles de cassis, fruits exotiques, coing, amande grillée...
Vin nerveux élégant.
Servir à 8-9°

Par personne
170 Calories

HUITRES EN GELEE

Préparation : 30 mn
Repos : 1 h
Pas de cuisson

Pour 4 personnes
- 16 huîtres creuses n° 00
- 1 feuille de gélatine
- 1/2 bouquet de ciboulette
- 4 pincées de poivre concassé

- Ouvrir les huîtres une par une en vidant aussitôt la première eau dans une petite passoire posée sur un bol. Une seconde eau va se former que vous filtrerez également.
- Ciseler la ciboulette.
- Faire tremper la feuille de gélatine dans de l'eau fraîche pour la faire ramollir.
- Déposer une petite casserole avec l'eau filtrée des huîtres (environ 15 à 20 cl) sur feu moyen. Chauffer sans faire bouillir.
- Egoutter la gélatine, l'ajouter au liquide et, hors feu remuer jusqu'à dissolution complète.
- Laisser un peu tiédir mais pas prendre en gelée et verser dans chaque ramequin.
- Déposer 4 huîtres par ramequin. Poivrer et parsemer de ciboulette. Recouvrir avec le reste de gelée.
- Mettre au froid jusqu'à prise en gelée (1 h environ).
- Servir avec un coulis de tomates ou de fenouil.

* A la place de ramequins, pourquoi ne pas présenter les huîtres et leur gelée dans la coquille d'huîtres. C'est tellement joli, même si ça n'est pas aussi pratique.

Vin
Vouvray sec
De l'acidité et du moelleux relatif en attaque, puis la douceur disparaît pour faire place à l'élégance, la finesse, la nervosité puis aux arômes tendres : coing, pierre à fusil.
Servir à 8-9°

Par personne
35 Calories + 6 Calories / c. à café de coulis

GAMBAS A L'ANANAS

Préparation : 30 mn
Cuisson : 3 mn

Pour 4 personnes
- 16 gambas surgelées
- 1 ananas frais
- 2 kiwis
- 1 grappe de raisin
- Quelques tomates cerises
- 2 c. à soupe de poudre de coco
- 1 pincée de Cayenne
- 2 c. à café d'huile de noisette
- 2 c. à soupe d'huile d'arachide
- 3 c. à soupe de vinaigre de miel
- 1 court-bouillon en sachet
- Quelques pluches d'aneth
- Sel, poivre

- Laisser décongeler les gambas à température ambiante ou 4 mn au four à micro-ondes. Les décortiquer en gardant l'extrêmité de la queue. Les couper en deux dans le sens de la longueur en partant de la queue sans détacher complètement les deux parties.
- Préparer le court-bouillon suivant le mode d'emploi. Lorsqu'il frémit, plonger les gambas 2 à 3 mn. Les égoutter et les laisser refroidir.
- Pendant ce temps, ouvrir l'ananas. Retirer le cœur, détacher la chair de l'écorce et la couper en petits triangles.
- Peler les kiwis et les couper en tranches puis en deux.
- Laver et égrapper le raisin.
- Dans un bol mettre les huiles, le vinaigre, sel et poivre, bien mélanger.
- Dans une poêle anti-adhésive faire dorer la poudre de coco et le piment. Réserver.
- Dans les assiettes de service, déposer les gambas, les kiwis, l'ananas, les grains de raisin et les tomates cerises. Arroser avec la sauce, saupoudrer de coco et décorer de pluches d'aneth.
- Servir frais.

Vin
Jurançon sec
Dans ce vin il y a des notes de fruits exotiques, de la menthe, des épices, pour une texture vive, nerveuse, élégante et tendre.
Servir à 8°

Par personne
295 Calories

117

SALADE DE FEVES AUX GESIERS CONFITS

Préparation : 30 mn
Cuisson : 15 mn

Pour 4 personnes
- 500 g de fèves surgelées
- 1 feuille de chêne
- 375 g de gésiers confits surgelés
- 1 petit bouquet de cerfeuil
- 2 petits oignons blancs

Sauce :
- 3 c. à soupe de vinaigre de framboise
- 5 c. à soupe d'huile d'arachide
- Sel, poivre

- Nettoyer et laver la salade, l'essorer.
- Mettre les gésiers encore surgelés dans une casserole sur feu doux et laisser chauffer 15 mn.
- Pendant ce temps, faire cuire à la vapeur les fèves pendant 10 mn. Les laisser tiédir. Retirer les peaux qui les enveloppent en pressant délicatement les fèves entre les doigts.
- Egoutter les gésiers, retirer le maximum de graisse. Puis les couper en lamelles.
- Peler et émincer les oignons.
- Dans un bol, préparer la sauce en mélangeant les ingrédients.
- Dans les assiettes de service, déposer quelques feuilles de salade, les fèves décortiquées, les gésiers et les oignons. Arroser avec la sauce. Décorer de cerfeuil. Servir aussitôt.

Vin
Madiran
Des tanins présents, agressifs, jeunes, fondus pour des vins de 3-4 ans. Des arômes de fruits rouges, de cuir, de venaison... Tout est grandiose.
Servir à 15-16°

Par personne
235 Calories

FRISEE AUX MAGRETS DE CANARD ET AUX CHATAIGNES

Préparation : 20 mn
Pas de cuisson

Pour 4 personnes
- 2 magrets de canard fumé (sous vide)
- 1 frisée bien blanche
- 150 g de châtaignes (sous vide, déjà cuites)
- 20 g d'amandes effilées
- 50 g de raisins blonds ou de Smyrne
- 1 petit paquet de croûtons
- 6 c. à soupe d'huile de pépins de raisin
- 2 c. à soupe de vinaigre de Xérès
- Sel, poivre du moulin

- Eplucher, laver, égoutter avec soin la salade.
- Couper les magrets en fines lamelles, dans le sens de la longueur.
- Préparer la vinaigrette dans un bol.
- Monter la frisée en dôme sur quatre assiettes. Disposer dessus, en forme d'étoile, les lamelles de magret, répartir les châtaignes, parsemer de raisins secs et de croûtons.
- Arroser de vinaigrette et servir.

Vin rouge
Bergerac
Vin tanique, généreux,
puissant avec
de la souplesse
et de l'élégance.
Nez de myrtille,
de violette, de réglisse.
Servir à 15-16°

Par personne
384 Calories

SALADE DE FILET D'OIE
AUX GRIOTTES AIGRES-DOUCES

Préparation : 30 mn
Pas de cuisson

Pour 4 personnes
- 1 filet d'oie
  (sous vide)
- 1 pied de feuilles de chêne
- 1 botte de petits oignons blancs
  avec leur tige
- 1 pot de griottes au vinaigre
- 4 c. à soupe d'huile
  de pépins de raisin
- 1 c. à soupe de vinaigre
  de framboise
- Sel, poivre du moulin

- Eplucher, laver et essorer la salade.
- Emincer les oignons en rondelles et ciseler un peu du vert des tiges.
- Couper le filet en très fines tranches.
- Egoutter les griottes.
- Préparer, dans un bol, la vinaigrette (ne pas mettre tout le vinaigre d'un coup, les griottes étant déjà confites au vinaigre).
- Ranger, sur quatre assiettes, les feuilles de chêne, les rondelles d'oignons. Disposer les lamelles d'oie en rosace. Ajouter les griottes au centre, parsemer de vert de tige d'oignon et arroser de vinaigrette.
- Servir avec du pain grillé.

Vin
Vin de Bourgogne
(Côte-de-Beaune)
solide, plein de vigueur,
charpenté, aux arômes
de cerises (noire mûre
et griotte) de sous-bois
et de venaison.
Servir à 16-17°

Par personne
325 Calories

SALADE DE MESCLUN AUX SUPREMES DE PIGEON

Préparation : 20 mn
Cuisson : 30 mn

Pour 4 personnes
- 200 g de mesclun
- 2 pigeons prêts à cuire
- 2 c. à soupe d'huile de noisettes
- 2 c. à soupe d'huile d'arachide
- 2 c. à soupe de vinaigre de framboise
- 20 «griottaigres»
- Sel, poivre du moulin

- Saler et poivrer les pigeons.
- Faire chauffer le four à thermostat 6.
- Dans un plat, mettre 1 cuillère d'huile d'arachide, y déposer les pigeons et laisser cuire 30 mn. Vérifier la cuisson, avec la pointe d'un couteau : si la pointe est chaude, les pigeons sont cuits. Les retirer et déglacer le jus avec le vinaigre. Réserver.
- Préparer, dans un saladier, la vinaigrette. Y ajouter le jus de déglaçage, remuer délicatement.
- Tapisser, le fond des assiettes, de mesclun. Réserver.
- Lever les filets de pigeons, les disposer sur le mesclun, en forme d'aile, et placer les «griottaigres» dans le creux de l'aile.

Vin
Reuilly
Vignoble en Berry,
à proximité de Sancerre.
Vin tendre, délicat, plein,
charnu, nez affirmé avec
des arômes de violette
et de framboise.
Servir à 15°

Par personne
170 Calories

SALADE A LA BRESSANE

Préparation : 25 mn
Cuisson : 5 mn

Pour 4 personnes
- 1 frisée bien blanche
- 6 foies de volaille (de Bresse, si possible), 6 gésiers, 12 « Sot-l'y-laisse », confits en boîtes
- 2 c. à soupe de fines herbes ciselées et mélangées
- 3 c. à soupe d'huile d'olive
- 3 c. à soupe d'huile d'arachide
- 3 c. à soupe de vinaigre de Xérès
- Sel, poivre du moulin

- Nettoyer, laver et égoutter soigneusement la frisée.
- Escaloper tous les abats assez finement.
- Dans une poêle, mettre un peu d'huile d'arachide à chauffer et y faire raidir rapidement les foies et les « Sot-l'y-laisse ». Déglacer avec une cuillère de vinaigre, saler, poivrer et retirer du feu. Tenir au chaud.
- Faire de même avec les gésiers dégraissés.
- Préparer la vinaigrette dans un joli saladier. Ajouter les herbes et la frisée, remuer puis mettre les abats et le jus de déglaçage.
- Mélanger le tout et servir aussitôt.

Vin
Monthélie
Vin de Bourgogne
(Côte-de-Beaune)
Situé entre Volnay
et Pommard
Elégant, fruité, délicat
il enchante par ses arômes
de griottes et de venaison
Servir à 15-16°

Par personne
230 Calories

EMINCES DE BLANC DE VOLAILLE A LA MOUTARDE VIOLETTE DE BRIVE

Préparation : 30 mn
Pas de cuisson

Pour 4 personnes
- Le blanc d'une volaille rôtie (poule, poulet ou pintadeau)
- 2 tranches de jambon d'York
- 3 œufs durs
- 100 g de riz cuit
- Le zeste d'1 citron non traité
- 2 c. à soupe d'herbes diverses ciselées (estragon, persil plat, ciboulette, etc.)
- 1 bol de mayonnaise
- 1 c. à café de moutarde forte de Dijon
- 2 c. à soupe de moutarde violette de Brive
- Poivre du moulin

- Prélever le blanc sur la volaille et l'émincer. Couper en brunoise le jambon d'York.
- Ecaler les œufs durs, en couper 2 en deux et préparer le dernier en « mimosa ».
- Tailler finement le zeste lavé du citron.
- Détendre une mayonnaise classique (et bien relevée de moutarde forte), avec la moutarde violette pour en faire une sauce fluide et violette.
- Napper le fond des assiettes de mayonnaise violette, disposer dessus, en éventail, les émincés de volaille. Parsemer de brunoise de jambon, de riz et d'œuf mimosa. Poivrer à votre goût.
- Décorer avec le zeste de citron et les moitiés d'œufs durs.

Vin
Rosé-de-Riceys
Un rosé très particulier
de la région de l'Aube.
C'est puissant, vif, dense
en arômes et en tanins.
Flaveurs fruitées.
Servir à 11-12°

Par personne
322 Calories

SALADE DE BŒUF PARMENTIERE

Préparation : 20 mn
Cuisson : 20 mn

Pour 4 personnes
- 400 g de viande de pot-au-feu cuite
- 500 g de pommes de terre Belle de Fontenay
- 3 oignons rouges
- 2 échalotes
- 1 bouquet de ciboulette ciselée
- 4 c. à soupe d'huile d'arachide
- 2 c. à soupe de vinaigre de Xérès
- Sel, poivre

- Laver les pommes de terre, les faire cuire dans de l'eau bouillante salée pendant 20 mn, les égoutter et les peler.
- Peler et émincer l'oignon et les échalotes.
- Dans un bol, verser l'huile et le vinaigre, ajouter l'oignon, les échalotes, sel et poivre. Bien mélanger le tout.
- Découper la viande en petits dés.
- Dans une grande jatte, mettre les pommes de terre et la viande. Verser la vinaigrette. Mélanger le tout délicatement. Décorer de ciboulette ciselée. Servir aussitôt.

Vin rouge
Costières-de-Nîmes
Un vin plein de finesse, de délicatesse, de fruité et possède une densité de matière. Un vin qui unira les diverses flaveurs du mets.
Servir à 15-16°

Par personne
446 Calories

SALADE DE QUEUE DE BŒUF

Préparation : 20 mn
Cuisson : 2 h 30 mn

Pour 4 personnes
- 1 kg de queue de bœuf coupée en tronçons (la plus grosse partie de la queue)
- 2 carottes
- 2 navets
- 2 poivrons
- 1 oignon piqué d'1 clou de girofle
- 1 petite branche de céleri
- 1 bouquet garni
- 4 œufs durs
- 1 c. à soupe de câpres
- 2 c. à soupe de cornichons hachés
- 3 c. à soupe d'herbes diverses (cerfeuil, estragon, ciboulette, persil plat)
- 1 c. à soupe de vinaigre de vin
- 1 tasse à thé de mayonnaise (à l'huile de pépins de raisin)
- Sel, poivre du moulin et en grains

- Ecaler les œufs durs. Les couper en quartiers.
- Eplucher, laver les légumes. Réserver.
- Faire cuire, dans de l'eau froide, les tronçons de bœuf. Au fur et à mesure de l'ébullition, écumer régulièrement. Saler, poivrer avec le poivre en grains, ajouter les légumes, couvrir et laisser cuire 2 h 1/2 environ, suivant la grosseur de la queue. Retirer la viande et conserver le jus de cuisson qui servira à faire un consommé.
- Avec un petit couteau, désosser la queue et couper la viande en dés, réserver au frais.
- Dans un saladier, mettre la mayonnaise, les herbes, les câpres et les cornichons.
- Ajouter les quartiers d'œufs durs et la viande. Saler et poivrer, mélanger et détendre avec le vinaigre.
- Servir frais.

Vin
Gigondas
Un vin capiteux, puissant, corsé, un peu complexe en arômes avec ses notes de gibier, venaison, fruits rouges, cuir, violettes…
Mais quelle sève !
Servir à 15-16°

Par personne
869 Calories

SALADIER DE CLAPOTONS

Préparation : 30 mn
Repos : 5 h
Pas de cuisson

Pour 4 personnes
- 3 pieds de mouton cuits
- 3 foies de volaille
- 4 œufs durs
- 1 bouquet de : ciboulette, estragon, cerfeuil, persil simple
- 12 petits croûtons aillés
- 1 noix de beurre
- 4 échalotes grises
- 1/2 gousse d'ail

Vinaigrette
- 2 c. à soupe de vin blanc sec
- 20 cl de vinaigre de vin blanc
- 4 c. à soupe de crème épaisse
- 2 c. à soupe de moutarde forte
- Sel et poivre noir du moulin

- Acheter chez le tripier des « clapotons » bien cuits.
- Les désosser complètement et les couper en petits morceaux. Les réserver.
- Hacher fin les échalotes. Ecraser l'ail et le hacher.
- Préparer une sauce avec tous les ingrédients ci-dessus. Mélanger morceaux de « clapotons », ail, échalotes et sauce. Laisser au frais une matinée (ou 4 à 5 h à l'avance).
- Au moment du « mâchon », détailler les œufs durs en quartiers. Ciseler les herbes effeuillées. Saupoudrer les « clapotons ».
- Chauffer le beurre et y faire sauter rapidement et à feu assez vif, les foies nettoyés. Les égoutter sur du papier absorbant et les couper en dés.
- Par ailleurs, griller de petits croûtons puis les frotter d'ail (1 gousse environ).
- Mélanger le tout dans le saladier et, à part, pour les vrais amateurs lyonnais, présenter 4 filets de harengs marinés à l'huile !

Vin
Beaujolais
Il faut un vin vif
face à cette recette
et le servir
très frais,
surtout : 7-8°

Par personne
596 Calories (harengs)
396 Calories
(sans harengs)

LAPIN FROID EN SALADE

Préparation : 30 mn
Pas de cuisson

Pour 4 personnes
• Le râble d'un lapin cuit
• 1 batavia
• 4 tomates
• 6 feuilles de basilic
• 2 gousses d'ail
• 2 c. à soupe d'huile d'olive
• 2 c. à soupe de vinaigre de vin vieux
• Sel, poivre

• Laver et essorer la salade.
• Peler les tomates après les avoir plongées 1 mn dans de l'eau bouillante. Les épépiner.
• Peler les gousses d'ail.
• Désosser délicatement le râble de lapin, émincer la chair.
• Dans la cuve d'un mixeur, mettre les tomates, les gousses d'ail, les feuilles de basilic, sel et poivre. Bien mixer le tout, puis ajouter l'huile et le vinaigre mixer à nouveau.
• Dans les assiettes de service, déposer les feuilles de salade et les morceaux de lapin, arroser le tout de vinaigrette et servir aussitôt.

Vin
Tavel
Ce rosé historique
et de qualité a une texture
nerveuse, vive, très
légèrement tanique
et aux arômes tenaces
de fruits rouges,
de lauriers, de garrigues
fleuries...
Servir frais à 8-9°

Par personne
175 Calories

AVOCAT AU FROMAGE DE CHEVRE

Préparation : 30 mn
Cuisson : 5 mn

Pour 4 personnes
- 2 avocats
- 1 fromage de chèvre long demi-sec
- 4 c. à soupe de crème fraîche
- 30 g de gruyère râpé
- Quelques feuilles de batavia
- 3 c. à soupe d'huile d'arachide
- 2 c. à soupe de vinaigre de vin
- 2 échalotes
- Sel, poivre

- Peler et hacher les échalotes.
- Laver et essorer la salade.
- Dans un bol, verser le vinaigre et l'huile, bien mélanger, ajouter du sel et du poivre.
- Préchauffer le gril du four.
- Couper le fromage de chèvre en rondelles. Les déposer en 4 rosaces sur un plat à four légèrement huilé. Les recouvrir de crème fraîche puis de gruyère râpé. Poivrer. Glisser le plat sous le gril du four pendant 5 mn.
- Peler les avocats, retirer les noyaux et couper la chair en lamelles.
- Sur des assiettes de service, déposer la salade, les lamelles d'avocat, les arroser de vinaigrette, puis déposer délicatement les rosaces de chèvre. Servir aussitôt.

Vin
Touraine blanc
Un vin léger, aromatique et franc de goût ; on jouera sur son fruité et sur sa fraîcheur (acidité).
Servir à 8-9°

Par personne
480 Calories

ASSIETTE AUTOMNALE

Préparation : 20 mn
Pas de cuisson

Pour 4 personnes
• 1 salade feuille de chêne
• 2 poires
• 1 belle grappe de raisin
• 150 g de Roquefort
• 2 c. à soupe d'huile d'arachide
• 1 c. à soupe d'huile de noix
• 2 c. à soupe de vinaigre de vin
• 1 petit bouquet de cerfeuil
• Sel, poivre

• Laver et essorer la salade.
• Peler les poires, les couper en lamelles.
• Laver et égrapper le raisin.
• Dans un bol, verser les huiles et le vinaigre, saler et poivrer. Bien mélanger le tout
• Ecraser grossièrement le Roquefort à l'aide d'une fourchette.
• Dans les assiettes de service, déposer joliment les feuilles de salade, les lamelles de poires et les grains de raisin.
• Ajouter le Roquefort et arroser de vinaigrette. Décorer de pluches de cerfeuil. Servir aussitôt.

Vin
Difficile de boire un vin sur une recette vinaigrée. A la rigueur choisir le vin rouge sélectionné pour le plat suivant si vraiment on ne peut faire autrement (sinon boire de l'eau).

Par personne
312 Calories

TOMATES ESTIVALES

Préparation : 15 mn
Pas de cuisson

Pour 4 personnes
- 8 petites tomates
- 200 g de mozzarella
- 1 petit bouquet de basilic
- 1 petite boîte de filet d'anchois
- 4 c. à soupe d'huile d'olive
- 2 c. à soupe de vinaigre de vin
- Quelques olives noires de Nyons
- Sel, poivre

- Laver et essuyer les tomates, les couper en rondelles fines.
- Egoutter la mozzarella, la couper en fines lamelles.
- Laver et essuyer le basilic, le hacher.
- Egoutter les filets d'anchois.
- Dans un bol, mélanger l'huile, le vinaigre, sel et poivre.
- Sur les assiettes de service, déposer les rondelles de tomate, ajouter les lamelles de mozzarella, les filets d'anchois et les olives. Arroser le tout de vinaigrette et servir aussitôt.

Vin
Difficile de prendre du vin
sur une telle recette.
Boire de l'eau !...
Ou le vin du plat suivant
(rouge de préférence).

Par personne
317 Calories

SORBET D'AVOCAT

Préparation : 20 mn
Repos : 20 mn
Pas de cuisson

- 250 g de chair d'avocat
- 12,5 cl d'eau pure
- 2 cl de jus de citron vert
- 70 g de sucre semoule
- 1 pincée de sel et de poivre

• Mixer la chair de l'avocat jusqu'à consistance très crémeuse, ajouter l'eau, le jus de citron, la pincée d'épices et le sucre.
• Laisser reposer 15 à 20 mn pour que tous les éléments s'homogénéisent bien, puis mettre en sorbetière pendant 25 mn environ.

* Ce sorbet est très agréable avec du saumon fumé, des langoustines pochées tièdes ou au milieu d'un repas pour faire un palais net.

Vin
Aucun vin.

Par personne
223 Calories

SORBET DE POTIRON A LA MENTHE

Préparation : 20 mn
Cuisson : 15 mn

- 1 kg de potiron
- 3 feuilles de gélatine
- 2 c. à soupe de crème fraîche
- 1/2 c. à café de toute-épices
- 1 pointe de sel
- 5 ou 6 feuilles de menthe fraîche

- Faire cuire à la vapeur le potiron coupé en dés. Laisser bien égoutter après la cuisson.
- Faire ramollir les feuilles de gélatine dans de l'eau tiède, les mettre dans le bol du mixer avec les dés de potiron encore chauds, ajouter la toute-épices, 2 feuilles de menthe ciselées, le sel et la crème fraîche. Mixer jusqu'à ce que tout soit homogène.
- Faire prendre en sorbetière.
- Répartir dans des coupes avec une feuille de menthe pour décoration.

Vin
Aucun vin.

Par personne
122 Calories

SORBET D'OLIVES NOIRES OU VERTES

Préparation : 15 mn
Pas de cuisson

- 500 g d'olives dénoyautées
- 25 cl d'eau pure
- Sel et poivre

- Mixer les olives avec l'eau, pendant 1 mn. Saler et poivrer.
- Verser la préparation dans une sorbetière, brasser pendant 5 mn puis faire prendre au froid pendant 20 mn.
- Servir sur toasts grillés pour l'apéritif ou en farcir des tomates servies en hors-d'œuvre.
- On peut ajouter 1 filet d'anchois dessalé pour renforcer le goût.

| *Vin* |
| Aucun vin. |

Par personne
250 Calories

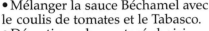

ŒUFS BROUILLES AUX CRUSTACES

Préparation : 12 mn
Cuisson : 4 mn

Pour 4 personnes
• 8 œufs très frais
• 600 g de chair de tourteau
ou d'araignée cuit
• 100 g de crevettes décortiquées
• 30 cl de sauce Béchamel
• 1 c. à soupe de coulis de tomates
• Quelques gouttes de Tabasco
• 1 c. à soupe de beurre
• 3 branches de cerfeuil
• Sel et poivre blanc moulu

• Mélanger la sauce Béchamel avec le coulis de tomates et le Tabasco.
• Décortiquer le crustacé choisi et émietter sa chair. Conserver, s'il s'agit d'un crabe, quelques beaux morceaux de chair pour la décoration.
• Verser un peu de sauce au fond du récipient de service, répartir la chair émiettée et quelques crevettes. Réserver 3 crevettes et 2 petits morceaux de crabe par personne. Napper du reste de sauce et laisser en attente.
• Battre les œufs dans une jatte avec le reste de beurre fragmenté, du sel et du poivre. Déchiqueter 2 branches de cerfeuil, réserver la dernière branche. Couvrir et mettre la jatte dans le four à micro-ondes à th. 6 pour 1 mn. La sortir, remuer les œufs à la cuillère, recouvrir pour encore 1 mn de cuisson. Sortir de nouveau (ce sera la dernière fois et remuer encore). Recouvrir et laisser reposer 1 mn.
• Ciseler la dernière branche de cerfeuil.
• Découvrir la jatte. Répartir les œufs brouillés encore assez liquides dans le (les) récipient(s) de service. Mélanger délicatement.
• Décorer avec les dés de crustacés et les crevettes réservées en les enfonçant un peu dans le mélange. Poser le couvercle et mettre dans le four à micro-ondes pour réchauffer à th. 9 pendant 30 ou 50 secondes, si vous aimez les œufs plus cuits.
• Parsemer de pluches de cerfeuil avant de servir chaud.

Vin blanc
Graves
Servir à 9-10°
Jurançon sec
Servir à 8-9°

Par personne
415 Calories

* Sur ce même principe, vous préparerez des œufs brouillés à l'oseille, aux épinards, aux pointes d'asperges, au jambon, aux champignons etc. L'ingrédient à incorporer doit être toujours cuit et encore tiède si possible (si vous utilisez des restes d'aliments conservés au réfrigérateur, penser à les sortir à l'avance et à les passer au four à position décongélation ou réchauffage).

BROUILLADE D'ŒUFS AUX ANCHOIS

Préparation : 4 mn
Cuisson : 6 mn

Pour 4 personnes
- 6 gros œufs
- 1 c. à soupe de beurre
- 3 c. à soupe de crème fraîche
- 2 c. à soupe de crème d'anchois ramollie
- 4 filets d'anchois à l'huile
- 1 c. à soupe de persil ciselé
- Sel (très peu), poivre noir du moulin

- Egoutter bien les filets d'anchois.
- Battre les œufs avec le poivre puis avec la crème.
- Mettre le plat à œufs au four avec le beurre au fond pour 1 mn à th. 8. Le sortir du four et tourner le plat sur lui-même pour que le fond soit parfaitement recouvert de beurre. Répartir les œufs dans le plat. Couvrir et faire cuire 3 mn à th. 8.
- Lorsque le mélange est presque pris et bien gonflé, sortir le plat et incorporer avec une cuillère la crème d'anchois en remuant en surface. Recouvrir et remettre au four pour 1 mn à th. 8.
- Sortir le plat, le saupoudrer de persil. Poivrer encore un peu et remuer à la cuillère. Couvrir. Laisser reposer 2 mn.
- Partager sur quatre assiettes chaudes, décorer d'un filet d'anchois et d'une sommité de persil frisé.

Vin rouge
Boire un vin corsé :
Gigondas,
Châteauneuf-du-Pape,
Fitou
Servir à 15-16°

Par personne
252 Calories

ŒUFS-COCOTTE EN TOMATE

Préparation : 13 mn
Cuisson : 5 mn

Pour 4 personnes
- 5 œufs entiers et 1 œuf dur
- 4 grosses tomates
- 1 c. à soupe de mie de pain rassis
- 3 champignons de Paris
- 1 tranche (100 g) de jambon cuit
- 2 c. à soupe d'herbes diverses ciselées
- 3 c. à soupe de crème fraîche
- 1 c. à soupe de beurre demi-sel mou
- Sel et poivre blanc moulu

- Découper le chapeau des tomates. Retirer la chair à la petite cuillère et retourner les légumes pour les faire égoutter (la pulpe de tomates vous servira à faire un coulis).
- Hacher fin les champignons nettoyés, l'œuf dur, le jambon. Mettre le hachis dans la jatte avec la mie de pain, les herbes, 1 cuillère de crème fraîche, sel et poivre. Mélanger bien.
- Battre l'œuf. Ajouter au mélange et travailler encore pour homogénéiser. Réserver.
- Beurrer au pinceau les 4 ramequins. Remplir aux trois-quarts chaque tomate avec le mélange. Tasser bien avec les doigts et/ou une cuillère.
- Casser un œuf dans chaque «tomate-récipient». Le cacher sous 1/2 cuillère de crème fraîche. Saler et poivrer discrètement.
- Poser le chapeau, déposer la tomate dans son ramequin et celui-ci sur le plat et ainsi de suite en espaçant bien les ramequins.
- Enfourner à pleine puissance 4 mn. Faire pivoter d'1/2 tour chaque ramequin à mi-cuisson.
- Laisser reposer 1 mn avant de retirer le chapeau et de déguster à la petite cuillère.

* Œufs Cocotte (version provençale) :
La préparation sera la même mais on supprimera, dans le hachis, le jambon, la crème fraîche et le beurre. Les ramequins seront huilés, huile d'olive bien sûr, et les herbes seront impérativement, persil plat, fenouil ou menthe et basilic. On ajoutera la pulpe retirée de la tomate, bien égouttée et hachée, de l'ail, 2 gousses hachées fin et 4 anchois (en boîte) avec un peu de leur huile et des câpres s'il y en avait. On coiffe du chapeau et on cuit 3 ou 4 mn, selon que l'on désire un œuf plus ou moins cuit, en tournant le ramequin sur lui-même après 1 mn 30. Repos d'1 mn puis dégustation immédiate.

Vin blanc
Hermitage
Servir à 10°
Seyssel
Servir à 9-10°

Par personne
267 Calories

ŒUFS COCOTTE A L'OSEILLE

Préparation : 20 mn
Cuisson : 6 mn
M.O. : 3 mn

Pour 4 personnes
• 8 œufs
• 18 g d'oseille coupée surgelée
• 4 c. à soupe de crème fraîche
• Sel, poivre

• Déposer les tablettes d'oseille dans un bol chaud, les laisser décongeler 15 à 20 mn ou 2 mn au four à micro-ondes.
• Préchauffer le four th. 6/180°.
• Dans 4 ramequins, déposer 1/4 de l'oseille, 1 c. à soupe de crème, saler, poivrer et casser 2 œufs.
• Déposer les ramequins dans un plat creux allant au four, verser un peu d'eau et enfourner pour 5 à 6 mn.
• Servir aussitôt.

Micro-ondes :
• Déposer les ramequins au four à micro-ondes 3 mn à puissance moyenne th. 5-6.

Vin
Servir si possible le vin sélectionné pour le repas, si possible un vin blanc sec (Sauvignon ou Chardonnay).
Servir bien frais à 8°

Par personne
249 Calories

ŒUFS EN MEURETTE

Préparation : 10 mn
Cuisson : 13 mn 30

Pour 4 personnes
- 4 œufs
- 1 gros oignon
- 30 g de beurre
- 1,5 dl de vin rouge
- 1 c. à soupe de Cognac
- 100 g de lardons
- 1 c. à soupe d'eau
- Sel, poivre

- Eplucher l'oignon, l'émincer finement, ajouter l'eau et les lardons, couvrir cuire 3 mn pg cuisson maxi.
- Verser le vin et le Cognac sur la préparation, faire réduire 4 mn.
- Flamber (facultatif), assaisonner, ajouter le beurre, mélanger.
- Verser cette préparation dans un plat assez large. Chauffer 1 mn, casser les œufs dessus, cuire le tout 2 mn 30 à 3 mn.
- Retourner les œufs à la cuillère à mi-cuisson (facultatif).
- Servir sur croûtons.

Vin
Mercurey
Rully
Givry
Servir à 15°

Par personne
257 Calories

ŒUFS EN SAUCE

Préparation : 30 mn
Cuisson : 17 mn

Pour 4 personnes
- 4 œufs durs
- 100 g de lard maigre salé (mezzina)
- 4 petits oignons blancs et leur tige verte
- 2 tiges côtes de blettes
- 2 verres de bouillon de bœuf
- Poivre du moulin, chapelure, huile d'olive

- Rincer le lard à l'eau courante, le blanchir 3 mn, le rincer puis le sécher. Le tailler en petits dés.
- Laver, sécher et tailler en fines lanières, vert et blanc de blette.
- Couper les tomates en deux et les presser doucement pour éliminer les graines.
- Eplucher les oignons et, s'ils sont plus gros qu'une noisette, les fendre en deux sans séparer la tige.
- Chauffer 2 cuillères d'huile dans une sauteuse. Y faire revenir les dés de « mezzina » puis après 5 mn de douce cuisson ajouter les oignons et les lanières de blette.
- Laisser cuire 6 à 7 mn à feu modéré, ajouter les tomates. Remuer, l'humidité va s'évaporer.
- Mouiller alors avec le bouillon chaud, remuer, laisser cuire à feu doux jusqu'à formation de purée.

Vin rouge
Lirac
Côtes-du-Rhône
Saint-Joseph
Servir à 16°

Par personne
178 Calories

ŒUFS A LA FLORENTINE

Préparation : 15 mn
Cuisson : 8 mn

Pour 4 personnes
- 500 g d'épinards
- 4 œufs
- 1/4 l de béchamel ou 40 g de beurre fondu
- Sel, poivre

- Enlever les grosses tiges des épinards, les laver, les égoutter légèrement, les mettre dans un récipient, bien tasser, cuire 5 mn pg cuisson maxi.
- Les égoutter, les déposer dans un plat, assaisonner, casser les œufs dessus, cuire 2 à 3 mn.
- Arroser de béchamel bien chaude ou de beurre fondu.

Vin rouge
Chianti Classico
Bandol
Servir à 16°

Par personne
195 Calories

ŒUFS EN COCOTTE AU FROMAGE ET A LA CREME

Préparation : 20 mn
Cuisson : 5 mn

Pour 4 personnes
- 4 œufs
- 80 g de crème fraîche épaisse
- 40 g d'emmenthal râpé
- 1 c. à café de cerfeuil ciselé
- 1 c. à café d'estragon ciselé ou d'estragon de l'Île-de-France
- 4 pincées de noix de muscade râpée
- 1 noisette de beurre
- Sel, poivre.

- Beurrer 4 ramequins en porcelaine à feu, de 8 cm de diamètre.
- Casser les œufs en séparant les blancs des jaunes, mettre les blancs dans un grand bol et réserver les jaunes dans leurs demi-coquilles.
- Battre les blancs à la fourchette en les faisant légèrement mousser. Ajouter sel, poivre, noix de muscade, cerfeuil, ciboulette, estragon. Battre 10 secondes. Ajouter le fromage et la crème fraîche. Mélanger.
- Répartir les blancs d'œufs assaisonnés dans les ramequins.
- Déposer un jaune d'œuf au centre de chacun d'eux.
- Mettre les ramequins au four, sélecteur 5 pour 5 mn.
- Servir aussitôt.

Vin
Chiroubles
Morgon
Chénas
Servir à 13-14°

Par personne
194 Calories

Entrées chaudes

RAVIOLIS DE ROUGETS

Préparation : 1 h
Cuisson : 10 mn

Pour 4 personnes
- 1 paquet de feuilles de pâte à ravioli (en vente dans les magasins asiatiques)
- 4 rougets surgelés
- 5 c. à soupe de crème fraîche épaisse
- 1 dl de fumet de poisson
- 1 pincée de Cayenne
- 1 bouquet de ciboulette
- 1 jaune d'œuf
- Sel, poivre

Vin blanc
Condrieu
Saint-Joseph
Saint-Péray
Servir à 9°

Par personne
362 Calories

- Laisser décongeler quelques heures, les rougets à température ambiante ou 6 mn au four à micro-ondes.
- Ecailler les rougets et les vider. Lever les filets.
- Dans le bol du Magimix mettre les filets de rougets, 1 c. à soupe de crème, le cayenne, quelques tiges de ciboulette ciselée, sel et poivre. Bien mixer le tout pour obtenir une farce.
- Battre le jaune d'œuf avec un peu d'eau.
- Déposer 10 carrés de pâte, les badigeonner de jaune d'œuf à l'aide d'un pinceau. Mettre au centre de chaque carré un peu de farce. Recouvrir d'un autre carré de pâte en appuyant sur le pourtour.
- A l'aide d'un cercle non tranchant (l'autre côté de l'emporte-pièce par exemple), souder la pâte autour de la farce. Découper les raviolis avec le côté coupant de l'emporte-pièce.
- Cette partie du travail doit s'effectuer rapidement pour empêcher la pâte de sécher. Ranger les raviolis sur un plat et mettre au frais. Recommencer l'opération.

Sauce :
- Dans une casserole à fond épais, verser le fumet de poisson, ajouter la crème, la ciboulette ciselée, sel et poivre. Porter à ébullition. Réserver.

Raviolis :
- Porter à ébullition une casserole d'eau salée et poivrée. Baisser le feu, l'eau frémit, y plonger les raviolis. Laisser cuire 2 à 3 mn. Verser dans 4 assiettes de service un peu de sauce, disposer les raviolis. Saupoudrer de ciboulette et servir.

PATES AUX COQUES

Préparation : 5 mn
Cuisson : 20 mn

Pour 4 personnes
• 250 g de tagliatelles
• 400 g de coques crues
décortiquées surgelées
• 2 c. à soupe d'échalote émincée
surgelée
• 1 c. à café d'ail émincé surgelé
• 2 c. à soupe de cerfeuil surgelé
• 40 g de beurre
• 2 c. à soupe de crème fraîche
• 1/2 verre de vin blanc sec
• 1 pincée de Cayenne
• Sel, poivre

• Dans une casserole à fond épais faire chauffer le beurre sans le laisser noircir. Y faire rissoler les échalotes, ajouter l'ail, le cerfeuil et les coques encore surgelées. Poivrer et laisser cuire sur feu vif 10 à 15 mn.
• Pendant ce temps, porter à ébullition une casserole d'eau salée, y faire cuire « al dente » les tagliatelles, les égoutter et les rincer.
• Ajouter aux pâtes les coques et la crème fraîche. Bien mélanger le tout. Servir aussitôt.

Vin blanc
Coteaux-Champenois
Pouilly-Fumé
Servir à 10°

Par personne
367 Calories

ARTICHAUTS VINAIGRETTE

Préparation : 5 mn
Cuisson : 14 mn

Pour 4 personnes
- 4 artichauts
- 3 c. à soupe d'eau
- Le jus d'1/2 citron
- 1 c. à soupe de vinaigre
- 4 à 5 c. à soupe d'huile
- Sel, poivre, ciboulette

• Laver les artichauts, les mettre dans un récipient avec l'eau, couvrir, cuire 12 à 14 mn pg cuisson maxi. Mettre dans un bol, le vinaigre, le sel, le poivre, le jus de citron, fouetter, incorporer l'huile et la ciboulette ciselée, servir avec les artichauts tiédis.

Vin
Selon le vin du repas.
Il est très difficile de boire du vin avec une vinaigrette.

Par personne
170 Calories

GALETTE DE CEPES AU JUS DE VOLAILLE

Préparation : 30 mn
Cuisson : 25 mn

Pour 4 personnes
Une carcasse de volaille :
pigeon, poulet, canard etc.
• 300 g de cèpes frais et fermes
pas trop gros
• 20 cl de crème épaisse
• 4 œufs
• 8 noix épluchées et écrasées
• 1 c. à soupe d'eau de noix
• 1 petite boîte de pelures
de truffes
• 1 « œuf » de graisse d'oie
• Sel, poivre noir, muscade

• Faire cette galette lorsque vous avez du jus de cuisson de volaille rôtie ou un reste de carcasse d'abattis que vous faites dorer, bien aplati, dans de la graisse d'oie ou de canard.
• Déglacer avec un bon verre d'eau et un autre de vin blanc. Réduit, passé, ce jus nappera les galettes.
• Préchauffer le four à th. 6. Sortir la lèchefrite.
• Séparer les pieds des chapeaux des champignons. Emincer très finement les chapeaux. Mixer les pieds nettoyés avec les œufs, la crème, les épices, les pelures, le jus de truffes, l'eau de noix et enfin les cerneaux de noix.
• Beurrer 4 ramequins (de 12 cm de diamètre). Sortir un récipient à leur taille pour faire un bain-marie.
• Ranger les lamelles de cèpes dans les moules en tapissant fond et côtés. Verser le mélange.
• Déposer dans le bain-marie dont l'eau doit arriver à peine à mi-hauteur des moules et enfourner pour environ 25 mn à th. 5/6.
• Eteindre et laisser reposer 10 mn avant de démouler et de napper de jus de volaille. Ce plat délicieux est une entrée mais peut aussi accompagner une volaille rôtie, de préférence pigeon, canard, perdreau, grive, etc. disons un gibier plutôt qu'une volaille d'élevage.

Vin rouge
Graves
Premières-Côtes-
de-Bordeaux
Servir à 16°

Par personne
353 Calories

GATEAU DE COURGETTES RAPEES

Préparation : 15 mn
Cuisson : 13 mn

Pour 2 personnes
- 500 g de petites courgettes
- 5 œufs
- 50 g d'emmenthal râpé
- 1 c. à soupe de persil ou de basilic ciselé
- 1 gousse d'ail
- 4 pincées de noix de muscade râpée
- 2 c. à soupe d'huile d'olive
- Sel, poivre blanc

- Couper les deux extrémités des courgettes, laver, égoutter et les râper dans un robot muni de la lame à pommes allumettes. Réserver 400 g.
- Eplucher la gousse d'ail, la couper en deux, retirer le germe.
- Huiler un moule à soufflé, à bords hauts, en porcelaine à feu de 18 cm de diamètre. Réserver.
- Verser l'huile restante dans une cocotte en porcelaine à feu de 20 cm de diamètre. La mettre à chauffer, sélecteur 9, 1 mn.
- Mettre les courgettes dans l'huile chaude, mélanger 10 secondes, saler, couvrir la cocotte. La mettre au four, sélecteur 9, 5 mn.
- Pendant ce temps, casser les œufs dans une terrine, les battre à la fourchette, saler, poivrer, muscader, ajouter le fromage et la gousse d'ail passée au presse-ail, mélanger.
- Verser dessus les courgettes cuites et leur jus. Mélanger. Verser la préparation dans le moule huilé et mettre à cuire au four à micro-ondes, sélecteur 9, 8 mn.
- Servir le gâteau dans son moule de cuisson.
Il est également très bon froid, accompagné d'un coulis de tomate.

Vin
Selon la viande.

Par personne
472 Calories

TARTE NAPOLITAINE

Préparation : 15 mn
Cuisson : 18 mn

Pour 4 personnes
- 250 g de pâte brisée (fraîche ou surgelée)
- 1 c. à soupe de moutarde à l'estragon
- 2 c. à soupe d'huile d'olive
- 2 belles tomates
- 1 bel oignon
- Quelques filets d'anchois
- 10 olives noires
- 1 boîte de sauce tomate (120 g)
- 50 g d'emmenthal ou de parmesan râpé
- Sel, poivre

- Mélanger l'oignon émincé, la sauce tomate. Couvrir, cuire 4 mn pg cuisson maxi. Etendre la pâte, la piquer à la fourchette, la badigeonner de moutarde, cuire 8 mn, l'arroser d'huile et de la sauce tomate. Disposer les tomates en tranches, assaisonner, répartir les anchois, les olives et le fromage. Cuire le tout 5 à 6 mn.
- Décongélation de la pâte : 3 à 4 mn pg décongélation.

Vin blanc
Côtes-de-Provence
Bellet de Nice
Palette
Servir à 9°

Par personne
418 Calories

TARTE A L'OIGNON «GRAND-MERE»

Préparation : 1 h
Cuisson : 50 mn

Pour 8 personnes
- 400 g de farine
- 200 g de beurre
- 1 pincée de sel

Garniture :
- 1,5 kg d'oignons
- 4 œufs
- 1/4 l de crème
- 1/4 l de lait
- 50 g de saindoux
- Muscade
- Sel, poivre

- Préparer la pâte brisée dans une jatte, mettre la farine et le sel.
- Ajouter le beurre coupé en morceaux. Travailler le tout du bout des doigts. Ajouter un peu d'eau et former une boule. Laisser reposer.
- Peler et émincer les oignons.
- Dans une cocotte, faire fondre le saindoux. Ajouter les oignons et laisser cuire sur feu doux 50 mn, sans les laisser colorer. Au besoin, ajouter un peu d'eau.
- Préchauffer le four th. 7/210 °C.
- Dans une jatte, mélanger la crème, le lait, la muscade, sel et poivre. Ajouter les oignons. Bien incorporer le tout.
- Etaler la pâte. En garnir un moule, la piquer à l'aide d'une fourchette.
- Recouvrir la pâte d'une feuille de papier sulfurisé et de grenaille (ou de haricots secs), glisser le moule au four et laisser «cuire à blanc» 10 mn.
- Retirer la charge du moule, verser la préparation et faire cuire 40 mn. Servir bien chaud.

Vin blanc
Tokay-Pinot Gris
Ce vin blanc léger,
gouleyant, un peu gras,
d'un équilibre parfait dans
son manteau de dentelles
offre des arômes floraux,
de fruits (coing,
pomme...), de miel...
Servir à 8-9°

Par personne
598 Calories

FLANS DE POIREAUX

Préparation : 20 mn
Cuisson : 15 mn

Pour 4 personnes
- 300 g de poireaux coupés en rondelles surgelés
- 3 œufs
- 4 c. à soupe de crème fraîche
- 1/2 c. à café de curry
- 2 échalotes
- 40 g de beurre
- Sel, poivre

• Peler, émincer les échalotes (ou employer une c. à soupe d'échalote surgelée).
• Dans une casserole à fond épais, faire fondre le beurre et les échalotes. Ajouter les poireaux encore surgelés et faire suer sur feu doux sans les laisser colorer. Saler et poivrer.
• Préchauffer le four th. 6/180°.
• Dans un saladier, verser la crème, ajouter 2 œufs entiers et 1 jaune. Battre légèrement le dernier blanc. L'incorporer délicatement en soulevant la masse.
• Ajouter le mélange poireau-échalote et le curry. Mélanger délicatement le tout.
• Beurrer 4 ramequins et verser la préparation. Déposer les moules dans un plat à four, verser un peu d'eau au fond du plat et enfourner pour 15 mn.
• Servir tiède ou froid avec un coulis de tomate.

Vin
Selon la viande.

Par personne
258 Calories

PETITES BROCHETTES DE HADDOCK

Préparation : 20 mn
Macération : 1 h 15
Cuisson : 10 mn

Pour 4 personnes
- 400 g de filets de haddock (ou d'un autre poisson fumé)
- 1 verre de lait bouilli froid
- 3 c. à soupe d'huile d'olive
- 1 c. à soupe de jus de citron
- 2 citrons non traités
- 1/2 bouquet de ciboulette
- Sel fin, poivre noir du moulin.

- Compter deux brochettes par personne.
- Couper le haddock en cubes réguliers et les mettre à mariner dans le lait froid 1 h.
- Les égoutter. Les sécher avec du papier absorbant puis les faire macérer 15 mn dans le mélange huile et citron, sel (peu) et poivre moulu frais (assez gros).
- Pendant cette macération, couper les citrons (lavés et séchés) en 8 morceaux chacun. Ciseler la ciboulette.
- Egoutter les cubes de haddock et les embrocher en alternant morceaux de citron et cubes de poisson. Pour tenir le tout, terminer chaque brochette par un morceau de citron.
- Faire griller sur la grille préchauffée à chaleur moyenne en tournant deux fois les brochettes.
- Servir aussitôt avec de la crème aigre (crème fraîche + yaourt + poivre + ciboulette).

* Si vous préférez un haddock au goût plus fort ne le laisser que 30 mn dans le lait et ne pas le faire mariner dans l'huile et le citron. Faire cuire sans saler et poivrer seulement après cuisson.

Vin
Sancerre
Muscadet
Gros-Plant
Servir à 8°

Par personne
189 Calories

BRIOCHES AU CRABE

Préparation : 20 mn
Cuisson : 15 mn

Pour 4 personnes
- 4 brioches au lait
- 300 g de chair de crabe surgelée
- 2 c. à soupe de crème fraîche
- 1 jaune d'œuf
- Quelques branches de cerfeuil
- Sel, poivre, paprika

- Laisser décongeler le crabe à température ambiante ou 6 mn au four à micro-ondes.
- Couper la tête des brioches, retirer la mie et l'émietter dans un saladier ; ajouter la chair de crabe, la crème fraîche, le jaune d'œuf, sel, poivre, une pincée de paprika et les pluches de cerfeuil. Bien mélanger le tout.
- Préchauffer le four th. 6/180°.
- Farcir les brioches avec la préparation. Déposer les chapeaux sur les brioches et enfourner pour 15 mn. Servir bien chaud.

Vin
Champagne
Saumur mousseux
Servir à 8°

Par personne
322 Calories

CAGOUILLES CHARENTAISES

Préparation : 1 h
Cuisson : 3 h

Pour 4 personnes
- 100 escargots
- 1 l de court bouillon
- 50 g de beurre
- 2 gousses d'ail
- 2 oignons
- 1 verre de vin rouge
- Sel, poivre

- Faire jeûner les escargots pendant 1 semaine. Puis les faire dégorger 2 h dans beaucoup d'eau salée et vinaigrée.
- Laver soigneusement.
- Cuire 20 mn dans l'eau bouillante. Egoutter. Décoquiller et couper la partie noire.
- Dans une sauteuse faire fondre l'ail et les oignons hachés dans le beurre fondu. Ajouter les escargots ; faire revenir 5 mn, verser le vin rouge. Assaisonner et laisser mijoter 20 mn à feu doux. Réduire de moitié.
- Servir très chaud, accompagné d'une salade frisée et de croûtons aillés.

Vin blanc
Fiefs-Vendéens
Gros-Plant
Muscadet
Servir à 8-9°

Par personne
208 Calories

ESCARGOTS A LA BORDELAISE

Préparation : 30 mn
Cuisson : 2 h 10
·Repos : 2 h

Pour 4 personnes
- 100 escargots
- 100 g de beurre
- 1 kg de tomates
- 1 poignée de gros sel
- 10 cl de vinaigre
- 2 gousses d'ail haché
- 3 oignons
- Quelques clous de girofle
- 1 l d'eau
- 1 l de vin blanc
- Persil haché
- 3 ou 4 graines de coriandre
- 1 bouquet garni
- Sel, poivre

- Faire jeûner les escargots pendant une semaine. Puis les faire dégorger 2 h dans beaucoup d'eau salée et vinaigrée.
- Les laver soigneusement. Cuire 20 mn dans l'eau bouillante. Rincer. Sortir chaque escargot de sa coquille et couper la partie noire.
- Peler et épépiner les tomates après les avoir plongées dans l'eau bouillante.
- Dans une cocotte faire revenir les oignons, les clous de girofle, le persil, l'ail, la coriandre dans le beurre fondu. Dès que les oignons dorent, ajouter les escargots.
- Après 15 à 20 mn mettre les tomates, l'eau, le vin, le bouquet garni. Saler, poivrer. Laisser mijoter pendant 1 h 30 et servir.

Vin
Côtes-de-Blaye
Bordeaux
Bordeaux-Supérieur
Servir à 16°

Par personne
462 Calories

FEUILLETES D'ESCARGOTS

Préparation : 20 mn
Cuisson : 15 mn

Pour 4 personnes
- 200 g de pâte feuilletée surgelée
- 3 tranches de jambon de Parme
- 3 c. à soupe d'échalotes émincées surgelées
- 1 c. à café d'ail émincé surgelé
- 1 carotte
- 1 blanc de poireau
- 4 douzaines d'escargots en boîte
- 1 jaune d'œuf
- 2 c. à soupe de crème fraîche
- Quelques brins de ciboulette
- 30 g de beurre
- Sel, poivre

- Laisser décongeler la pâte feuilletée à température ambiante ou 2 mn au four à micro-ondes.
- Eplucher la carotte, la couper en mirepoix (en tous petits carrés).
- Nettoyer, émincer le blanc de poireau. Emincer le jambon de Parme.
- Préchauffer le four th. 6/180°.
- Dans une casserole à fond épais, faire fondre le beurre, y faire rissoler carotte, poireau, jambon, échalote, ail, saler modérément et poivrer. Réserver.
- Couper 4 rectangles de pâte (environ 5 × 8 cm). Battre le jaune d'œuf avec un peu d'eau et en badigeonner les rectangles de pâte.
- Mettre au four pour 15 mn.
- Ajouter à la mirepoix de légumes, les escargots rincés et égouttés, ainsi que la crème fraîche. Goûter et rectifier l'assaisonnement si nécessaire.
- Incorporer la ciboulette ciselée.
- Porter à ébullition, puis laisser cuire 8 à 10 mn sur feu très doux.
- Sortir les feuilletés du four, les ouvrir et les garnir avec la préparation. Servir aussitôt.

Vin blanc
Entre-Deux-Mers
Haut-Poitou (Sauvignon)
Servir à 8-9°

Par personne
508 Calories

FLAN DE MOULES AU CURRY

Préparation : 20 mn
Cuisson : 20 mn
M.O. : 12 mn

Pour 6 personnes
• 450 g de moules cuites décortiquées surgelées
• 100 g de crème fraîche épaisse
• 4 œufs
• 1 c. à soupe de Vermouth dry
• 2 échalotes
• 10 brins de ciboulette
• 1/2 c. à café de curry
• 50 g de beurre
• Sel, poivre

• Peler et émincer les échalotes.
• Ciseler la ciboulette.
• Dans une casserole à fond épais, faire chauffer 40 g de beurre sans le laisser noircir. Y faire blondir les échalotes, puis ajouter le Vermouth, la ciboulette et les moules encore surgelées. Poivrer. Laisser cuire sur feu moyen 10 mn.
• Préchauffer le four th. 7/210°.
• Dans une jatte mélanger les œufs, la crème, le curry. Poivrer. Ajouter les moules. Goûter et rectifier l'assaisonnement si nécessaire.
• Beurrer 6 ramequins et verser la préparation. Faire cuire au bain-marie 20 mn th. 6/180°.
• Servir les flans chauds, décorés de ciboulette ciselée.

Micro-ondes :
• Faire cuire les flans en déposant les ramequins en couronne sur le plateau du four, 12 mn à puissance moyenne th. 5-6.

Vin
Muscadet sur lie
Montlouis sec
Servir à 8°

Par personne
223 Calories

MOULES AU NATUREL

Préparation : 20 mn
Cuisson : 10 mn

- 1 kg de moules
- Thym
- Laurier
- 1/2 dl d'eau
- Poivre

• Bien nettoyer les moules, les mettre dans un récipient Pyrex, ajouter le thym, le laurier, le poivre et l'eau, mélanger.
• Couvrir, cuire 8 à 10 mn pg cuisson maxi. Mélanger, servir aussitôt.
• Décoquillées, elles sont parfaites pour accompagner une salade de riz créole.

| *Vin* |
| Muscadet-sur-Lie |
| Entre-Deux-Mers |
| Servir à 8-9° |

| **Par personne** |
| 110 Calories |

MOULES A LA BORDELAISE

Préparation : 20 mn
Cuisson : 55 mn

Pour 4 personnes
• 1,5 kg de moules
• 1 gros oignon
• 2 échalotes
• 1 tomate
• 100 g de beurre
• 4 dl de vin blanc sec
• 1 bouquet de persil
• Piment
• 1 feuille de laurier
• Sel, poivre

• Eplucher l'oignon et les échalotes. Les émincer et les mettre à fondre dans un poêlon avec 50 g de beurre. Ajouter 1 branche de persil et 1/4 de feuille de laurier. Couvrir et laisser étuver à feu doux pendant 10 mn en remuant de temps en temps. Mouiller avec le vin blanc et faire réduire à couvert 30 à 35 mn.
• Gratter et laver les moules. Les faire ouvrir dans un peu d'eau à feu vif.
• Retirer la partie supérieure de la coquille, disposer les moules dans un plat à gratin. Garder au chaud. Chinoiser le jus et l'ajouter à la sauce ainsi que les tomates pelées et épépinées. Faire réduire à feu vif pendant 10 mn. Rectifier l'assaisonnement qui doit être pointu.
• Lier avec le reste de beurre divisé en noisettes.
• Ajouter le persil haché. Bien mélanger.
• Ranger dans chaque assiette chaude les moules et napper de sauce bordelaise. Déguster aussitôt.

Vin
Bordeaux
Bordeaux-Supérieur
Servir à 8-9°

Par personne
372 Calories

CUISSES DE GRENOUILLES DU MARAIS POITEVIN

Préparation : 15 mn
Cuisson : 15 mn

Pour 4 personnes
- 4 dz de cuisses de grenouilles
- 4 gousses d'ail
- 100 g de beurre
- 1 verre de vin blanc sec
- 1 dl de crème fraîche
- 4 échalotes
- 3 brins de persil finement haché
- Sel, poivre

- Dans une sauteuse, faire fondre 50 g de beurre et revenir les cuisses de grenouilles. Réserver au chaud.
- Dans une casserole avec le reste du beurre, faire fondre les échalotes émincées. Ajouter le vin blanc sec et l'ail haché. Laisser réduire 10 mn à feu moyen. Lier avec la crème fraîche. Verser cette sauce sur les cuisses de grenouilles.
- Assaisonner. Servir aussitôt.

Vin blanc
Haut-Poitou Chardonnay
Touraine
Servir à 8°

Par personne
258 Calories

PETONCLES A LA NAPPE

Préparation : 15 mn
Cuisson : 20 mn

Pour 4 personnes
• 4 dz de pétoncles
• 400 g de tomates
• 250 g de crème fraîche
• 3 échalotes
• 1 bouquet de persil
• 2 gousses d'ail
• 1 bouquet de ciboulette
• 50 g de beurre
• Sel, poivre

• Laver les pétoncles à l'eau claire plusieurs fois. Egoutter. Les faire ouvrir sur feu vif quelques minutes. Décoquiller et laver à l'eau courante. Réserver dans une passoire.
• Hacher l'ail, les 3/4 du persil, les échalotes. Laver, peler et épépiner les tomates. Mettre tous ces ingrédients dans une casserole. Porter à ébullition en remuant et faire cuire jusqu'à ce que la sauce nappe la cuillère en bois. Ajouter les noix de beurre, la ciboulette. Assaisonner selon le goût.
• Dans une casserole faire fondre la crème fraîche, ajouter les pétoncles. Cuire 5 mn à feu vif.
• Verser directement dans des assiettes chaudes. Napper avec la sauce, parsemer de persil haché.

Vin
Mâcon-Villages
Saint-Véran
Servir à 8-9°

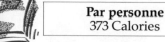

Par personne
373 Calories

PALOURDES FARCIES

Préparation : 20 mn
Cuisson : 1 mn 40

- 48 palourdes moyennes ou des vénus
- 80 g de beurre
- 2 belles gousses d'ail
- Persil haché
- Ciboulette ciselée
- 1 c. à soupe de chapelure
- Le jus d'1/2 citron
- Sel, poivre

• Laver rapidement les palourdes à l'eau salée. Les ouvrir par la moitié, les disposer sur une assiette.
• Préparer la farce : faire ramollir le beurre 1 mn 30 à 2 mn pg décongélation. Y incorporer l'ail et le persil haché, la ciboulette, le jus de citron, le sel, le poivre et la chapelure. Bien mélanger afin d'obtenir une pommade et farcir chaque demi-coquille, mettre sur une grande assiette ou sur la sole du four.
• Cuire 1 mn 20 à 1 mn 40 pg cuisson maxi, selon grosseur.

Vin
Coteaux-du-Vendômois
Valençay
Touraine-Mesland
Servir à 8-9°

Par personne
327 Calories

194

LANGOUSTINES AUX HERBES

Préparation : 15 mn
Cuisson : 4 mn

- 1 kg de langoustines
- Thym, laurier
- 2 c. à soupe de vin blanc (ou d'eau)
- Poivre, sel (facultatif)

- Disposer les langoustines sur 2 assiettes, en pliant la queue, parsemer de thym et de fragments de feuilles de laurier, arroser avec une cuillerée de vin blanc ou d'eau, poivrer.
- Couvrir, cuire 2 mn 30 à 4 mn par assiette selon la grosseur des langoustines.

Vin
Chablis
Pernand-Vergelesses
Servir à 10°

Par personne
143 Calories

HUITRES CHAUDES A LA CREME

Préparation : 20 mn
Cuisson : 11 mn

- 2 dz d'huîtres creuses
- 1/2 dl de crème fraîche
- 2 blancs de poireaux
- 1/2 dl de vin blanc
- Quelques gouttes de jus de citron
- 80 g d'emmenthal râpé
- Poivre blanc

• Laver et couper en lanières les blancs de poireaux. Les faire cuire 2 mn dans 4 cuillerées à soupe d'eau. Les égoutter.
• Poser toutes les huîtres à plat sur la sole au four ou sur un grand plat. Cuire 3 à 4 mn pg cuisson maxi. Sortir les huîtres, enlever le chapeau, égoutter le jus. Mettre dans un bol le jus de citron, le vin blanc, le fromage et la crème. Mélanger, faire réduire 4 à 5 mn. Poivrer, bien mélanger, arroser les huîtres avec cette sauce. Décorer de lanières de poireaux. Chauffer le tout 1 mn 30 à 2 mn selon grosseur.

Vin
Meursault
Puligny-Montrachet
Servir à 10-11°

Par personne
308 Calories

SAINT-JACQUES EN PAPILLOTE

Préparation : 20 mn
(1 h à l'avance)
Cuisson : 10 mn / M.O. : 3 mn

Pour 4 personnes
- 12 noix de Saint-Jacques surgelées
- 3 poireaux
- 3 carottes
- Le jus de 2 citrons
- 3 c. à soupe d'huile d'olive
- 3/4 l de lait
- 1 petit bouquet de cerfeuil
- Sel, poivre

- Dans un saladier verser le lait, y ajouter les coquilles Saint-Jacques et les laisser décongeler à température ambiante. Elles resteront plus moelleuses à la cuisson.
- Laver et émincer les poireaux.
- Peler et émincer en bâtonnets les carottes.
- Préparer 4 morceaux de papier sulfurisé, les plier en deux. Sur une des moitiés, déposer les légumes et les Saint-Jacques. Arroser avec le citron et l'huile d'olive, saler, poivrer. Ajouter quelques pluches de cerfeuil et fermer hermétiquement les papillotes.
- Préchauffer le four th. 6/180° puis les enfourner et laisser cuire 10 à 12 mn, elles doivent être gonflées.
- Si vous utilisez du papier d'aluminium, laisser cuire 8 mn, l'aluminium étant conducteur de chaleur.
- Servir aussitôt.

Micro-ondes :
- Faire des papillotes avec du papier sulfurisé. Les piquer avec une épingle et glisser au four à micro-ondes pour 3 mn à pleine puissance.

Vin blanc
Montagny
Mercurey
Servir à 9°

Par personne
349 Calories

COQUILLES SAINT-JACQUES SUR DUXELLES

Préparation : 20 mn
Cuisson : 18 mn

- 4 belles coquilles fraîches
- 30 g de beurre
- 1 boîte de champignons (230 g) ou 250 g de champignons frais
- 2 c. à soupe de sauce tomate
- 2 échalotes
- 1 c. à soupe de chapelure
  1 dl de vin blanc
- Sel, poivre

- Faire préparer les coquilles Saint-Jacques par le poissonnier. Garder les coquilles.
- Emincer finement les champignons et les échalotes, les mettre dans un bol avec la sauce tomate, assaisonner, couvrir, cuire 6 mn pg cuisson maxi.
- Ajouter le vin blanc, cuire 4 mn.
- Incorporer la chapelure et le beurre, verser le mélange dans les coquilles, ajouter les noix escalopées et le corail. Poser les coquilles sur une assiette, couvrir, cuire 3 à 4 mn pg cuisson douce.
- Préparer les champignons : couper les pieds terreux. Laver les champignons, les émincer, les mettre dans un récipient. Couvrir, cuire 4 mn pg cuisson maxi. Les égoutter.

Vin
Rosé de Provence
Tavel
Bandol rosé
Servir à 8°

Par personne
156 Calories

NOIX DE SAINT-JACQUES A LA FONDUE DE POIREAU

Préparation : 10 mn
Cuisson : 7 mn

- 8 noix de Saint-Jacques
- 4 à 6 blancs de poireaux
- 3 c. à soupe de crème fraîche
- Le jus d'1/2 citron
- 2 c. à soupe d'eau
- Sel, poivre

- Emincer les blancs de poireaux, les mettre dans un moule à manqué, ajouter l'eau, couvrir et cuire 5 mn pg cuisson maxi.
- Ajouter ensuite la crème, le sel, le poivre, bien mélanger le tout. Disposer dessus les noix escalopées et arrosées du jus de citron, saler, poivrer, couvrir et cuire 2 mn.

Vin
Pouilly-Fumé
Valençay (blanc)
Servir à 8-9°

Par personne
219 Calories

TARTE AU SAUMON FUMÉ

Préparation : 20 mn

Pour 4 personnes
- 200 g de saumon fumé
- 1 c. à soupe de farine de froment
- 3 œufs
- 1 jaune d'œuf
- 1/4 l de crème fraîche
- 75 g de beurre
- 1/4 c. à café d'aneth
- Sel, poivre gris

Pâte
- 125 g de farine
- 1 œuf
- 75 g de beurre amolli
- 1/2 c. à soupe de lait

- Préparer la pâte :
- Disposer la farine en forme de puits, au centre, casser l'œuf, ajouter le beurre, mouiller avec le lait, pétrir.
- Étaler la pâte obtenue au rouleau et foncer un moule à tarte beurré et fariné.
- Répartir, en plusieurs couches si nécessaire, régulièrement sur le fond de tarte, le saumon coupé en lanières.
- D'autre part, fouetter les œufs entiers et les jaunes. Incorporer la crème fraîche, le beurre amolli, l'aneth. Saler, poivrer.
- Verser ce mélange sur le saumon.
- Cuire à four préchauffé (th. 7-8) pendant 15 mn.
- Servir aussitôt.

Vin
Sancerre
Sauvignon de Touraine
Servir à 8-9°

Par personne
626 Calories
(20 cl de crème fraîche)
678 Calories
(25 cl de crème fraîche)

CHARLOTTE D'AUBERGINES A L'AGNEAU

Préparation : 40 mn
Cuisson : 20 mn

Pour 6 personnes
- 1,5 kg d'aubergines
- 600 g d'épaule d'agneau désossée surgelée
- 2 dl d'huile d'olive
- 80 g de riz
- 20 feuilles de menthe
- 3 pincées de Cayenne
- 1/2 c. à café de cumin en poudre
- 2 œufs
- Sel, poivre

- Laisser décongeler l'épaule à température ambiante ou 13 mn au four à micro-ondes.
- Faire cuire le riz dans 2 fois 1/2 son volume d'eau bouillante salée jusqu'à absorption totale. Réserver.
- Couper les aubergines en tranches fines (sauf une).
- Les faire rissoler dans l'huile d'olive, saler et poivrer.
- Dès que les tranches d'aubergines sont colorées, les déposer sur du papier absorbant. Recommencer l'opération.
- Préchauffer le four th. 7/210°.
- Couper l'épaule d'agneau en morceaux, les mettre dans la cuve du Magimix. Ajouter l'aubergine restante également coupée en morceaux, le Cayenne, le cumin, la menthe, 2 c. à soupe d'huile d'olive, les œufs, sel et poivre. Bien mixer le tout pour obtenir une farce.
- Tapisser le fond et les parois de 6 ramequins avec les tranches d'aubergines en les faisant chevaucher.
- Ajouter la farce et recouvrir avec 1 tranche d'aubergine, rabattre celles qui dépassent du moule pour bien emprisonner la farce.
- Déposer les ramequins dans un plat à four long. Verser un peu d'eau au fond du plat et enfourner pour 20 mn th. 7/210°.
- Servir tiède ou froid avec un coulis de tomate.

Vin rouge
Bandol
Minervois
Servir à 15°

Par personne
529 Calories

FOIE DE CANARD CHAUD AUX POMMES

Préparation : 20 mn
Cuisson : 1 h 25

• 1 foie de canard de 600 g environ
• 1 c. à soupe rase de graisse de canard
• 1 verre de Loupiac
• 1 verre 1/2 de Banyuls
• 4 pommes Reine des Reinettes
• 1 citron non traité
• 1 c. à café de miel liquide
• Sel et poivre

• Retirer délicatement les nerfs et les fibres du foie s'il en reste et toute trace de fiel (tache verte).
• Mettre le foie, salé et poivré, dans une casserole et le faire cuire 30 mn environ à feu moyen.
• Verser toute la graisse dans une sauteuse et la réserver.
• Arroser le foie avec le Loupiac et le Banyuls (ou du Porto). Couvrir et faire cuire à tout petit feu 45 mn environ.
• Eplucher les pommes, choisies acidulées, les couper en 8 quartiers, les citronner.
• Faire chauffer 2 cuillères de la graisse réservée (verser le reste dans une coupelle pour un autre usage : pommes de terre sautées, cuisson de volaille, etc.) dans la sauteuse et y faire dorer les quartiers de pommes 10 mn à feu doux. Ajouter un peu de jus de citron et le miel liquide pour équilibrer la saveur de la cuisson entre le doux et l'acide.
• Saler et poivrer.
• Disposer le foie sur un plat chauffé entouré des quartiers de pomme, napper le tout avec le jus de cuisson du foie et servir aussitôt avec du pain de seigle grillé.

Vin
Loupiac
Sauternes
Sainte-Croix-du-Mont
Barsac
Cérons
Servir à 9°

Par personne
346 Calories

CAILLETTES DE VALENCE

Préparation : 30 mn
Cuisson : 1h

- 200 g d'échine de porc sans os
- 100 g de poumon de porc
- 100 g de foie de porc
- 2 oignons moyens
- 3 gousses d'ail
- 1/2 bouquet de persil simple
- 2 branches de cerfeuil
- 500 g d'épinards en branches ou de tétragones
- 2 œufs
- 150 g de crépine (fraîche de préférence)
- 1 œuf de saindoux
- Sel, poivre noir, muscade

- Faire cuire à la vapeur les épinards ou les tétragones. Dès qu'ils sont tendres, égoutter, presser et laisser encore égoutter.
- Hacher les oignons et l'ail écrasé. Hacher à la machine, grille moyenne, et dans l'ordre, le foie, l'échine, le poumon. Ciseler le persil et le cerfeuil.
- Faire revenir dans une sauteuse, le hachis d'oignon sans le colorer. Ajouter le poumon et 5 mn plus tard, le foie, les herbes ciselées. Assaisonner en sel et poivre.
- Presser encore les épinards pour bien essorer et les hacher. Les ajouter dans la sauteuse, bien mélanger, éteindre et laisser refroidir.
- Battre dans une terrine, les 2 œufs. Avec la muscade, battre encore quelques secondes et incorporer la cuisson refroidie. Mélanger aussitôt.
- Préchauffer le four à th. 6.
- Tailler la crépine rincée et séchée en 8 parts. Partager la farce à caillettes en 8 parts également et former des boules que vous enveloppez soigneusement dans le carré de crépine. Aplatir légèrement.
- Graisser un plat à gratin, ranger les caillettes dedans, enfourner et laisser cuire 20 mn à th. 6 puis 20 mn à th. 5.
- Arroser régulièrement avec le jus rendu par la cuisson.
- Déguster chaud ou froid.

Vin
Châtillon-en-Diois
Saint-Joseph
Servir à 13-14°

Par personne
424 Calories

FLAMMEN KUECHEN

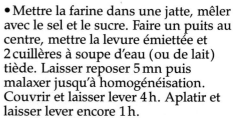

Préparation : 30 mn
Repos : 5 h
Cuisson : 20 mn

Pour la pâte à pain
(à préparer la veille) :
• 150 g de farine
• 10 g de levure de boulanger
• 1 petite pincée de sucre
• 1 petite pincée de sel fin

Pour la composition :
• 125 g de fromage blanc égoutté
• 12 cl de crème fraîche
• 1 c. à soupe de farine
• 1 pincée de sel fin
• 2 gros oignons
• 100 g de poitrine maigre
de porc fumée
• 2 c. à soupe d'huile (de colza,
si possible) ou d'arachide

Vin
Pinot gris
Tokay
Klevner
Servir à 8-9°

Par personne
342 Calories

• Mettre la farine dans une jatte, mêler avec le sel et le sucre. Faire un puits au centre, mettre la levure émiettée et 2 cuillères à soupe d'eau (ou de lait) tiède. Laisser reposer 5 mn puis malaxer jusqu'à homogénéisation. Couvrir et laisser lever 4 h. Aplatir et laisser lever encore 1 h.
• Hacher assez fin le lard et les oignons.
• Faire fondre doucement le lard dans sa propre graisse puis ajouter le hachis d'oignons.
• Laisser lentement confire sans coloration puis éteindre. Laisser refroidir. Réserver. Le moment venu de la cuisson, étendre très finement la pâte à pain à la taille de la tourtière choisie et graissée. Laisser reposer pendant le reste de la préparation.
• Mélanger, dans une jatte, le fromage blanc bien égoutté, le sel, la farine et la crème fraîche. Malaxer bien avec l'huile pour obtenir une masse lisse et onctueuse.
• Préchauffer le four à th. 7/8.
• Prélever la moitié de la pâte. L'étaler dans la tourtière sur la pâte à pain.
• Ajouter le lard et les oignons à la pâte restante. Mélanger puis reverser cette pâte mélangée sur l'autre pâte. Tapoter pour unifier le dessus de la tarte et enfourner au centre du four pour 15 mn.
• Vérifier la coloration. Elle doit être assez poussée pour justifier le surnom donné à cette tarte au fromage et aux oignons lardés de «Quiche flamblée» parce qu'autrefois ce plat était cuit par le boulanger, près des braises encore vives.
• Continuer la cuisson 5 mn à th. 6/7.
• Manger brûlant avec une tranche de Presskopf, ou tête de porc moulée.

QUICHE AU LARD

Préparation : 10 mn
Cuisson : 15 mn

---

250 g de pâte brisée
(fraîche ou surgelée)
• 4 œufs
• 2 dl de crème
• 150 g de lardons
• 2 dl de lait
• Sel, poivre, muscade

• Dans un bol, mettre les lardons à fondre 2 mn pg cuisson maxi. Ajouter les œufs, la crème, le lait, bien fouetter, assaisonner. Etaler la pâte, en tapisser un moule à tarte en la faisant légèrement déborder pour éviter que la pâte ne se rétracte. Piquer le fond à la fourchette, cuire 8 mn. Garnir la tarte du mélange. Cuire le tout 4 à 5 mn. Servir bien chaud.
• Décongélation de la pâte : 3 à 4 mn pg décongélation.

Vin rosé
Tavel
Lirac
Côtes-de-Provence
Servir à 8°

Par personne
218 Calories

QUICHE PAYSANNE

Préparation : 30 mn (2 h à l'avance)
Cuisson : 30 mn

Pour 8 personnes
Pâte brisée
- 250 g de farine
- 125 g de beurre
- 5 cl d'eau
- 1 pincée de sel

Garniture
- 160 g de poitrine de porc fumée
- 80 g de gruyère râpé
- 3 œufs
- 30 cl de lait
- 300 g de crème double
- 1 pincée de muscade
- 30 g de beurre
- Sel, poivre

- Préparer la pâte : dans une terrine mettre la farine, le sel et le beurre coupé en morceaux. Travailler le tout du bout des doigts jusqu'à ce que le mélange devienne comme de la semoule.
- Ajouter l'eau, mélanger, former une boule et laisser reposer 2 h environ.
- Abaisser la pâte au rouleau sur un plan de travail fariné en garnir un moule à tarte. Piquer la pâte à l'aide d'une fourchette.
- Préchauffer le four th. 6 / 180 °C.
- Dans une jatte battre les œufs en omelette, ajouter la crème, la muscade et le lait. Saler modérément et poivrer.
- Couper la poitrine fumée en tout petits dés, les faire sauter au beurre. Les répartir sur le fond de pâte. Parsemer de gruyère râpé.
- Verser la préparation et glisser au four pour 30 mn. Servir aussitôt.

Vin
Riesling
Aux senteurs intenses
d'épices, de fruits,
de minéral… avec une
belle matière tendre
et charpentée, corsée
et généreuse.
Servir à 8-9°

Par personne
510 Calories

FONDUE A L'EMMENTHAL

Préparation : 5 mn
Cuisson : 5 mn 30

- 500 g d'emmenthal
- 1,5 dl de vin blanc
- 2 c. à soupe de kirsch
- Pain rassis
- 1 gousse d'ail

- Dans un poêlon en terre, mettre la gousse d'ail avec la peau, le fromage, le vin blanc.
- Couvrir, cuire 5 mn pg cuisson maxi. Surveiller pour éviter les débordements.
- Saler, ajouter le kirsch. Remettre 30 secondes.
- Allumer un réchaud, poser le poêlon dessus, mélanger à la spatule, poivrer et déguster avec des bouchées de pain rassis.

Vin blanc
Roussette-de-Savoie
Seyssel
Servir à 8-9°

Par personne
544 Calories (sans le pain)

RACLETTE

Préparation : 10 mn
Cuisson : 11 mn

Pour 4 personnes :
- 300 g de fromage à raclette
- 200 g de viande des Grisons ou de jambon cru
- 12 pommes de terre moyennes
- Gros sel, poivre

- Laver les pommes de terre, les envelopper une par une dans un papier sulfurisé, les poser sur la sole du four, cuire 8 à 10 mn selon grosseur.
- Dans 4 soucoupes, déposer le fromage coupé en tranches de 4 à 5 mm d'épaisseur, faire fondre 40 secondes à 1 mn et servir avec le jambon coupé en fines tranches.
- Faire fondre du fromage autant de fois qu'il sera nécessaire (pour une seule soucoupe diminuer le temps).

Vin blanc
Roussette-de-Savoie
Seyssel
Apremont
Servir à 8-9°

Par personne
683 Calories

RISSOLES DE SAINT-FLOUR

Préparation : 40 mn
Repos : 30 mn
Cuisson : 10 mn

Pour 4 à 6 personnes
- 450 g de pâte brisée fine
- 200 g de fromage frais égoutté
- 150 g de Cantal frais
- 4 jaunes d'œufs
- 1 poignée d'«herbettes» : persil et ciboulette
- Sel et poivre, pointe de muscade
- Huile de friture

• Etendre finement au rouleau sur 2 à 3 mm d'épaisseur la pâte brisée et la laisser reposer sous un torchon pour l'empêcher de dessécher pendant que vous préparez la farce.

• Dans une terrine, mélanger le fromage frais, le cantal haché menu (plutôt que râpé) et ajouter en travaillant légèrement à la cuillère en bois, les jaunes un par un. Assaisonner, ajouter les «herbettes» ciselées.

• Découper à l'emporte-pièce de 10 cm de diamètre des ronds dans la pâte. Déposer au centre de chaque rond une grosse noix du mélange. Humecter les bords du pinceau, replier en deux pour obtenir une rissole et presser sur les bords avec les doigts ou les dents d'une fourchette. Observer un repos de 30 mn au moins et mieux 1 h.

• Faire chauffer l'huile de friture et y plonger les rissoles jusqu'à ce qu'elles soient dorées et croustillantes. Servir brûlant.

• Vous pouvez aussi les cuire sur une plaque beurrée au four préchauffé à th. 7. Dans ce cas, réserver une larme de jaune d'œuf que vous mélangerez avec une petite cuillère de lait pour dorer au pinceau le dessus des rissoles devenues «friands». Compter 30 mn de cuisson.

• Mais la tradition de Saint-Flour ne veut connaître pour authentiques que les rissoles qui se mangeaient en casse-croûte les jours de marché en Cantal.

Vin rouge
Marcillac
Servir à 14°
Vin blanc
Vin d'Entraygues-et-du-Fel
Servir à 8-9°

Par personne
566 Calories

SOUFFLÉ AU FROMAGE

Préparation : 10 mn
Cuisson : 16 mn

- 1/2 l de lait
- 4 œufs
- 100 g d'emmenthal râpé
- 60 g de farine
- 50 g de beurre
- 1 c. à soupe de fécule
- 1 c. à soupe de chapelure
- Sel, poivre, muscade

• Mettre le lait à bouillir 5 à 6 mn pg cuisson maxi. Dans un saladier, faire fondre le beurre 1 mn 30.
• Incorporer la farine, verser le lait en fouettant, ajouter la fécule délayée avec deux cuillerées d'eau froide, cuire 3 mn.
• Ajouter le fromage râpé et les jaunes d'œufs un à un, assaisonner, incorporer délicatement les blancs d'œufs battus en neige très ferme en soulevant la masse. Mettre dans un moule à kougloff ou a soufflé.
• Parsemer de chapelure, cuire 5 mn, ajouter 30 secondes si c'est nécessaire. Pour obtenir un aspect doré, passer le soufflé quelques minutes sous le gril de votre four traditionnel.

Vin blanc
Arbois
Côtes-du-Jura
Servir à 8-9°

Par personne
389 Calories

TERRINE DE CREVETTES GRISES

Préparation : 30 mn
Cuisson : 4 mn

- 300 g de grosses crevettes grises
- 1 c. à café de crème d'anchois
- 50 g de beurre
- 1 c. à soupe de crème fraîche
- 1 bonne pincée de muscade râpée
- 1 poignée de gros sel
- 5 à 6 tours de moulin à poivre

- Faire cuire les crevettes dans une casserole d'eau avec le gros sel et un peu de poivre pendant 4 mn. Les égoutter et les laisser refroidir un peu avant de les décortiquer.
- Dans une poêle, bien faire revenir les crevettes dans le beurre, les retourner.
- Les mixer aussitôt. Ajouter la crème d'anchois, la crème fraîche, le poivre, la muscade. Goûter, rectifier l'assaisonnement si besoin est (attention, la crème d'anchois peut être très salée).
- Mettre au réfrigérateur 1 ou 2 h avant de servir.
- Accompagner cette terrine de tranches de pain de seigle légèrement grillé.

Vin blanc
Muscadet
Sylvaner
Servir à 10°

Par personne
184 Calories (4 pers.)

TERRINE MARINE

Préparation : 45 mn
Cuisson : 1 h 30

Pour 4 personnes
- 24 coquilles Saint-Jacques
- 1 kg de langoustines
- 1 l de moules
- Sel, poivre

Farce
- 1 crabe
- 250 g de crevettes
- Le corail des Saint-Jacques
- 1 gousse d'ail haché
- 1 blanc d'œuf
- 1 jus de citron
- Sel, poivre

- Faire cuire le crabe, les crevettes et les langoustines dans un court-bouillon.
- Retirer et laisser refroidir avant de les décortiquer.
- Décoquiller les Saint-Jacques, les faire revenir.
- Faire ouvrir les moules et les sortir de leur coquille.
- Préchauffer le four (th. 8).
- Broyer le crabe, les crevettes, les coraux des Saint-Jacques et l'ail.
- Ajouter 1 jus de citron, le blanc d'œuf, saler et poivrer. Mélanger bien.
- Dans une terrine en verre allant au four, chemiser les 3 côtés avec la farce. Disposer au centre, en couches successives, les langoustines, un peu de farce, les moules, un peu de farce, les Saint-Jacques coupées en deux. Finir avec la farce.
- Cuire au bain-marie pendant 1 h.
- Laisser refroidir. Placer des poids sur la terrine afin d'obtenir des tranches très serrées.
- Servir avec diverses sauces.

Vin
Chablis
Pouilly-Fuissé
Servir à 9-10°

Par personne
566 Calories

TERRINE DE HADDOCK

Préparation : 30 mn
Cuisson : 40 mn

- 6 filets de haddock
- 70 g de tapioca express
- 4 œufs
- 3/4 l de lait
- 5 cl de crème fleurette
- Sel (attention au haddock qui peut être très salé)
- 1 c. à café de poivre en grains moulu
- 20 g de beurre pour le moule

• Mettre le haddock dans une grande poêle, recouvrir de lait froid et amener doucement à ébullition. Retirer le poisson aux premiers bouillons, bien l'égoutter. Réserver 2 beaux filets.
• Prélever 1/4 l de bouillon de lait. Le mettre dans une casserole, verser le tapioca en pluie fine et faire cuire 3 à 4 mn sans cesser de remuer.
• Mixer quelques secondes le haddock et le tapioca.
• Dans une jatte, battre les œufs en omelette. Ajouter la crème, le poivre, incorporer ensuite la mousse de haddock. Travailler très soigneusement ce mélange et vérifier l'assaisonnement du sel.
• Beurrer largement le moule. Le garnir d'une partie de la préparation, couvrir complètement des filets réservés et terminer par la préparation en tassant bien.
• Faire cuire au bain-marie, à four doux préchauffé (th. 4/5), pendant 40 mn. Surveiller la cuisson : ajouter de l'eau chaude dès que celle-ci s'évapore.
• Laisser refroidir hors du four.
• Mettre la terrine au réfrigérateur quelques heures, puis la démouler.

* Présenter cette terrine, accompagnée d'un beurre fondu au citron préparé avec 100 g de beurre fondu au bain-marie auquel vous ajoutez le jus d'1 citron, du sel et du poivre.

Vin blanc
Entre-Deux-Mers
Servir à 11°
Vin de Pays Charentais
Servir à 10°

Par personne
286 Calories (6 pers.)
429 Calories (4 pers.)

TERRINE DE SAUMON AU COULIS VERT

Préparation : 35 mn
Cuisson : 1 h

- 500 g de saumon frais
- 500 g de petits pois extra-fins
- 300 g d'oseille
- 1 beau bouquet de persil
- 6 œufs
- 10 cl de crème fraîche
- 1 c. à café de sel
- 1 c. à café de poivre en grains moulu
- 20 g de beurre pour le moule

- Egoutter les petits pois. Eplucher et laver l'oseille, laver le persil. Mixer ces 3 légumes, mettre en attente.
- Nettoyer le saumon, le pocher 2 mn à l'eau bouillante salée et légèrement vinaigrée.
- Le découper en morceaux et le passer très rapidement au Magimix (le poisson ne doit pas être en mousse, mais grossièrement haché).
- Dans une grande jatte, battre 3 œufs en omelette. Verser la moitié de la crème fraîche, le sel et le poivre. Incorporer petit à petit le saumon en remuant soigneusement.
- Dans une seconde jatte, battre les 3 autres œufs en omelette et verser le restant de crème. Incorporer la mousse de légumes, saler, poivrer, bien mélanger. Vérifier l'assaisonnement.
- Beurrer largement le moule. Verser d'abord la moitié de la préparation au saumon, puis la mousse verte et terminer par le saumon.
- Faire cuire au bain-marie, à four moyen préchauffé (th. 5/6), pendant 1 h. Surveiller la cuisson : recouvrir d'une feuille d'aluminium pour ne pas trop faire dorer la terrine et ajouter de l'eau chaude dans le bain-marie dès que celle-ci s'évapore.
- Laisser complètement refroidir hors du four avant de mettre au réfrigérateur quelques heures.
- Sortir la terrine un bon moment avant de la servir pour qu'elle ne soit pas trop glacée accompagnée d'un coulis de concombre.

Vin blanc
Vouvray sec
Cheverny
Servir à 10°

Par personne
290 Calories (6 pers.)
434 Calories (4 pers.)

TERRINE DE SAUMON A LA MOUSSE DE MERLAN

Préparation : 35 mn
Cuisson : 1 h

- 600 g de saumon frais
- 250 g de filets de merlan
- 1 verre de vin blanc sec
- 1 verre à liqueur de fine Champagne
- 200 g de mie de pain
- 3/4 l de lait
- 3 œufs entiers + 1 jaune
- 1 bonne pointe de muscade râpée
- 1 c. à café de sel
- 1 c. à café de poivre en grains moulu
- 20 g de beurre pour le moule

Vin blanc
Montlouis sec
Servir à 11°
Chinon blanc
Servir à 12°

Par personne
465 Calories (6 pers.)
697 Calories (4 pers.)

- Verser le vin blanc dans une casserole d'eau salée (1 l environ), porter à ébullition, laisser frissonner et faire pocher le saumon pendant 5 mn. Le retirer aussitôt, le mettre à égoutter. Plonger alors les filets de merlan dans ce même court-bouillon et les laisser pocher 2 mn avant de les sortir et les mettre également à égoutter.
- Pendant ce temps, faire gonfler la mie de pain dans le lait très chaud. Travailler quelques instants sur le feu afin d'obtenir une belle pâte, laisser refroidir un moment.
- Passer ensuite rapidement au Magimix les filets de merlan, la pâte de pain, le jaune d'œuf pour obtenir une mousse rustique.
- Dans une jatte en terre, battre les œufs entiers en omelette. Ajouter le sel, le poivre, la muscade et la fine Champagne. Incorporer ensuite la mousse de merlan en travaillant bien le tout soigneusement.
- Préparer alors le saumon en filets de l'épaisseur d'un doigt.
- Beurrer largement le moule et le tapisser d'une bonne couche de la préparation en alternant avec les filets de saumon. Terminer par la préparation, tasser bien.
- Faire cuire au bain-marie, à four moyen préchauffé (th. 5), pendant 1 petite heure. Surveiller la cuisson : couvrir d'une feuille d'aluminium afin de ne pas trop faire dorer le dessus et ajouter de l'eau chaude dans le bain-marie dès que celle-ci s'évapore.
- Laisser complètement refroidir hors du four et mettre au réfrigérateur 10 à 12 h.
- Sortir la terrine 1 h au moins avant de servir avec un coulis de crème fraîche au vinaigre.

TERRINE DE POISSON AUX HERBES

Préparation : 20 mn
Cuisson : 40 mn
M.O. 14 mn

Pour 4 personnes
• 600 g de filets de merlu
(ou autre poisson blanc) surgelés
• 2 dl de crème fraîche
• 3 œufs
• 3 c. à soupe de fines herbes
hachées (persil, ciboulette, aneth)
• 10 g de beurre
• Sel, poivre

• Laisser décongeler les filets de poisson. Les mettre dans la cuve du Magimix. Ajouter la crème, les herbes, 3 jaunes d'œufs et 2 blancs (réserver le 3e), sel et poivre. Mixer le tout. Battre grossièrement le 3e blanc d'œuf avec une pincée de sel.
• Dans une jatte, verser le mélange, incorporer délicatement le blanc d'œuf battu.
• Préchauffer le four th. 6/180°.
• Beurrer un moule à cake et verser la préparation. Recouvrir la surface d'une feuille de papier sulfurisé.
• Faire cuire au bain-marie (déposer le moule dans un plat à four avec un peu d'eau) pour 40 mn.
• Sortir du four et laisser tiédir.
• Servir tiède ou froid, avec un beurre blanc ou une vinaigrette de tomates.

Micro-ondes :
• Faire décongeler les poissons 4 mn. Faire la préparation.
• La verser dans un moule à cake beurré. Glisser au four pour 14 mn à moyenne puissance th. 5-6.
• Laisser tiédir puis mettre au froid.

Vin
Sancerre
Pouilly-Fumé
Servir à 9°

Par personne
285 Calories

GATEAU DE POISSON

Préparation : 15 mn
Cuisson : 18 mn

Pour 4 personnes
- 750 g de filets d'Eglefin
- 1 c. à soupe de beurre
- 1 c. à soupe de chapelure
- 25 cl de crème fraîche
- 2 c. à café de sel
- 2 pommes de terre
- 10 cl de lait
- Sel, poivre

- Eplucher et cuire les pommes de terre à l'eau salée. Egoutter.
- Couper et mixer grossièrement les filets de poissons. Les faire revenir pendant 3 mn dans le beurre fondu avec 2 c. à soupe de crème fraîche.
- Ecraser les pommes de terre à la fourchette.
- Mouiller avec un peu de lait et de crème fraîche. Incorporer les filets de poissons et mélanger bien. Saler et poivrer.
- Verser dans le moule beurré et saupoudré de chapelure.
- Recouvrir d'un papier d'aluminium et cuire au bain-marie à four chaud 15 mn (th. 6/7). Laisser refroidir 5 mn avant de démouler sur le plat de service.
- Servir aussitôt avec une sauce hollandaise ou une mayonnaise.

Vin blanc
Montlouis sec
Vouvray sec
Servir à 9°

Par personne
298 Calories

TERRINE DE LOTTE AUX BROCOLI

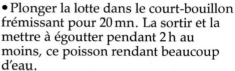

Préparation : 35 mn
Cuisson : 45 mn

- 800 g de lotte
- 1 sachet de court-bouillon
  + 1 verre de vin blanc
- 1 bouquet de brocoli
- 10 cl de crème fraîche épaisse
- 6 œufs
- 1 c. à café de sel
- 1 c. à café de poivre en grains moulu
- 3 grains de poivre vert écrasés
- 20 g de beurre pour le moule

- Plonger la lotte dans le court-bouillon frémissant pour 20 mn. La sortir et la mettre à égoutter pendant 2 h au moins, ce poisson rendant beaucoup d'eau.
- Pendant ce temps, passer les brocoli sous l'eau froide, couper les tiges à 3 ou 4 cm de la naissance des bouquets et les faire cuire à la vapeur 7 mn. Les égoutter et les mettre en attente sur un linge fin (les brocoli sont fragiles).
- Passer la lotte bien égouttée au mixer très rapidement, ne pas faire une mousse.
- Dans une grande jatte, battre les œufs en omelette. Ajouter la crème, le sel, les 2 poivres. Fouetter à nouveau et incorporer par petites quantités la lotte, toujours en remuant soigneusement. Vérifier l'assaisonnement qui doit être assez relevé.
- Beurrer généreusement le moule. Le garnir avec la moitié de la préparation, déposer ensuite les bouquets de brocoli, tasser et terminer par l'autre moitié de la préparation.
- Faire cuire au bain-marie, à four doux préchauffé (th. 4/5), pendant 45 mn. Surveiller la cuisson : poser une feuille d'aluminium afin de ne pas trop faire dorer la terrine et ajouter de l'eau chaude dans le bain-marie dès que celle-ci s'évapore.
- Laisser complètement refroidir hors du four avant de mettre au réfrigérateur 12 h environ.
- Sortir la terrine au moins 1 h avant de la consommer.

* Servir cette succulente terrine, accompagnée d'un coulis rose : battre au fouet électrique 2 yaourts et 5 cl de crème fraîche, ajouter 1 c. à café de concentré de tomates, du sel, du poivre et fouetter soigneusement ce mélange jusqu'à obtenir un coulis très homogène et très léger.

Vin blanc
Hermitage
Servir à 11°
Saint-Joseph
Servir à 10°

Par personne
371 Calories (4 pers.)

RILLETTES DE TRUITE

Préparation : 25 mn
Cuisson : 10 mn

- 3 truites
- 200 g de saumon fumé
- 1 verre de vin blanc (Gaillac perlé)
- 1 verre à liqueur d'Eau-de-Vie de prune
- 150 g de beurre
- 3 c. à soupe d'huile d'olive
- 1 c. à café de sel (attention, le saumon fumé est salé)
- 1 c. à café de poivre en grains moulu

- Faire ramollir la moitié du beurre.
- Vider et nettoyer les truites. Les faire cuire dans une poêle avec l'huile d'olive, les retourner, saler, poivrer. Les arroser d'eau-de-vie, de vin blanc et laisser mijoter 5 à 6 mn.
- Sortir les truites, réserver le jus de cuisson. Les éplucher, lever les filets et les mettre en attente.
- Découper ensuite le saumon en fines lanières. Les faire revenir rapidement, avec le beurre restant, dans la poêle, sans les faire dorer. Laisser refroidir quelques instants.
- Mixer les chairs de truite et de saumon, quelques secondes, avec le jus de cuisson réservé. Travailler ensuite la préparation à la fourchette en incorporant le beurre ramolli. Vérifier l'assaisonnement.
- Remplir alors la terrine et la mettre quelques heures au réfrigérateur avant de servir.

* Accompagner ces rillettes de truite de fines tranches de pain de seigle légèrement grillées et d'un filet de citron.

Vin blanc
Sauvignon du Haut-Poitou
Servir à 12°

Par personne
406 Calories (6 pers.)
609 Calories (4 pers.)

RILLETTES DE THON

Préparation : 15 mn
Pas de cuisson

- 400 g de thon au naturel
- 125 g de beurre demi-sel
- 1 c. à café d'huile d'olive
- Paprika
- 1 petite c. à café de poivre en grains moulu

- Faire ramollir le beurre.
- Pendant ce temps, égoutter le thon et enlever les éventuelles peaux et petites arêtes.
- Travailler soigneusement le thon à la fourchette en incorporant le beurre ramolli par petites quantités. Ajouter l'huile d'olive, un peu de paprika et le poivre, mélanger bien. Vérifier l'assaisonnement avant de saler, le beurre l'étant déjà.
- Remplir alors la terrine des rillettes, fermer le couvercle et mettre au réfrigérateur 2 à 3 h.

* Servir ces rillettes en entrée avec du pain de campagne.

Vin blanc
Mâcon-Villages
Servir à 11°

Par personne
176 Calories (4 pers.)

MOUSSELINE ROSE

Préparation : 20 mn
Cuisson : 10 mn

- 300 g de filets de truite rose ou de saumon
- 600 g de filets de cabillaud ou de colin
- 2,5 dl de crème fraîche réfrigérée
- 3 blancs d'œufs
- Un peu de ciboulette et de persil
- Quelques gouttes de jus de citron
- Sel, poivre, muscade

Sauce
- 1 dl de crème fraîche
- Le jus d'1/2 citron
- Ciboulette ciselée
- Sel, poivre

• Couper la truite ou le saumon en bandes. Mixer au Magimix les filets de cabillaud, ajouter les blancs d'œufs. Assaisonner, ajouter le jus de citron, mixer à nouveau, laisser reposer 1 h au réfrigérateur. Retirer du réfrigérateur, ajouter la crème fraîche.
• Dans un moule à cake, ou une terrine, disposer une feuille de papier sulfurisé, assez grande pour la retourner sur le dessus de la préparation. Sur le fond, poser quelques brins de ciboulette entiers et des tranches fines de citron. Disposer la farce, les bandes de saumon et les herbes ciselées par couches successives, bien tasser, recouvrir.
• Cuire de 8 à 10 mn pg cuisson maxi. Laisser refroidir avant de démouler. Servir avec de la crème fraîche citronnée et assaisonnée ou avec une sauce mousseline. (Cette terrine peut être réalisée entièrement avec du poisson blanc mixé).

Vin blanc
Bergerac sec
Graves
Servir à 8-9°

Par personne
402 Calories (4 pers.)

TERRINE DE BŒUF AUX OIGNONS GRELOTS

Préparation : 30 mn
Cuisson : 35 mn

Pour 6 personnes
- 750 g de steak haché surgelé
- 400 g d'oignons grelots surgelés
- 180 g de pain de mie brioché
- 1 bouquet de persil plat
- 2 c. à soupe de sauce soja
- 2 pincées de Cayenne
- 1/2 c. à café de 4 épices
- 2 c. à soupe d'huile d'olive
- Sel, poivre

- Faire décongeler les steaks à température ambiante ou 4 mn au four à micro-ondes.
- Dans une sauteuse, faire chauffer l'huile d'olive, y faire rissoler les oignons grelots encore surgelés, après les avoir essuyés dans du papier ménage. Les réserver.
- Emietter la mie de pain.
- Laver et ciseler le persil.
- Préchauffer le four th. 7/210°.
- Dans une jatte, mettre les steaks hachés, le persil, la mie de pain, les épices, la sauce soja, les oignons rissolés, sel et poivre. Bien mélanger.
- Huiler légèrement les parois d'un moule à cake. Y mettre la préparation. Bien lisser la surface et la protéger avec une bande de papier sulfurisé (huilé côté viande). Faire cuire 35 mn au four.
- Sortir la terrine du four et la laisser refroidir. Mettre au froid. Démouler et servir bien frais avec un coulis de tomate ou une vinaigrette de tomates.

Vin rouge
Beaujolais-Villages
Coteaux-du-Lyonnais
Servir à 12-13°

Par personne
456 Calories

Terrines

TERRINE DE BŒUF EN GELEE

Préparation : 45 mn
Cuisson : 2 h 30

- 900 g d'aiguillette de bœuf
- 150 g de couenne de porc
- 100 g de poitrine fumée
- 3/4 de bouteille de vin de cahors
- 1 c. à soupe de Whisky
- 200 g de carottes
- 10 petits oignons
- 1 belle branche de thym
- 10 g de sel
- 1 c. à café de poivre en grains moulu
- 2 c. à soupe d'huile
- 6 feuilles de gélatine pour conforter la gelée

• Mettre l'huile à chauffer dans la braisière et faire dorer la viande sur toutes ses faces, flamber avec le Whisky.

• Ajouter la poitrine fumée découpée en petits morceaux, le thym, le laurier, la couenne de lard, le sel, le poivre. Verser ensuite le vin rouge et terminer par les carottes coupées en fines rondelles. Laisser mijoter doucement 30 mn.

• Verser cette préparation dans la terrine et faire cuire au bain-marie, à four chaud préchauffé (th. 6), pendant 1 h 30. Baisser le thermostat à 4/5 et laisser encore cuire 30 mn. Surveiller le bain-marie durant la cuisson.

• Laisser refroidir un moment dans le four puis sortir la terrine.

• Préparer la gelée : faire fondre les feuilles de gélatine dans un peu d'eau tiède, verser alors dans une casserole le bouillon après avoir retiré la couenne de lard, le laurier, la branche de thym. Ajouter la gélatine au bouillon, chauffer 2 mn, retirer du feu et mettre un moment à rafraîchir.

• L'aiguillette refroidie, la découper en tranches épaisses, les disposer debout dans la terrine. Verser ensuite tout le bouillon afin que les tranches soient bien recouvertes.

• Laisser complètement refroidir et mettre au réfrigérateur 1 nuit. Servir avec une sauce moutarde.

Présenter cette terrine directement sur la table, ou bien la démouler sur un plat rond et y ajouter de la chicorée frisée.

Vin rouge
Cahors
Servir à 16°
Côtes-de-Duras
Servir à 15-16°

Par personne
515 Calories (6 pers.)
723 Calories (4 pers.)

TERRINE DE PORCELET AUX BAIES DE GENIEVRE

Préparation : 35 mn
Cuisson : 1 h 30
Macération : 2 h

- 300 g de filet de porc
- 300 g d'échine de porc (sans os)
- 1 verre à liqueur d'alcool de genièvre
- 1 grand verre de vin blanc sec (25 cl environ)
- 7 baies de genièvre
- 1 c. à café de thym
- 1 c. à café de 4 épices
- 3 c. à soupe de persil effeuillé
- 2 c. à soupe de cerfeuil effeuillé
- 2 c. à café de sel
- 1 c. à café de poivre en grains moulu
- 1 œuf
- 1 grande barde de lard
- 1 c. à soupe de farine et d'eau pour luter la terrine

- Découper grossièrement le filet et l'échine.
- Dans une grande jatte, mélanger ensemble le vin blanc, l'alcool de genièvre, les baies, le thym et les 4 épices. Bien remuer le tout. Incorporer ensuite les morceaux de viande et laisser mariner 2 h environ.
- Au bout de ce temps, ajouter le persil et le cerfeuil à la marinade et hacher le tout rapidement au Magimix.
- Battre l'œuf au fouet et le verser dans la farce ainsi que le sel et le poivre. Goûter l'assaisonnement qui doit être bien relevé.
- Garnir le fond et les bords de la terrine avec la barde. Remplir ensuite de la préparation, bien tasser. Recouvrir avec une dernière barde, poser le couvercle et le luter.
- Faire chauffer au bain-marie, à four moyen chaud préchauffé (th. 6/7), pendant 1 h. Ramener alors la température du four à 5/6.
- Laisser refroidir un moment dans le four éteint.
- Sortir ensuite la terrine, enlever le couvercle et la barde et poser dessus une petite planchette de bois et un poids.
- Laisser complètement refroidir avant de mettre au réfrigérateur.
- Garder au frais 48 h avant de consommer.

* Déguster cette bonne terrine avec des cornichons et une scarole croquante assaisonnée à l'huile de noix.

Vin blanc
Riesling
Servir à 11°
Côtes-du-jura blanc
Servir à 10°

Par personne
386 Calories (6 pers.)
578 Calories (4 pers.)

FILETS MIGNONS EN CROUTE

Préparation : 30 mn
Cuisson : 50 mn

- 500 g de pâte feuilletée surgelée
- 2 filets mignons de porc d'environ 350 g chacun
- 1 crépine
- 1 œuf

Marinade
- 1 verre à liqueur de Whisky
- 1 c. à café de poudre de 4 épices
- 1 c. à café de sel
- 1 c. à café de poivre en grains moulu

- Faire dégeler la pâte feuilletée à la température ambiante.
- Pendant ce temps, parer les filets mignons, les déposer dans un plat. Ajouter tous les ingrédients de la marinade et laisser macérer 1 h en retournant les filets de temps en temps.
- Dès que la pâte est prête, en faire une abaisse avec les 2/3 en forme de rectangle.
- Envelopper alors les filets dans la crépine et les disposer au milieu de la pâte. Rabattre les bords sur la viande.
- Abaisser ensuite le reste de pâte et recouvrir le pâté en bouchant toutes les ouvertures que vous soudez avec un peu de marinade.
- Ménager une cheminée au centre du pâté et faire, à l'aide d'un coupe-pâte, quelques dessins décoratifs avant de dorer à l'œuf.
- Déposer le pâté dans le plat en terre et faire cuire, à four chaud préchauffé (th. 6), pendant 50 mn. Surveiller la cuisson et poser une feuille d'aluminium sur la pâte afin que celle-ci ne dore pas trop vite. Réduire la chaleur du four (th. 5) aux 2/3 de la cuisson.
- Servir chaud avec une fine sauce moutarde chaude.

Vin blanc
Bergerac sec
Fiefs vendéens :
VDQS blanc
Servir à 10°

Par personne
688 Calories (6 pers.)

TERRINE DE JAMBONNEAU A LA BIERE

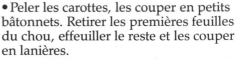

Préparation : 40 mn
Cuisson : 10 mn

Pour 12 personnes
- 3 jambonneaux cuits sans chapelure
- 250 g de carottes
- 1 chou vert
- 250 g de haricots verts
- 10 feuilles de gélatine
- 1 l de bière blonde
- 4 boudins
- Sel, poivre

- Peler les carottes, les couper en petits bâtonnets. Retirer les premières feuilles du chou, effeuiller le reste et les couper en lanières.
- Laver et égoutter.
- Equeuter et laver les haricots verts.
- Couper les jambonneaux en deux, retirer l'os.
- Porter à ébullition trois casseroles d'eau salée. Dans l'une faire cuire les carottes 10 mn, dans une autre les haricots verts 8 mn. Dans la troisième les lanières de choux pendant 4 mn. Les égoutter et les rafraîchir sous l'eau froide. Faire tremper les feuilles de gélatine dans un peu d'eau froide. Dans une casserole, faire chauffer la bière, ajouter les feuilles de gélatine égouttées pour les faire fondre. Bien mélanger, passer au chinois. Laisser tiédir.
- Couper les jambonneaux en morceaux. Chemiser une petite terrine ou un moule à cake d'une feuille de papier sulfurisé. Humidifier le papier à l'aide d'un pinceau pour faciliter le démoulage.
Au fond de la terrine verser un peu de gelée, déposer la moitié des haricots verts puis 2 boudins, un peu de chou, la moitié des carottes, des morceaux de jambonneau. Recommencer l'opération.
- Couler la gelée à la bière. Recouvrir d'une planchette et d'un poids pour bien presser le tout et mettre au froid au moins 4 h. Au moment de servir, démouler la terrine, retirer le papier sulfurisé. Couper la terrine en tranches. Servir bien frais sur un lit de salade avec cornichons et oignons au vinaigre.

Bière
Restons à la bière dont la douceur et la légère amertume s'harmoniseront avec le chou et la texture de l'ensemble.
Le jambonneau aime cette union tendre.

Par personne
478 Calories

TERRINE CAMPAGNARDE

Préparation : 15 mn
Cuisson : 15 mn

Pour 4 personnes
- 250 g de foie de porc
- 250 g de lard gras frais
- 1 kg d'échine de porc
- 1 crépine de porc
- 2 oignons moyens, 2 gousses d'ail
- 4 échalotes grises
- 2 œufs
- 1 c. à soupe de chapelure de mie de pain
- 1 feuille de laurier, 2 brins de thym
- 3 cl d'Armagnac
- Sel et poivre moulu, pincée de quatre-épices

- Eplucher les oignons, l'ail et les échalotes. Couper les viandes en petits morceaux. Passer le tout au hachoir. Verser dans la jatte. Mélanger.
- Battre les œufs à part. Les mélanger au hachis avec la chapelure, l'Armagnac et les épices. Mélanger soigneusement.
- Partager la crépine en deux. En tapisser les terrines en faisant déborder largement. Partager la chair dans les terrines, tasser un peu. Eparpiller 1 branchette de thym et 1/2 feuille de laurier. Replier la crépine dessus.
- Couvrir avec une feuille de papier sulfurisé graissé, côté chair, comme pour un pot de confiture.
- Faire cuire à th. 9 pendant 15 mn. Laisser reposer jusqu'à refroidissement total.
- Servir coupé en tranches avec une salade verte ou des cornichons.

* Se conserve une semaine au froid.

Vin rouge
Mercurey
Servir à 14-15°
Côte-Rôtie
Servir à 14-15°

Par personne
1326 Calories

TERRINE DE VEAU AUX PISTACHES

Préparation : 35 mn
Cuisson : 50 mn

- 700 g de quasi de veau
- 200 g de poitrine fraîche
- 150 g de pistaches
- 1 échalote
- 1 bouquet de persil
- 1 verre de vin blanc sec
- 2 œufs
- 1 c. à soupe de crème fraîche épaisse
- 1 c. à café de thym émietté
- 1 c. à café de paprika
- 15 g de sel
- 1 c. à café de poivre en grains moulu
- 1 barde grande et fine
- Beurre pour le moule

- Ebouillanter les pistaches, les peler.
- Couper en morceaux le veau et la poitrine fraîche, les passer rapidement au Magimix avec l'échalote, le bouquet de persil, le thym.
- Mélanger au fouet les œufs, la crème, le vin blanc, le paprika, le sel et le poivre. Incorporer le veau haché, mélanger bien puis ajouter les pistaches. Travailler la préparation avec précaution afin de ne pas écraser ces dernières. Vérifier l'assaisonnement qui doit être assez poivré.
- Beurrer alors le moule et le garnir avec la barde en la faisant bien adhérer au moule. Remplir le moule de la préparation, bien tasser.
- Faire cuire au bain-marie, à four moyen préchauffé (th. 5), durant 45 mn.
- Laisser refroidir hors du feu quelques instants avant de démouler.
- Servir cette terrine chaude accompagnée d'une purée de champignons de Paris, ou froide avec une scarole croquante.

Vin blanc
Sancerre blanc
Muscadet sur lie
Servir à 10°

Par personne
514 Calories (6 pers.)

PATE EN CROUTE DE VEAU ET DE JAMBON

Préparation : 40 mn
Macération : 1 h
Cuisson : 1 h 15

- 250 g de rouelle de veau dans la noix
- 1 tranche de 250 g de jambon fumé
- 400 g de poitrine fraîche assez grasse (sans la couenne)
- 1 œuf
- 1 verre à liqueur d'Eau-de-Vie de prune
- 1 c. à café de 4 épices
- 10 g de sel
- 5 g de poivre en grains moulu
- 400 g de pâte à pâté
- 1 œuf pour dorer et souder la pâte

- Préparer la pâte à pâté.
- Chemiser le moule avec les 3/4 de la pâte en laissant 1/2 cm dépasser du bord. Mettre au frais, conserver le reste de pâte.
- Découper de belles aiguillettes dans la noix de veau, partager en deux le jambon fumé et mettre ces morceaux à mariner durant 1 h dans une jatte avec l'Eau-de-Vie, la moitié du sel et du poivre.
- Pendant ce temps, hacher finement la poitrine fraîche à laquelle vous ajoutez l'œuf, le reste de sel et de poivre et les 4 épices. Bien remuer cette farce.
- Tapisser le fond du moule d'une couche de farce, poser dessus une tranche de jambon puis une aiguillette de veau. Renouveler cette opération farce/jambon/veau et terminer par la farce. Etendre le reste de pâte et fermer le pâté. Pincer les bords, les souder à l'œuf battu. Faire une cheminée au centre, dorer également le couvercle à l'œuf.
- Faire cuire, au four préchauffé (th. 6). Dès que le pâté est bien doré, réduire la chaleur du four (th. 5) et recouvrir le pâté d'une feuille d'aluminium.
- Laisser refroidir hors du four.

* Préparer une gelée que vous coulerez par la cheminée dans le pâté tiède et le mettre ensuite au réfrigérateur pendant 24 h. Servir froid, accompagné d'une salade de batavia recouverte d'œufs mimosa.

Vin rosé
Rosé des Riceys
Servir à 10-11°
Vin rouge
Monthélie
Servir à 16°

Par personne
692 Calories (6 pers.)

TERRINE DE CERVELLE AU PORTO

Préparation : 1 h
Cuisson : 1 h

- 2 cervelles de veau
- 2 c. à soupe de Porto
- 100 g d'épinards
- 1 belle carotte
- 1 sachet de gelée blonde
- 2 feuilles de gélatine
- Sel, poivre en grains moulu

- Nettoyer et débarrasser les cervelles de filaments. Les mettre à dégorger sous l'eau froide courante pendant 1 h.
- Eplucher les épinards, les laver et les faire cuire 3 mn à découvert dans de l'eau bouillante salée. Les égoutter et les rincer à l'eau froide pour qu'ils restent bien verts.
- Détailler la carotte épluchée en julienne, faire blanchir 7 mn dans de l'eau bouillante salée. Egoutter.
- Faire également blanchir les cervelles 5 mn. Les sécher soigneusement.
- Disposer une cervelle dans le fond de la terrine, recouvrir des feuilles de gélatine. Etaler uniformément les épinards et la julienne de carotte. Rectifier l'assaisonnement. Ajouter l'autre cervelle et terminer par la gelée préparée.
- Faire cuire au bain-marie, à four moyen préchauffé (th. 5), pendant 1 h environ. Vérifier la cuisson avec une grande allumette : si le bois ressort net, la terrine est cuite.
- Laisser complètement refroidir avant de mettre au réfrigérateur.
- Accompagner cette terrine avec une sauce aigrelette.

Vin
Saint-Emilion
Canon-Fronsac
Servir à 16-17°

Par personne
86 Calories (4 pers.)
172 Calories (2 pers.)

MOUSSE D'OLIVES NOIRES AUX FOIES DE VOLAILLE

Préparation : 20 mn
Cuisson : 3 mn

- 250 g de grosses olives noires
- 2 foies de volaille (de canard de préférence)
- 100 g de beurre frais
- 1 verre à liqueur de Noilly-Prat
- 1 petit oignon
- 1 pointe de muscade râpée
- 1 petite c. à café de sel (attention aux olives, déjà salées)
- 6 tours de moulin à poivre

- Faire ramollir le beurre.
- Pendant ce temps, dénoyauter les olives, éplucher et hacher l'oignon.
- Dénerver les foies de volaille et les faire revenir 3 mn au beurre dans une poêle.
- Passer ensuite au mixer les olives, les foies, l'oignon haché. Ajouter le verre de Noilly, le poivre et la muscade, faire une fine mousse. Vérifier l'assaisonnement avant de saler.
- Incorporer ensuite le beurre ramolli, en travaillant soigneusement à la fourchette jusqu'à l'obtention d'une pâte homogène.
- Remplir la terrine et bien tasser.
- Mettre au réfrigérateur pendant 3 h avant de consommer.

* Cette terrine se sert, soit en entrée, soit en apéritif sur des toasts grillés.

Vin rouge
Côtes-de-Provence
Servir à 14°

Par personne
306 Calories (4 pers.)

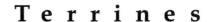

TERRINE DE FOIES DE VOLAILLE

Préparation : 30 mn
Macération : 12 h
Cuisson : 2 h

- 500 g de foies de volaille
- 400 g de poitrine de porc fraîche
- 200 g de très fines bardes de lard
- 3 œufs entiers

Marinade
- 2 gousses d'ail
- 1 bouquet de persil simple
- 1 c. à café de fleurs de thym effeuillées
- 1 pointe de couteau de muscade râpée
- 5 cl de mirabelle
- Sel, poivre noir

• La veille, préparer la viande en marinade :

• Ciseler le persil, éplucher, écraser et hacher l'ail. Couper la poitrine en très petits cubes.

• Dénerver les foies ; supprimer avec soin la moindre trace verte de fiel.

• Disposer tous ces ingrédients dans une petite jatte avec le thym, la muscade et le poivre.

• Arroser de mirabelle, couvrir d'un linge ou d'un film alimentaire et laisser macérer une nuit au frais.

• Le lendemain, tapisser le fond et les côtés d'une terrine avec les bardes de lard. Réserver un morceau pour le « couvercle ».

• Passer au hachoir, grille fine, au-dessus d'une jatte, d'abord le foie, puis les éléments de la marinade. Pour tout récupérer, mettre gros comme un œuf de mie de pain rassis ou les tiges de persil dans le hachoir. Guetter l'arrivée de la mie de pain ou des tiges de persil et stopper.

• Ajouter les œufs et le sel dans le hachis en travaillant le mélange. Goûter et rectifier l'assaisonnement. Déposer dans la terrine tapissée et recouvrir le dessus d'un couvercle de barde.

• Déposer dans un bain-marie et enfourner pour 2 h environ.

• Laisser refroidir à température ambiante avant d'entreposer 24 h au réfrigérateur.

• Servir coupé en tranches avec une salade verte aux pignons et aux câpres.

Vin rouge
Lirac
Châteauneuf-du-Pape
Servir à 16°

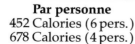

Par personne
452 Calories (6 pers.)
678 Calories (4 pers.)

TERRINE DE VOLAILLE AU CALVADOS

Préparation : 30 mn
Macération : 5 h
Cuisson : 70 mn

- 1 kg de foies de volailles
- 200 g de viande de porc
- 200 g de gras de lard
- 150 g de lard de poitrine frais
- 1 œuf
- 8 échalotes hachées
- Persil haché
- 3 c. à soupe de crème épaisse
- 30 g de beurre
- 8 cl de Calvados
- 8 cl de Madère
- Poivre, épice

- Préparer les foies, saler, poivrer, épicer à votre convenance, arroser avec le Calvados et laisser mariner 5 h.
Au bout de ce temps, égoutter et faire revenir la moitié des foies sans les laisser cuire. Réserver la marinade.
- Hacher finement au hachoir le reste des foies, le gras de lard, le lard de poitrine et la viande de porc.
- Ajouter ensuite les échalotes et le persil.
- Mélanger bien.
- Hacher à leur tour les foies cuits.
- Reprendre la marinade réservée, lier avec l'œuf, la crème fraîche et le madère.
- Verser cette préparation sur le hachis. Mélanger bien, vérifier l'assaisonnement.
- Remplir la terrine avec la farce et enfourner.
- Cuire le pâté à four chaud pendant 1 h environ au bain-marie.
- Vérifier la cuisson avec la lame d'un couteau et laisser refroidir totalement.

Vin rouge
Volnay
Pommard
Servir à 16-17°

Par personne
547 Calories

TERRINE CHAUDE DE FOIES DE CANARD A LA SAUCE PIQUANTE

Préparation : 35 mn
Cuisson : 30 mn
Sauce piquante
Préparation : 15 mn
Cuisson : 25 mn

- 6 foies de canard
- 100 g de mie de pain
- 5 c. à soupe de lait
- 3 œufs
- 1 c. à café de muscade
- 1 c. à café rase de sel
- 1 c. à café de poivre en grains moulu
- 20 g de beurre pour le moule

Sauce piquante
- 50 g de beurre
- 60 g de farine
- 1 tablette de bouillon de bœuf
- 1/3 l d'eau
- 3 c. à soupe de vinaigre de Xérès
- 75 g de cornichons
- 2 échalotes hachées menues
- Sel (goûter les cornichons avant de saler)
- 1 c. à café rase de poivre en grains moulu

- Nettoyer les foies de canard, enlever les filaments. Couper ces foies en morceaux.
- Emietter la mie de pain dans le lait chaud, faire cuire quelques instants. Travailler ce mélange et en faire une pâte.
- Passer finement au Magimix les foies et la pâte de pain afin d'obtenir une belle mousse. Ajouter les jaunes d'œufs, le sel et le poivre ainsi que la muscade, mixer à nouveau.
- Dans une jatte, battre les blancs d'œufs en neige et les incorporer petit à petit à la mousse en travaillant délicatement.
- Beurrer largement le moule, y verser la préparation. Faire cuire au bain-marie, à four doux préchauffé (th. 4/5), pendant 30 mn.
- Pendant ce temps, préparer la sauce piquante : verser le vinaigre de Xérès dans une petite casserole, laisser réduire doucement.
- Préparer un roux avec la farine et le beurre fondu. Mouiller avec le bouillon, verser ensuite le vinaigre réduit. Travailler soigneusement cette préparation qui doit être très homogène. Laisser cuire 5 mn et verser les champignons.
- Sortir la terrine du four, laisser reposer 5 mn. Démouler et servir avec la sauce piquante en saucière.

Vin doux naturel
Banyuls
Maury
Servir à 9-10°

Par personne
337 Calories (4 pers.)
+ 152 Calories (sauce)

TERRINE DE FOIES DE LAPIN

Préparation : 35 mn
Cuisson : 50 mn

- 5 foies de lapin
- 150 g de chair à saucisses
- 2 œufs
- 1 c. à soupe de Porto
- 2 c. à soupe de lait
- 1/2 c. à café de poudre de 4 épices
- 1 c. à café de sel
- 1 c. à café de poivre en grains moulu
- 1 belle barde de lard
- 1 c. à soupe de farine et d'eau pour luter la terrine

- Enlever les nerfs des foies de lapin. Détailler les foies en morceaux et les passer au mixer avec la chair à saucisses.
- Dans une jatte, battre les œufs en omelette. Ajouter le lait, le Porto, le sel, le poivre et la poudre de 4 épices. Travailler soigneusement ce mélange, incorporer la mousse de foies, bien fouetter à nouveau. Goûter et rectifier l'assaisonnement si nécessaire : il doit être bien relevé.
- Garnir la terrine (fond et côtés) de barde et la remplir de la préparation. Poser la dernière barde, mettre le couvercle et luter les bords de la terrine.
- Faire cuire au bain-marie, à four doux préchauffé (th. 4/5), pendant 50 mn. Surveiller la cuisson : ajouter de l'eau chaude dès que celle-ci s'évapore.
- Laisser refroidir complètement, hors du four.
- Avant de mettre au réfrigérateur, enlever le cordon de pâte qui entoure le couvercle.
- Garder au froid pendant 24 h avant de consommer mais ne pas servir glacé.

* Déguster cette fine petite terrine en entrée, accompagnée de tartines de pain de seigle légèrement grillées.

Vin rouge
Corbières
Servir à 14°
Haut-Poitou (Cabernet ou Gamay)
Servir à 13°

Par personne
377 Calories (4 pers.)

RILLETTES DE LAPIN

Préparation : 40 mn
Cuisson : 4 h 30

- le haut du lapin (avec sa tête)
ayant servi pour un confit
- 1 lapin (facultatif)
- 250 g de lard gras
- 300 g de saindoux (selon le poids
des chairs)
- 1/2 l de vin blanc sec
- 1 grand verre d'eau
- 1 c. à café de thym
- 2 feuilles de laurier
- 5 baies de genièvre
- 1 c. à café de poudre de 4 épices
- Sel (15 g/kg de viande),
poivre (3 g/kg de viande)

• Verser, dans une marmite, le vin blanc, le verre d'eau, les aromates, le lard et le lapin découpés en gros morceaux (si vous ajoutez un lapin, ajouter aussi du vin). Faire cuire à feu doux pendant 3 h, en veillant à ce que le liquide ne réduise pas trop.

• A ce moment-là, détacher, à l'aide d'une fourchette et d'un petit couteau, les chairs des os du lapin et retirer la couenne de lard. Mélanger toutes ces chairs ensemble et travailler jusqu'à l'obtention d'une préparation bien homogène mais ne pas faire de pâte et ne pas hacher les chairs.

• Peser ensuite les rillettes et les assaisonner selon leur poids. Ajouter les 4 épices, faire ensuite réchauffer quelques instants. Vérifier que la préparation contient suffisamment de matières grasses, ajouter alors du saindoux avec précaution (les rillettes de lapin ne doivent pas être trop grasses).

• Verser chaud, dans des petits pots en grès, laisser refroidir avant de couvrir de saindoux fondu puis de papier sulfurisé.

• Les conserver au frais, en bas du réfrigérateur : vous les garderez plusieurs semaines à condition, bien entendu, de ne pas ouvrir les pots. Vous pouvez aussi les conserver plusieurs mois : les verser dans des bocaux préparés à cet effet, poser les capsules, fermer les couvercles et mettre en autocuiseur pendant 1 h 30. A garder également au frais.

Vin rouge
Côtes-du-Luberon
Servir à 15°
Châtillon-en-Diois
Servir à 13°

Par personne
580 Calories (12 pers.)
463 Calories (15 pers.)

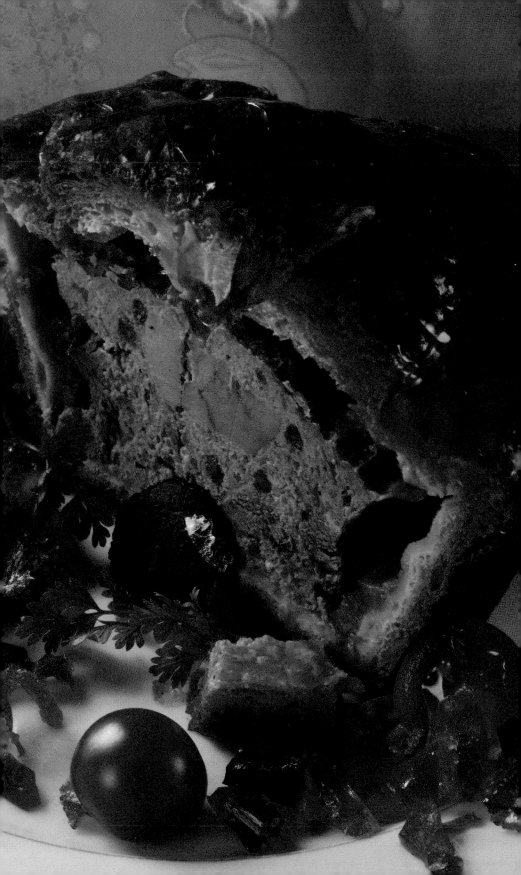

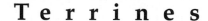

TERRINE DE CANETTE EN CROUTE

Préparation : 1 h
Macération : 1 h
Cuisson : 2 h 30

• 1 belle canette de 2,2 kg
• 500 g de pâte à pâté
• 1 truffe de 40 g environ
• 200 g de poitrine fraîche
• 150 g d'épaule de veau
• 2 œufs
• 1 verre à liqueur d'eau-de-vie de prune
• 1 c. à café de poudre de 4 épices
• Sel (15 g/kg de viande)
• 1 c. à café de poivre en grains moulu
• 1 grande barde de lard

Gelée
• les os de la canette
• 1 couenne de lard moyenne
• 1 verre de vin blanc sec
• 1 carotte moyenne
• 1 petit oignon
• 1 bouquet garni

Vin rouge
Mâcon-Supérieur
Saint-Joseph
Servir à 15°

Par personne
532 Calories (12 pers.)

• Préparer la pâte à pâté, faire une abaisse et chemiser le moule avec les 3/4 de la pâte (les bords doivent dépasser). Mettre au frais, réserver le reste.
• Désosser la canette, découper 6 aiguillettes épaisses. Couper le reste en morceaux, y compris le foie et la peau, ainsi que le veau et la poitrine fraîche. L'arroser d'eau-de-vie et laisser macérer 1 h environ.
• Pendant ce temps, préparer la gelée : mettre tous les ingrédients dans une casserole, recouvrir d'eau, faire bouillonner durant 1 h, laisser réduire.
• Passer ensuite rapidement au Magimix les chairs macérées, ajouter l'œuf battu, le sel, le poivre, les 4 épices. Travailler cette farce, vérifier, rectifier l'assaisonnement.
• Reprendre alors le moule chemisé, tapisser le fond et les côtés de barde. Déposer une bonne couche de farce, répartir ensuite 3 aiguillettes, tasser. Ajouter une nouvelle couche de farce, déposer la truffe préalablement coupée en grosses lamelles, tasser et recouvrir encore de farce, répartir les 3 dernières aiguillettes, terminer par la farce. Poser la dernière barde.
• Abaisser le reste de pâte et couvrir le pâté en soudant les bords à l'œuf battu. Ménager une cheminée au centre, décorer de dessins avec un coupe-pâte à roulette, dorer à l'œuf. Faire cuire, à four chaud (th. 6/7), pendant 1 h 30. Lorsque la pâte est dorée, mettre à 5. Laisser refroidir hors du four.
• Filtrer la gelée, la verser par la cheminée. Mettre ensuite au réfrigérateur 24 h.
• Garder au frais 3 jours au moins avant de consommer. Servir avec une salade de feuille de chêne.

TERRINE DE CANARD A L'ORANGE

Préparation : 35 mn
Macération : 2 h
Cuisson : 1 h 25

- 1 beau canard de barbarie d'1,7 kg
- 200 g d'épaule de veau
- 200 g d'échine de porc
- 2 oranges + 2 œufs
- 1 petite boîte de gelée au Xérès

Marinade
- 2 dl de vin blanc sec
- 1 verre à liqueur de Cognac
- 2 échalotes grises hachées très finement
- 1 c. à café de thym émietté
- 1 c. à café de romarin
- 1 c. à café de sel
- 1 c. à café de poivre en grains moulu
- 1 barde de lard grande et fine
- 1 c. à soupe de farine et d'eau pour luter la terrine

- Avec un couteau bien aiguisé, prélever toute la chair du canard, la découper en morceaux et réserver 6 belles aiguillettes. Couper ensuite en morceaux veau et échine.
- Dans une grande jatte, préparer la marinade avec tous les ingrédients et faire macérer toutes ces chairs durant 2 h en remuant de temps en temps.
- Au bout de ce temps, sortir les chairs (sauf les aiguillettes) et les passer au hachoir à grille fine.
- Dans une jatte, battre les œufs en omelette. Ajouter le zeste d'une orange, verser le jus. Incorporer ensuite la farce et la marinade. Travailler soigneusement cette préparation et vérifier l'assaisonnement.
- Tapisser la terrine de barde (fond et côtés), garnir d'une bonne couche de farce, déposer ensuite les aiguillettes, terminer par une autre couche de farce, bien tasser. Poser la dernière barde, fermer le couvercle et luter les bords soigneusement.
- Faire cuire au bain-marie, à four chaud préchauffé (th. 6). Surveiller la cuisson : ajouter de l'eau chaude dès que celle-ci s'évapore.
- Hors du four, laisser refroidir complètement.
- Bien dégraisser, posez 2 tranches d'orange et verser une gelée au Xérès.
- Mettre au réfrigérateur 48 h avant de servir en terrine accompagnée de cœurs de laitues à l'orange.

Vin rouge
Gigondas
Servir à 16°
Cornas
Servir à 16-17°

Par personne
313 Calories (12 pers.)

TERRINE DE CHEVREUIL

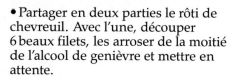

Préparation : 50 mn
Cuisson : 1 h 50

- 1 kg de chevreuil dans le filet
- 250 g d'échine de porc
- 200 g de jambon
- 150 g de lard gras
- 2 verres à liqueur d'alcool de genièvre
- 2 œufs
- 1 échalote grise finement hachée
- 1 c. à soupe de persil haché
- 1 c. à café de poudre de 4 épices
- 20 g de sel (15 g/kg de viande)
- 5 g de poivre en grains moulu
- 1 l de gelée
- 1 barde de lard grande et fine
- 1 c. à soupe de farine et d'eau pour luter la terrine

- Partager en deux parties le rôti de chevreuil. Avec l'une, découper 6 beaux filets, les arroser de la moitié de l'alcool de genièvre et mettre en attente.
- Couper en morceaux toutes les autres chairs et les passer au mixer, ajouter 1 verre de gelée.
- Dans une grande jatte en terre, verser les œufs, l'alcool restant, l'échalote, le persil, le sel, le poivre et les 4 épices. Remuer le tout au fouet électrique.
- Incorporer ensuite petit à petit la farce en travaillant soigneusement cette préparation. Goûter et vérifier l'assaisonnement qui doit être assez épicé.
- Tapisser alors la terrine des bardes de lard (fond et côtés). La couvrir d'une bonne couche de farce, répartir 3 filets de chevreuil, tasser, étaler une nouvelle couche de farce puis ajouter les 3 autres filets. Terminer par la farce, bien tasser à nouveau. Poser la dernière barde, fermer le couvercle et luter les bords.
- Faire cuire au bain-marie, à four préchauffé (th. 6/7), pendant 1 h 50. Surveiller le bain-marie, ajouter de l'eau dès que celle-ci s'évapore.
- La cuisson terminée, sortir la terrine et enlever délicatement le cordon de pâte et le couvercle, retirer la barde du dessus. Laisser refroidir un moment, dégraisser légèrement et verser à nouveau un peu de gelée.
- Mettre au réfrigérateur 48 h. Garder au frais encore 24 h avant de consommer accompagnée de cornichons russes et de pain de campagne.

> *Vin blanc*
> Meursault
> Servir à 10°
> Vouvray
> Servir à 9°

Par personne
318 Calories (12 pers.)

TERRINE DE FAISAN TRUFFE

Préparation : 1 h
Macération : 1 h
Cuisson : 2 h

- 1 beau faisan
- 150 g de jambon
- 250 g de poitrine fraîche
- 1 truffe de 40 g environ
- 1 verre à liqueur de Madère
- 1 verre à liqueur de fine Champagne
- 1 c. à café de poudre de 4 épices
- 6 grains de carvi
- 10 g de sel
- 1 c. à café de poivre en grains moulu
- 3 rondelles d'orange
- 1 grande barde de lard

- Plumer, vider le faisan, le désosser (jeter la peau). Découper 6 beaux filets dans les ailes, les réserver.
- Hacher le reste grossièrement avec le foie, le gésier, le jambon et la poitrine fraîche. Déposer ces morceaux dans une jatte en terre, les arroser de fine Champagne, ajouter le carvi, les 4 épices et la pelure de truffe. Laisser macérer 1 h.
- Entre-temps, découper la truffe en grosses lamelles que vous coupez ensuite en deux.
- Passer alors les chairs macérées rapidement au Magimix. Saler, poivrer, travailler soigneusement la farce et vérifier l'assaisonnement.
- Tapisser la terrine de la barde (fond et bords). Déposer une bonne couche de farce, répartir 3 filets et les morceaux de truffe, renouveler l'opération et terminer par la farce. Poser une barde et la recouvrir avec les rondelles d'orange, verser le verre de Madère par-dessus. Poser le couvercle et luter les bords.
- Faire cuire au bain-marie, à four chaud préchauffé (th. 6), durant 2 h. Surveiller bien le bain-marie et ajouter de l'eau chaude dès que celle-ci s'évapore. Laisser refroidir lentement dans le four.
- Sortir la terrine, retirer le cordon de pâte, enlever le couvercle et poser une planchette avec un poids d'1 kg dessus. Laisser alors complètement refroidir avant de mettre au réfrigérateur 24 h.
- Garder la terrine au frais 2 à 3 jours avant de la consommer.

Vin rouge
Saint-Emilion
Servir à 17°
Côtes-de-Buzet
Servir à 16°

Par personne
488 Calories (6 pers.)

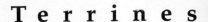

TERRINE DE GARENNE

Préparation : 1 h
Macération : 24 h
Cuisson : 1 h 45

- 1 lapinde garenne d'1,3 kg environ
- 250 g d'échine de porc
- 150 g de lard gras
- 1 échalote
- 2 dl de Cognac
- 1 grand verre de vin blanc sec
- 1 c. à café de thym émietté
- 1 petite c. à café de poudre de 4 épices
- Sel (15 g/kg de viande)
- 1 c. à café de poivre en grains moulu
- 1 sachet de gelée en poudre (si vous n'utilisez pas les os)
- 1 c. à soupe de farine et d'eau pour luter la terrine
- 1 barde de lard grande et fine
- 1 œuf

- La veille : Dépouiller et vider le lapin. Le désosser, découper 6 beaux filets dans le râble, les réserver. Conserver les os.
- Détailler le reste du lapin en morceaux ainsi que le foie, les rognons, l'échine et le lard. Verser toutes ces chairs dans une jatte en terre, les arroser avec le vin blanc, le Cognac. Ajouter le thym, les 4 épices puis les filets. Remuer le tout et laisser mariner 24 h au frais (non au réfrigérateur).
- Le lendemain : Egoutter les chairs, réserver les filets. Les passer au mixer avec l'échalote, l'œuf, le sel, le poivre. Travailler soigneusement cette farce et ajouter une bonne cuillère à soupe de marinade.
- Tapisser de bardes le fond et les bords de la terrine. Etaler une couche de farce, répartir 3 filets, renouveler l'opération et terminer par la farce. Poser la dernière barde, le couvercle et luter les bords.
- Faire cuire au bain-marie, à four préchauffé (th. 5), pendant 1 h 45. Ajouter de l'eau chaude au bain-marie dès qu'elle s'évapore.
- Préparer la gelée : verser la marinade dans une casserole, ajouter les os du garenne et faire cuire 1 h 30. Filtrer ce bouillon et mettre à refroidir.
- La terrine est cuite : la garder un moment dans le four éteint puis retirer le cordon de pâte, le couvercle, la barde. Mettre 30 mn au réfrigérateur. Dégraisser ensuite et verser la gelée. Remettre au réfrigérateur et laisser 24 h. Attendre au moins 48 h avant de déguster.

Vin rouge
Côtes-du-Roussillon
Saint-Chinian
Servir à 15°

Par personne
291 Calories (12 pers.)
436 Calories (8 pers.)

TERRINE DE LAPIN A LA SAUGE

Préparation : 15 mn
Cuisson : 1 h 30

Pour 4 personnes
• 1 lapin coupé en morceaux
• 2 échalotes
• 2 gousses d'ail
• 10 feuilles de sauge
• 1 bouquet garni
• 2 c. à soupe d'huile
• Sel, poivre

• Peler et hacher les échalotes.
• Dans une cocotte faire chauffer l'huile. Y faire revenir les morceaux de lapin et les échalotes. Ajouter les gousses d'ail, les feuilles de sauge et le bouquet garni. Mouiller d'eau pour recouvrir le tout. Laisser cuire sur feu doux pendant 1 h 15. Retirer les morceaux de lapin. Filtrer le jus de cuisson.
• Désosser les morceaux de lapin.
• Faire réduire d'1/3 le jus de cuisson.
• Dans une terrine, déposer le lapin. Bien tasser le tout. Verser le jus de cuisson et mettre au froid au moins 4 h.
• Servir avec une compote d'oignons.

> *Vin*
> Touraine
> Touraine-Mesland
> Coteaux-du-Vendômois
> Servir à 13-14°

> **Par personne**
> 266 Calories (8 pers.)

TERRINE DE LAPEREAUX EN COMPOTE

Préparation : 45 mn
Macération : 2 h
Cuisson : 3 h 30

- 2 jeunes lapin d'environ 1,5 kg chacun
- 100 g de carottes
- 2 oignons moyens
- 2 verres à liqueur d'Eau-de-Vie de prune
- 1 c. à café de thym émietté
- 1 feuille de laurier émietté
- 3 grains de genièvre
- 1 bonne c. à café de sel
- 1 c. à café de poivre en grains moulu
- 1 grande barde de lard divisée en 3

Gelée

(préparation 10 mn, cuisson 1 h 30)
- les os des lapins
- 200 g de couenne
- 1/2 l de vin blanc sec
- 1 bouquet garni + 1 oignon + 1 carotte
- Sel, poivre

- Désosser les lapins (conserver les côtes, les têtes et les foies pour une gibelotte), réserver les os pour la gelée.
- Couper la chair en morceaux, la disposer dans un saladier. Ajouter les carottes coupées en rondelles, les oignons en fines tranches, le sel, le poivre, le genièvre, le thym et le laurier. Bien mélanger et arroser avec l'eau-de-vie de prune. Laisser mariner 2 h.
- Tapisser la terrine des bardes et la garnir de la préparation. Couvrir de la dernière barde, poser le couvercle et faire cuire au bain-marie, à four préchauffé (th. 5/6), durant 3 h 30. Surveiller la cuisson et ajouter de l'eau chaude dès que celle-ci s'évapore. Pendant ce temps, préparer la gelée :
- Dans une casserole, mettre les os des lapins, la couenne de lard, recouvrir de vin blanc. Ajouter le bouquet garni, l'oignon, la carotte coupée en deux et une petite poignée de gros sel.
- Faire cuire doucement pendant 1 h 30. Veiller à ce que le bouillon ne réduise pas trop (au besoin, ajouter un peu d'eau).
- Filtrer ce bouillon, laisser refroidir et dégraisser. Parfumer cette gelée avec 1 cuillerée à soupe d'eau-de-vie.
- Lorsque la terrine est cuite, la laisser refroidir hors du four.
- Retirer les bardes et verser dessus la gelée encore tiède.
- Mettre au réfrigérateur durant 24 h au moins (48 h, si possible).

* Déguster cette terrine avec une salade de Tétragone.

Vin blanc
Jurançon 1/2 sec
Servir à 9°
Clairette de Bellegarde
Servir à 8-9°

Par personne
558 Calories (8 pers.)
372 Calories (12 pers.)

Terrines

PATE DE LIEVRE

Préparation : 1 h
Cuisson : 2 h 30

- 1 lièvre avec un peu de sang
- 6 foies de volaille
- 2 tranches de lard
- 2 c. à soupe de madère
- 2 c. à soupe de vin rouge
- 1 œuf
- Sel, poivre, thym, une feuille de laurier pilés
- 2 clous de girofle pilés
- 1 truffe émincée
- Gorge de porc

- Désosser le lièvre. Couper en filets les bons morceaux, hacher le reste ainsi que les foies de volaille. Ajouter le même poids du hachis de gorge de porc hachée.
- Mélanger bien ces viandes avec tous les ingrédients sauf le lard et la truffe.
- Foncer une terrine avec une tranche de lard.
- Mettre une couche de farce, quelques lamelles de truffe puis une couche de filets de lièvre et recommencer.
- Bien remplir la terrine, terminer par la 2e tranche de lard.
- Couvrir et mettre à cuire au bain-marie pendant 2 h 30.
- Au moment du refroidissement, presser la terrine avec des poids pour obtenir des belles tranches serrées.

Vin
Côte-de-Beaune
Monthélie
Savigny-les-Beaune
Servir à 16-17°

Par personne
335 Calories (8 pers.)
223 Calories (12 pers.)

COMPOTE DE LIEVRE AUX PRUNEAUX

Préparation : 35 mn
Cuisson : 3 h

- 1 gros lièvre
- 1 grande couenne de porc épaisse
- 15 pruneaux d'Agen + 1 bol de thé
- 2 carottes
- 2 oignons moyens
- 4 gousses d'ail
- 1 bouquet garni
- 10 baies de genièvre
- 3 clous de girofle
- 1 bouteille de vin de Cahors
- 1 c. à soupe de vinaigre de vin
- 1 poignée de gros sel
- 2 c. à café de poivre en grains moulu

- Dépouiller le lièvre, le vider.
- Remplir un fait-tout d'eau froide avec le vinaigre, plonger le lièvre, porter à ébullition 2 à 3 mn. Le sortir, l'égoutter.
- Tapisser le fond d'une cocotte avec la couenne. Déposer le lièvre, ajouter tous les ingrédients, poivrer recouvrir d'eau froide si besoin est. Porter à ébullition, écumer une ou deux fois, baisser le feu et laisser mijoter doucement 3 h environ en surveillant la cuisson.
- Pendant ce temps, mettre les pruneaux à tremper dans du thé.
- La cuisson terminée, sortir le lièvre, le désosser en prenant soin de garder des morceaux assez gros. Déposer les chairs dans la terrine, en alternant avec les pruneaux. Saler et poivrer entre chaque couche.
- Remettre le bouillon sur le feu et laisser réduire un moment afin d'obtenir un très bon jus. Passer ce jus au chinois et le verser dans la terrine en le faisant bien pénétrer entre les couches.
- Laisser complètement refroidir, mettre ensuite au réfrigérateur.
- Attendre 48 h avant de servir.

* Déguster cette compote de lièvre accompagnée d'une semaine croquante.

Vin rouge
Cahors
Pécharmant
Servir à 15°

Par personne
317 Calories (8 pers.)
211 Calories (12 pers.)

TERRINE DE PERDRIX EN FEUILLETE

Préparation : 40 mn
Cuisson : 50 mn

- 3 perdrix
- 3 petits choux de Milan
- 250 g de poitrine fumée
- 1 verre à liqueur de Whisky
- 1 oignon moyen émincé
- 1 carotte coupée en fines rondelles
- 10 baies roses
- 1 c. à café de sel
- 1 c. à café de poivre en grains moulu
- 3 petites bardes de lard
- 1/2 paquet de pâte feuilletée surgelée
- 1 œuf

Vin rouge
Minervois
Servir à 15°
Lalande de Pomerol
Servir à 16°

Par personne
350 Calories (8 pers.)
280 Calories (10 pers.)

- Commencer par faire dégeler la pâte feuilletée.
- Pendant ce temps, plumer et vider les perdrix, réserver les foies. Répartir les baies roses à l'intérieur de chaque oiseau, les barder.
- D'autre part, nettoyer les choux, les séparer en deux et les faire blanchir 5 bonnes minutes dans de l'eau bouillante salée. Bien les égoutter, les presser fortement et les hacher grossièrement.
- Mettre alors les perdrix dans une cocotte avec le beurre, les mettre à dorer de tous côtés. Ajouter la poitrine fumée découpée en fins lardons, flamber avec le Whisky. Ajouter les émincés d'oignon et les rondelles de carottes.
- Retirer les perdrix dès que celles-ci sont bien dorées, les mettre en attente.
- Disposer ensuite les choux et faire cuire 10 mn en remuant plusieurs fois afin que ceux-ci s'imprègnent bien du jus.
- A ce moment-là, vider la cocotte dans la terrine, déposer au centre les perdrix en les tassant bien (elles doivent presque être recouvertes).
- Abaisser ensuite la pâte feuilletée dégelée et en couvrir la terrine. Faire quelques dessins avec une roulette à pâtisserie, ménager au centre une petite cheminée et dorer à l'œuf.
- Faire cuire au bain-marie, à four chaud préchauffé (th. 6), pendant 35 mn en surveillant la cuisson. Poser une feuille d'aluminium afin de ne pas faire dorer trop vite la pâte.
- Servir chaud en terrine avec des marrons au naturel revenus avec les petits foies hachés des perdrix.

TERRINE DE PINTADE AU FOIE GRAS

Préparation : 40 mn
Macération : 1 h
Cuisson : 2 h 30

- 1 belle pintade
- 250 g de foie gras de canard
- 125 g de filet de porc
- 125 g de lard gras
- Sel (15 g/kg de viande)
- 1 c. à café de poivre en grains moulu
- 1 œuf
- 1 grande barde de lard
- 1 c. soupe de farine et d'eau pour luter la terrine

Macération
- 1 grand verre de vin blanc sec
- 1 verre à liqueur de Cognac
- 1 c. à café rase de 4 épices
- 1 c. à café de thym émietté

Gelée
- Les os de la pintade
- 2 à 3 feuilles de gélatine

Vin de liqueur
Pineau des Charentes
Servir à 9-10°
Vin doux naturel
Rasteau
Servir à 9-10°

Par personne
476 Calories (8 pers.)

• Désosser la pintade, réserver les os, la couper en morceaux avec son foie, ainsi que le filet de porc et le lard gras. Disposer tous ces morceaux dans une jatte en terre avec les ingrédients de la marinade, remuer, couvrir, laisser macérer 1 h.
• Plonger 10 mn le foie gras dans de l'eau peu vinaigrée, le sortir, le sécher bien, enlever ses petits filaments. Réserver.
• Passer rapidement les chairs macérées au mixer.
• Garder la moitié du liquide de macération pour faire la gelée, verser l'autre moitié dans la farce.
• Fouetter l'œuf avec le sel et le poivre et incorporer à la farce en la travaillant soigneusement. Goûter, vérifier l'assaisonnement.
• Tapisser le fond et les côtés de la terrine avec la barde. La garnir de la moitié de la farce, bien tasser. Répartir alors le foie gras coupé en 2 escalopes, poivrer et recouvrir de l'autre moitié de la farce, tasser à nouveau. Poser la dernière barde, le couvercle et luter les bords. Faire cuire au bain-marie, à four préchauffé (th. 6), pendant 1 h 30. Ajouter de l'eau chaude dès qu'elle s'évapore.
• Préparer la gelée : mettre dans une casserole les os de la pintade avec le reste de marinade, recouvrir d'eau et faire bouillonner 1 h. Filtrer ce bouillon, le faire refroidir, ajouter la gélatine, remettre sur le feu quelques instants, remuer, laisser refroidir, mettre en attente.
• Sortir la terrine du four, laisser refroidir avant de retirer le cordon de pâte, le couvercle et la barde. Dégraisser, ajouter la gelée, poser une planchette d'1 kg sur le pâté, laisser refroidir. Mettre au réfrigérateur 24 h. Attendre 48 h pour consommer.
• Servir avec une salade de barbe de capucin.

TERRINE DE POULET DU LAQUET

Préparation : 40 mn
Repos : 1 h
Cuisson : 1 h 30

- 1 poulet fermier d'1,8 kg
- 300 g d'épaule de veau
- 200 g de poitrine fumée
- 150 g de jambon de Paris
- 150 g d'olives vertes dénoyautées
- 2 œufs
- 2 verres à liqueur de Whisky
- 1 gros bouquet d'oseille
- 1 gros bouquet de persil
- 1 c. à café de sel
- 1 c. à café de poivre en grains moulu
- 1 belle barde de lard
- 1 c. à soupe de farine et d'eau pour luter la terrine

- Désosser le poulet, réserver les blancs des deux ailes ainsi que le foie. Conserver les os pour la gelée.
- Couper en morceaux le reste du poulet, le veau, le jambon et la poitrine fumée. Les passer très rapidement au mixer.
- Dans une grande jatte, verser cette farce. Ajouter le Whisky et le poivre, couvrir et laisser reposer 1 h.
- Pendant ce temps, préparer la gelée : dans une casserole, mettre les os du poulet ainsi que tous les ingrédients de la gelée, couvrir avec 1 l d'eau environ et laisser bouillonner pendant 1 h 30. Filtrer ensuite ce bouillon, le faire bien refroidir, le dégraisser.
- Eplucher et laver oseille et persil, les hacher et les incorporer à la farce ainsi que les œufs battus et le sel. Mélanger le tout soigneusement. Goûter l'assaisonnement (attention aux olives : elles peuvent être salées).
- Tapisser alors la terrine de barde (le fond et les bords). Garnir de la moitié de la préparation, répartir quelques olives, tasser. Poser ensuite les blancs de poulet bien à plat et, par-dessus, le foie dont vous aurez retiré les nerfs (au besoin, le partager en 2 pour mieux le disposer). Recouvrir du reste de farce et, en tassant bien, enfoncer à nouveau quelques olives.
- Arroser d'un peu de gelée, poser une dernière barde, fermer et luter le couvercle.
- Faire cuire à four moyen préchauffé (th. 6), durant 1 h 30.
- Laisser refroidir complètement hors du four et, la terrine encore chaude, enlever le couvercle, la barde et verser la gelée restante.
- La terrine tout à fait froide, la mettre au réfrigérateur au moins 12 h.
- Attendre 24 h avant de la consommer accompagnée d'une fine mayonnaise verte.

Vin rouge
Arbois
Servir à 15°
Bellet rouge
Servir à 15-16°

Par personne
530 Calories (8 pers.)

RILLETTES DE SANGLIER

Préparation : 20 mn
Cuisson : 3 h

Pour 4 personnes
- 250 g de sanglier
- 250 g de poitrine de porc entrelardée
- 1 oignon
- 1 gousse d'ail dégermée
- 1 échalote
- Bouquet garni
- Sel, poivre

- Découper les viandes en petits carrés.
- Les mettre dans un faitout avec tous les ingrédients. Saler, poivrer. Couvrir d'eau.
- Faire cuire en mijotant pendant 3 h.
- Retirer les oignons, l'ail, le bouquet garni.
- Hacher le reste et verser dans des petits pots en grès ou en verre pour conserver.

Vin rouge
Chinon
Bourgeuil
Anjou-Villages
Servir à 15°

Par personne
255 Calories

287

TERRINE DE PIGEONS EN GELEE

Préparation : 15 mn par pigeon
Cuisson : 2 h

- 2 pigeons bien tendres
- 125 g de poitrine fumée
- 1/2 pied de veau
- 150 g de petits pois écossés
- 1 oignon moyen
- 1 branche de thym citron
- 1 c. à café de thym émietté
- 1 bouquet de persil
- 1 feuille de laurier
- 1 grand verre de vin blanc sec
- 1 sachet de gelée en poudre
- 1 c. à café de sel
- 1 c. à café de poivre en grains moulu

- Vider et flamber les pigeons. Assaisonner l'intérieur du mélange sel, poivre et thym émietté. Remettre le foie et ficeler chaque oiseau.
- Dans la cocotte, déposer la poitrine fumée coupée en gros dés, le 1/2 pied de veau, l'oignon coupé en fines lamelles, les petits pois. Ajouter la branche de thym, le bouquet de persil, la feuille de laurier. Saler, poivrer. Déposer alors les pigeons et verser le vin blanc, recouvrir d'un peu d'eau.
- Mettre la cocotte à cuire au four préchauffé (th. 6), pendant 2 h.
A mi-cuisson, réduire la chaleur (th. 5) et laisser mijoter.
- La cuisson terminée, sortir la cocotte du four et déposer les pigeons dans la terrine avec les petits pois et les lardons.
- Filtrer la sauce, l'ajouter à la gelée préparée, bien remuer. Verser dans la terrine et recouvrir.
- Laisser refroidir avant de mettre au réfrigérateur.
- Attendre 48 h avant de déguster au mieux avec une salade de tétragone ou bien d'épinards très tendres.

> *Vin blanc*
> Chablis
> Pouilly-Fuissé
> Servir à 9-10°

> **Par personne**
> 406 Calories (6 pers.)
> 609 Calories (4 pers.)
> + 75 Calories (salade)

TERRINE DE BROCOLI

Préparation : 40 mn
Cuisson : 45 mn

Pour 8 personnes
- 1 kg de chou-fleur surgelé
- 500 g de brocoli surgelé
- 400 g de carottes surgelées
- 4 c. à soupe de cerfeuil ciselé
- 1/2 l de lait
- 5 œufs
- 2 morceaux de cardamome
- Sel, poivre

- Faire chauffer dans une casserole 3 dl de lait avec la cardamome, sel et poivre.
- Dans une autre, faire chauffer 2 dl de lait, sel et poivre.
- Dans la première casserole, dès que le lait est chaud, ajouter le chou-fleur encore surgelé, dans la seconde les carottes. Laisser cuire jusqu'à ce que le lait soit évaporé. Passer séparément chou-fleur et carottes au moulin à légumes. Réserver.
- Faire cuire 6 mn à la vapeur les brocoli encore surgelés, les laisser égoutter.
- Préchauffer le four th. 6/180°.
- Ajouter à la purée de chou-fleur 2 œufs entiers et 2 blancs ; à la purée de carottes, 1 œuf entier et 2 jaunes.
- Dans un moule à cake, préalablement beurré, verser la purée de carotte. Déposer les brocoli (la tête en bas), verser la purée de chou-fleur. Saupoudrer de cerfeuil. Protéger le dessus de la terrine par une feuille de papier sulfurisé.
- Faire cuire au bain-marie 45 mn.
- Au bout de ce temps, retirer le moule du four et laisser tiédir. Oter le papier sulfurisé et démouler.
- Servir tiède ou froid avec une sauce au yaourt et au cerfeuil.

Vin
Sancerre
Pouilly-Fuissé
Menetou-Salon
Servir à 8°

Par personne
165 Calories

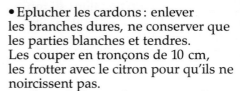

TERRINE DE CARDONS A LA MOUSSE DE FONDS D'ARTICHAUTS

Préparation : 40 mn
Cuisson : 1 h 30

- 1 kg de cardons (500 g épluchés)
- 8 fonds d'artichauts (1 bocal)
- 125 g de champignons de Paris
- 1 citron
- 5 œufs
- 10 cl de crème fleurette
- 1 c. à café de concentré de tomates
- 1 petite c. à café de muscade
- 1 c. à soupe de farine
- 1 petite poignée de sel pour la cuisson des cardons
- 1 c. à café de sel
- 1 c. à café de poivre en grains moulu
- 20 g de beurre pour le moule

- Eplucher les cardons : enlever les branches dures, ne conserver que les parties blanches et tendres. Les couper en tronçons de 10 cm, les frotter avec le citron pour qu'ils ne noircissent pas.
- Délayer la farine dans un peu d'eau et verser dans une cocotte mn avec 1 l d'eau salée. Faire bouillir légèrement, plonger alors les cardons, fermer et laisser cuire 40 mn à feu doux, après échappement de la vapeur. Les sortir aussitôt, les égoutter.
- Entre-temps, rincer les fonds d'artichauts à l'eau légèrement citronnée, les égoutter.
- Eplucher les champignons, les passer dans de l'eau vinaigrée, les éponger.
- Mixer ensemble les fonds d'artichauts et les champignons pour avoir une mousse onctueuse.
- Dans une grande jatte, battre les œufs en omelette. Ajouter le concentré de tomates, la crème, le sel, le poivre et la muscade. Mélanger au fouet électrique puis incorporer peu à peu la mousse. Travailler soigneusement cette préparation, vérifier l'assaisonnement qui doit être assez relevé.
- Beurrer généreusement le moule. Le tapisser d'une partie de la préparation, répartisser les cardons, tasser bien, renouveler l'opération et terminer par la préparation. Faire cuire au bain-marie, à four préchauffé (th. 4/5), 50 mn. Surveiller la cuisson : au besoin, poser une feuille d'aluminium pour ne pas trop faire dorer la terrine, ajouter de l'eau chaude dans le bain-marie dès qu'elle s'évapore.
- Hors du four, laisser refroidir et mettre au réfrigérateur quelques heures, démouler.

Vin blanc
Côtes-de-Provence
Bandol
Servir à 10°

Par personne
210 Calories (6 pers.)

TERRINE DE POIREAUX

Préparation : 35 mn
Cuisson : 45 mn

- 1 kg de poireaux (6 environ)
- 350 g de jambon de pays
- 60 g de tapioca
- 6 œufs
- 1/4 l de lait
- 10 cl de crème fraîche épaisse
- 1 petite c. à café
de muscade râpée
- 1 poignée de gros sel pour la
cuisson des poireaux
- 1 c. à café de sel
- 1 c. à café de poivre
en grains moulu
- 20 g de beurre pour le moule

- Préparer et laver les poireaux.
Les couper à la longueur de la terrine
et les attacher (le vert restant servira
à la mousse). Les faire cuire à l'eau
bouillante salée durant 15 mn,
les égoutter aussitôt. Mettre les blancs
en attente.
- Entre-temps, verser le tapioca en
pluie fine dans le lait bouillant, faire
cuire 3 à 4 mn sans cesser de remuer.
- Couper ensuite le jambon en gros
dés, le passer au mixer avec le vert
des poireaux bien pressés et le tapioca.
- Dans une jatte en terre, battre
les œufs en omelette. Ajouter la crème,
le sel, le poivre, la muscade râpée.
Fouetter bien le tout et incorporer
la mousse par petites quantités tout en
remuant au fouet.
- Beurrer généreusement le moule et
le tapisser d'une couche de
la préparation, répartir alors les blancs
de poireaux et renouveler l'opération
en terminant par la préparation.
- Faire cuire au bain-marie, à four
moyen préchauffé (th. 5), pendant
45 mn. En cours de cuisson, poser une
feuille de papier d'aluminium afin
de ne pas faire trop dorer la terrine et
surveiller le bain-marie (ajouter
de l'eau chaude dès que celle-ci
s'évapore).
- Laisser complètement refroidir hors
du four avant de mettre au
réfrigérateur 12 h.
- Démouler la terrine 1 h avant
de servir en entrée, accompagnée
d'une vinaigrette moutardée,
agrémentée de miettes de truffes.

Vin blanc
Saint-Véran
Servir à 9-10°
Vin rouge
Mercurey
Servir à 15°

Par personne
408 Calories (6 pers.)

TERRINE DU JARDIN

Préparation : 45 mn
Cuisson : 1 h 30

Pour 4 personnes
- 300 g de carottes
- 150 g de brocoli
- 200 g de tomates
- 150 g de choux-fleurs
- 150 g de concombre

Farce
150 g de macédoine de légumes
- 2 œufs + 1 blanc
- 10 cl d'huile
- 1 bouquet d'herbes hachées
- Sel, poivre

- Préchauffer le four (th. 8).
- Préparer chaque légume, sauf les tomates, et les faire cuire séparément dans un court-bouillon.
- Couper les carottes cuites en lamelles et les concombres en copeaux.
- Ecraser les brocoli et les choux-fleurs à la fourchette.
Peler et épépiner les tomates, les faire réduire à feu doux.
- Pendant ce temps, faire durcir les œufs, broyer la macédoine.
- Ajouter l'huile, le blanc d'œuf liquide et les herbes. Mélanger bien, saler et poivrer. Réserver.
- Ecaler les œufs et les couper soigneusement en rondelles.
- Prendre une terrine en verre allant au four. La foncer avec la farce.
- Mettre successivement une couche de carottes, de choux-fleurs, tomates, concombres et brocoli, les œufs. Recouvrir avec le reste de la farce.
- Cuire au bain-marie à four chaud (th. 7/8) pendant 1 h 30.
- Au moment du refroidissement, mettre des poids pour obtenir des tranches bien serrées.
- Conserver au frais.
- Servir accompagné d'un coulis de tomates.

Vin
Côtes-de-Provence
Bellet-de-Nice
Bandol
Servir à 15-16°

Par personne
279 Calories

TERRINE AUX 6 LEGUMES

Préparation : 30 mn
Cuisson : 45 mn

- 150 g de chou-fleu
- 100 g de petits pois écossés
- 100 g de haricots verts très fins
- 3 carottes nouvelles
- 2 courgettes moyennes
- 1 belle tomate
- 6 œufs
- 20 cl de crème fraîche épaisse
- 1 c. à soupe de basilic ciselé
- 1 pincée de muscade râpée
- 1 c. à café de sel
- 1 petite c. à café de poivre en grains moulu
- 20 g de beurre pour le moule

- Peler la tomate, la réserver.
- Eplucher et laver tous les autres légumes. Les faire cuire à la vapeur 10 mn, les égoutter.
- Découper les haricots verts en petits morceaux, le chou-fleur en petits bouquets.
- Détailler une belle languette dans chaque courgette, les réserver. Couper le reste de la chair en morceaux.
- Dans une jatte en terre, battre les œufs en omelette. Ajouter la crème, le basilic ciselé, le sel, le poivre et la muscade, bien fouetter. Réserver le tiers de cette crème. Ajouter alors les légumes coupés, bien mélanger. Vérifier l'assaisonnement qui doit être relevé.
- Beurrer largement le moule et le tapisser d'une partie de la préparation, déposer ensuite les 3 languettes de courgettes réservées puis verser l'autre partie de la préparation. Terminer enfin par le tiers de crème réservée.
- Faire cuire au bain-marie, à four doux préchauffé (th. 4/5), pendant 45 mn. Surveiller la cuisson : poser une feuille d'aluminium afin de ne pas trop faire dorer la terrine et ajouter de l'eau chaude dans le bain-marie dès que celle-ci s'évapore.
- Laisser refroidir hors du four avant de mettre au réfrigérateur pour 2 h environ et démouler.
- Servir cette terrine, accompagnée d'un coulis de tomates au basilic.

Vin blanc
Reuilly
Servir à 10°

Par personne
235 Calories (4 pers.)

TERRINE NAPOLITAINE

Préparation : 25 mn (+ 1 h)
Cuisson : 40 mn

- 400 g de haricots verts fins
(et non extra-fins)
- 9 œufs
- 120 g de gruyère râpé
- 250 g de coulis de tomates
en boîte
- 1 c. à café de concentré
de tomates
- 1 c. à café de sel
- 1 c. à café de poivre en grains
moulu
- 20 g de beurre pour le moule

- Effiler et laver les haricots verts. Les faire cuire 15 mn à la vapeur. Les égoutter durant 1 h environ, afin de bien les faire sécher.
- Entre-temps, répartir les œufs dans 3 jattes différentes. Les battre en omelette, saler et poivrer.
- Préparer ensuite le coulis de tomates et, pour l'épaissir, ajouter le concentré de tomates.
- Verser d'abord le coulis de tomates dans la première jatte, mélanger bien au fouet. Vérifier l'assaisonnement et le rectifier si besoin est.
- Beurrer généreusement le moule et tapisser le fond du coulis de tomates. Mettre à cuire au bain-marie, à four doux préchauffé (th. 4), durant 12 mn.
- Pendant ce temps, verser le gruyère râpé dans la seconde jatte, bien remuer. Vérifier l'assaisonnement et verser ce mélange sur le coulis cuit.
- Remettre au four et faire cuire 13 mn.
- Mixer ensuite les haricots verts afin d'en obtenir une mousse épaisse, la verser dans la troisième jatte. Bien fouetter ce mélange, vérifier l'assaisonnement puis répartir cette préparation sur le mélange au gruyère râpé.
- Enfourner à nouveau pendant 15 mn. Surveiller le bain-marie : ajouter de l'eau chaude dès que celle-ci s'évapore.
- Laisser refroidir complètement hors du four avant de mettre au réfrigérateur pendant 2 à 3 h puis démouler.

* Servir cette amusante terrine accompagnée d'une sauce verte au basilic ou, selon votre choix, d'un coulis de concombre.

Vin rosé
Côtes-de-Provence
Cassis
Servir à 9-10°

Par personne
359 Calories (4 pers.)

TERRINE VERTE

Préparation : 30 mn
Cuisson : 1 h

- 500 g de chou pommé
- 500 g de choux de Bruxelles
- 250 g de jambon fumé
- 100 g de mie de pain
- 5 œufs
- 1/4 l de lait
- 10 cl de crème fraîche épaisse
- 1 c. à café de muscade râpée
- 1 c. à café de sel
- 1 c. à café de poivre en grains moulu
- 20 g de beurre pour le moule

• Eplucher les choux et les laver. Les faire cuire ensemble à la vapeur (5 mn en cocotte minute). Les égoutter, au besoin, les presser fortement afin d'extraire le maximum d'eau.
• Emietter la mie de pain dans le lait chaud, faire cuire quelques instants pour obtenir une pâte.
• Mixer ensemble les légumes, la pâte de pain et le jambon coupé en morceaux : faire une belle mousse.
• Dans une jatte en terre, battre les œufs en omelette. Ajouter la crème, le sel, le poivre et la muscade. Incorporer ensuite la mousse, travailler intimement ce mélange. Vérifier l'assaisonnement qui doit être assez relevé.
• Beurrer généreusement le moule, le remplir de la préparation.
• Faire cuire au bain-marie, à four moyen préchauffé (th. 5), pendant 1 h. Recouvrir d'une feuille d'aluminium à mi-cuisson. Ajouter de l'eau chaude dans le bain-marie dès que celle-ci s'évapore.
• Laisser quelques minutes hors du four avant de démouler.
• Servir chaud en accompagnement d'une pintade rôtie.

Vin blanc
Saint-Aubin
Servir à 10°

Par personne
508 Calories (4 pers.)

MOUSSE D'AVOCAT AU POIVRON

Préparation : 20 mn
Pas de cuisson

- 2 avocats
- 1 beau poivron vert
- 1 petit piment rouge
- 10 baies roses
- 1 pincée de muscade râpée
- 3 œufs
- 10 cl de crème fraîche
- 1 c. à café de sel
- 1 c. à café de poivre en grains moulu

- Faire blanchir le poivron ouvert en deux, ainsi que le petit piment rouge, durant 10 mn. Laisser refroidir et enlever les peaux. Réserver.
- Ouvrir les avocats, retirer la chair et la détailler en morceaux.
- Mixer rapidement ces 3 fruits. Ajouter les jaunes d'œufs, la crème, le sel, le poivre, les baies roses et la muscade, mixer à nouveau.
- Battre les blancs d'œuf en neige (pas trop ferme).
- Dans une jatte, fouetter ensemble la mousse et les blancs en neige. Vérifier l'assaisonnement qui doit être très relevé.
- Remplir la terrine de cette préparation, bien tasser.
- Mettre au réfrigérateur pendant 3 h avant de servir.

* La mousse d'avocat au poivron se déguste à l'apéritif sur des toasts grillés.
Elle est aussi particulièrement recommandée pour accompagner les terrines de poissons.

Vin rouge
Châteauneuf-du-Pape
Servir à 15°

Par personne
298 Calories (4 pers.)

CLAFOUTIS DU JARDINIER

Préparation : 30 mn
Cuisson : 30 mn

- 100 g de jaunes carottes
- 100 g de petits navets nouveaux
- 100 g de petits pois nouveaux
- 100 g de petites tomates
- 1/2 poivron vert
- 2 oignons nouveaux hachés
- 5 œufs
- 100 g de beurre
- 1/2 l de crème fleurette
- 1 c. à café de muscade râpée
- 1 c. à café de sel
- 1 c. à café de poivre
  en grains moulu
- 20 g de beurre pour le moule

- Eplucher tous les légumes et découper en dés les carottes, les navets, les champignons, le poivron ainsi que les tomates.
- Dans une sauteuse, faire blondir les oignons hachés, en les remuant quelques instants, dans 90 g de beurre, puis ajouter les champignons, remuer à nouveau. Verser, dans l'ordre, les petits pois, les navets, les carottes, puis les tomates. Bien mélanger tous ces légumes et laisser cuire doucement durant 10 mn.
- Dans une grande jatte, battre les œufs en omelette. Ajouter la crème, le sel, le poivre, la muscade et bien fouetter. Incorporer alors les légumes en remuant soigneusement. Goûter et rectifier l'assaisonnement, si besoin est.
- Beurrer largement le moule, verser la préparation et faire cuire au bain-marie, à four doux préchauffé (th. 4/5), pendant 30 mn. Rajouter de l'eau dans le bain-marie dès que celle-ci s'évapore.
- Laisser quelques instants hors du four puis démouler le clafoutis et le servir chaud.

Vin rosé
Pineau d'Aunis
Servir à 10°
Vin rouge
Gamay de Touraine
Servir à 12°

Par personne
487 Calories (4 pers.)

TERRINE FORESTIERE

Préparation : 30 mn
Cuisson : 45 mn

- 400 g de champignons de Paris
- 1 petit poivron vert
- 1 belle betterave rouge
- 300 g de jambon fumé
- 6 œufs
- 20 cl de crème fraîche épaisse
- 1 pincée de muscade râpée
- 1 c. à soupe de sauce Cumberland
- 7 g de sel
- 5 g de poivre en grains moulu
- 20 g de beurre pour le moule

- Eplucher et laver les champignons.
- Découper le jambon en lanières et le poivron en morceaux.
- Mixer champignons, jambon et poivron afin d'obtenir une mousse fine ; mettre en attente.
- Dans une grande jatte, battre les œufs en omelette auxquels vous ajoutez le sel, le poivre et la sauce Cumberland, fouetter à nouveau. Incorporer alors petit à petit la mousse jambon / champignons / poivron et, sans cesser de remuer, verser la crème. Bien mélanger le tout. Vérifier l'assaisonnement qui doit être très relevé.
- Eplucher la betterave, la détailler, sur la longueur, en bâtonnets d'1 cm d'épaisseur.
- Beurrer largement le moule. Tapisser le fond d'une couche épaisse de la préparation, déposer ensuite les bâtonnets de betterave, renouveler l'opération et bien tasser. Terminer par la préparation.
- Faire cuire au bain-marie, à four doux préchauffé (th. 4/5), pendant 45 mn. Surveiller la cuisson : au besoin, poser une feuille d'aluminium sur la terrine afin que le dessus ne dore pas trop vite et ajouter de l'eau chaude dans le bain-marie, si nécessaire.
- Laisser refroidir complètement hors du four avant de mettre au réfrigérateur plusieurs heures et démouler.

* Servir, accompagné d'un coulis de betterave au cerfeuil.

Vin rouge
Pomerol
Fronsac
Servir à 17°

Par personne
468 Calories (4 pers.)

MOUSSE D'AVOCAT AU CABECOU FRAIS

Préparation : 10 mn
Pas de cuisson

- 1 avocat
- 2 cabécous frais
- 1 jaune d'œuf
- 1 c. à soupe de crème fraîche
- Quelques gouttes de tabasco
- 1 petite c. à café de sel
- 5 tours de moulin à poivre

- Ouvrir l'avocat, prélever la chair. La couper en morceaux ainsi que les cabécous. Mixer le tout pour en faire une mousse.
- Ajouter le jaune d'œuf, la crème fraîche, le sel, le poivre, le tabasco, remixer à nouveau. Vérifier l'assaisonnement qui doit être très épicé.
- Verser dans une terrine adéquate et mettre au réfrigérateur pendant 3 ou 4 h.
- Servir très frais.

* Cette fine mousse se déguste sur des tranches de pain de seigle légèrement grillées, en hors-d'œuvre ou à l'apéritif.

Vin rosé
Côtes-du-Rhône
Servir à 12°

Par personne
310 Calories (4 pers.)
207 Calories (6 pers.)
+ 48 Calories (tranche de pain grillé 20 g)

COQUILLAGES DES ILES

Préparation : 20 mn
Cuisson : 40 mn

Pour 4 personnes
- 4 coquilles Saint-Jacques
- 4 langoustines très grosses ou 8 de taille moyenne
- 1 sole de 250 g
- 1/2 l de vin blanc sec
- 1 boîte de concentré de tomates en quarts
- 2 tomates fraîches
- 2 oignons
- 1 gousse d'ail
- 1 citron
- 1 verre d'huile d'olive
- 1 œuf
- 1 bouquet garni (thym, laurier, romarin)
- 1 c. à café de farine
- Sel, poivre de Cayenne

- Séparer le corail et la chair des coquilles, ôter les têtes et les pinces des langoustines. Réserver.
- Vider, laver et essuyer la sole. La fariner, la cuire et découper les filets en carrés.
- Dans une poêle, faire chauffer 3 cuillerées à soupe d'huile d'olive, y faire revenir la chair des coquilles Saint-Jacques. La réserver ensuite dans un plat.
- Dans la même poêle, faire sauter les queues de langoustines 4 mn, les retirer, les décortiquer puis les mettre en attente.
- Toujours dans la même poêle, faire chauffer de l'huile afin de faire revenir les têtes et les pinces de langoustines avec les oignons et l'ail émincés.
- Mouiller de vin blanc puis ajouter les tomates pelées et coupées en dés, le bouquet garni, 5 rondelles de citron, 1 verre d'eau.
- Porter à ébullition, et faire cuire 20 mn à feu doux (th. 3/4).
- Passer cette préparation au chinois. Saler, poivrer.
- Verser ensuite le concentré de tomates et la farine.
- Faire cuire 5 mn à feu moyen et rajouter les crustacés, les filets de sole et le corail. Laisser mijoter encore 5 mn.
- Dresser dans un plat de service chaud et servir avec du riz en accompagnement.

Vin
Entre-Deux-Mers
Vin d'une puissance relative, vif, avec une belle acidité et tendre car un peu rond et souple dans des notes fraîches de fleurs, de fruits et d'épices.
Servir à 8-9°

Par personne
259 Calories

CALAMARS BIARROTS

Préparation : 20 mn
Cuisson : 45 mn

Pour 4 personnes
- 1 kg de calamars
- 3 échalotes
- 250 g de riz
- 1 verre d'Armagnac
- 1 carotte
- 1 oignon
- 1 poivron
- 6 tomates
- 1 gousse d'ail
- 1 bouquet garni
- 100 g de beurre
- Huile
- Sel, poivre

- Cuire le riz dans de l'eau salée.
- Dans une cocotte, faire chauffer la moitié du beurre et de l'huile. Y faire dorer les calamars. Réserver au chaud.
- Reprendre la cocotte. Faire fondre le reste du beurre et cuire doucement, les échalotes, l'oignon, les poivrons, l'ail hachés, la carotte coupée en lamelles, puis incorporer les calamars et flamber à l'Armagnac.
- Peler et épépiner les tomates en les plongeant dans l'eau bouillante. Les ajouter à la préparation avec le bouquet garni.
- Cuire 20 à 30 mn à feu moyen.
- Verser le riz cuit dans un moule à savarin, réserver au chaud.
- Démouler le riz sur un plat chaud. Verser les calamars au milieu. Napper de sauce. Servir aussitôt.

Vin
Montlouis sec
Vin de Touraine
peu connu aux notes
olfactives de verveine,
de tilleul, de pomme,
d'acacia, nuancé d'anis
et de menthe,
vif et goûteux.
Servir à 8°

Par personne
721 Calories

GAMBAS A L'AMERICAINE

Préparation : 15 mn
Cuisson : 15 mn

- 600 à 800 g de gambas ou de langoustines
- 2 c. à soupe d'huile d'olive
- 3 tomates fraîches
- 1 dl de sauce tomate
- 1 gousse d'ail
- 2 échalotes
- 1 dl de vin blanc
- 2 c. à soupe de Cognac
- 1 dl de crème fraîche
- Quelques pluches d'aneth
- Sel, poivre de Cayenne

- Emincer les échalotes, les mettre dans un bol, couvrir, cuire 3 mn pg cuisson maxi.
- Préchauffer le plat brunisseur 8 mn, y verser l'huile et les gambas, mélanger, cuire 4 mn. Flamber au Cognac.
- Retirer les gambas, mettre à la place l'ail haché, les échalotes, les tomates pelées épépinées et émincées, la sauce tomate, le vin blanc, la crème, le sel, le poivre de Cayenne.
- Couvrir, cuire 7 mn. Ajouter les gambas, cuire le tout 4 mn. Servir bien chaud. Décorer de pluches d'aneth.

Vin
Chablis Premier Cru
On ne lésine pas. Le Premier Cru apportera toute sa race, sa sève, sa rondeur, son moelleux dans ses senteurs de noisette, de châtaigne, de fruits exotiques…
Servir à 9-10°

Par personne
330 Calories (4 pers.)

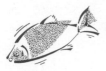

GAMBAS AUX EPICES

Préparation : 20 mn
Cuisson : 5 mn

Pour 2/3 personnes
- 500 g de gambas moyennes (18 à 20 gambas)
- 3 c. à soupe d'huile d'olive fruitée
- 1/2 citron non traité
- 1 gousse d'ail
- 1 c. à soupe de coriandre fraîche ciselée

Préparation
- 1 c. à café de piment doux en poudre
- 1/2 c. à café de cumin en poudre
- 1/2 c. à café de gingembre en poudre
- 1/3 de c. à café de poivre des oiseaux
- Sel

- Rincer les gambas, les égoutter.
- Couper le citron en fines rondelles puis en très petits éventails, en éliminant les pépins.
- Peler la gousse d'ail, la couper en deux, retirer le germe puis l'émincer finement.
- Verser l'huile dans un plat de 22 cm de diamètre.
- Mettre : les éventails de citron, les lamelles d'ail, la coriandre, le piment doux, le cumin, le gingembre, sel et poivre des oiseaux à volonté. Mélanger.
- Ajouter les gambas, les tourner sens dessus dessous avec deux spatules pour bien les enrober d'huile parfumée. Couvrir la cocotte et la glisser dans le four, sélecteur 9 pour 5 mn.
- Mélanger une fois en cours de cuisson.
- Servir ces crustacés accompagnés de croûtons de pain de campagne grillés que vous arroserez de leur jus.

Vin rouge
Côtes-de-Provence
Un nez chaud, de garrigue, de laurier, de fruits rouges... dans une trame tanique souple et ronde, du corps, de l'élégance et de la puissance généreuse.
Servir à 15°

Par personne
360 Calories (2 pers.)
240 Calories (3 pers.)

LANGOUSTINES AUX ASPERGES

Préparation : 10 mn
Cuisson : 15 mn
M.O. : 10 mn

Pour 4 personnes
• 1 kg d'asperges surgelées
• 12 langoustines crues surgelées
• 1 bouquet d'aneth
• 2 c. à soupe d'huile d'olive
• 1 c. à soupe de moutarde de Meaux
• 2 c. à soupe de vinaigre de malt
• Sel, poivre

• Laisser décongeler les langoustines à température ambiante ou 4 mn au micro-ondes.
• Retirer les têtes de langoustines et les faire cuire à la vapeur 3 mn.
• Faire cuire également à la vapeur les asperges encore surgelées pendant 15 mn.
• Dans un bol, mélanger le vinaigre, l'huile d'olive, le sel, le poivre et la moutarde.
• Dans les assiettes de service, déposer les asperges et les langoustines. Décorer avec les pluches d'aneth. Servir aussitôt avec la sauce à part.

Micro-ondes :
• Faire cuire à la vapeur les langoustines 4 mn à pleine puissance.
• Faire cuire les asperges dans de l'eau à couvert pendant 10 mn à pleine puissance.

Vin
Pouilly-Fuissé
Vin de Bourgogne (Sud), de la région du Mâconnais, vif, plein de sève, gras, citronné, avec des arômes délicieusement boisés, d'amandes ou de noisettes grillées, de fleurs séchées, a de la rondeur sur le palais.
Servir à 8-9°

Par personne
247 Calories

LANGOUSTINES AU POIVRE VERT

Préparation : 2 mn
Cuisson : 20 mn

Pour 4 personnes
- 2 kg de langoustines
- 250 g de beurre
- 200 g de poivre vert
- 4 c. à soupe de pluches de cerfeuil
- 1 c. à soupe de feuilles d'estragon ciselées
- 15 c. à soupe de Muscadet Métaireau
- 1 c. à café de Cognac
- Sel, poivre du moulin

- Couper les langoustines crues dans le sens de la longueur. Saler et poivrer.
- Les faire revenir rapidement du côté chair dans 60 g de beurre noisette. Verser le Cognac et flamber.
- Prélever les langoustines, les déposer dans un plat et réserver au chaud.
- Déglacer avec le vin blanc et faire réduire de moitié.
- Hors du feu, fouetter en ajoutant le reste du beurre par petite quantité puis ajouter la moitié du poivre vert écrasé, le cerfeuil et l'estragon.
- En napper les langoustines côté chair.
- Remplir les parties creuses avec le restant de poivre vert.
- Servir très chaud.

Vin
Sauvignon de Touraine
C'est la recherche des arômes à la fois fruités, minéraux, végétaux (menthe) et d'une structure vive qui harmonisera vin et mets.
Servir à 8°

Par personne
997 Calories

LANGOUSTINES ET SAINT-JACQUE
AUX CHAMPIGNONS SAUVAGE

Préparation : 30 mn
Cuisson : 15 mn

Pour 4 personnes
- 8 grosses langoustines
- 8 coquilles Saint-Jacques
- 2 échalotes
- 100 g de beurre
- 2 c. à soupe d'huile
- 100 g de girolles
- 100 g de pleurotes
- 100 g de cèpes
(ou autre suivant la saison)
- 2 branches de persil ciselé
- Sel, poivre

- Décortiquer les langoustines à cru.
- Nettoyer les coquilles Saint-Jacques, laisser les noix entières ainsi que le corail.
- Nettoyer délicatement les champignons.
- Peler et hacher les échalotes.
- Dans une poêle, faire chauffer 50 g de beurre et 1 cuillère à soupe d'huile, y faire revenir rapidement les noix, le corail et les langoustines sur feu vif Saler et poivrer.
- Réserver au chaud.
- Dans une sauteuse, faire chauffer le reste de beurre et d'huile. Ajouter les champignons et les échalotes, les faire cuire rapidement en remuant souvent, ils doivent rester fermes. Saler et poivrer.
- Dans chaque assiette de service, disposer les noix, le corail, les langoustines, les champignons. Napper de jus de cuisson. Poudrer de persil ciselé.

Vin
Condrieu
Ce vin a une grande race, dans une texture à la fois charpentée, ronde, nerveuse avec des senteurs de coing, d'abricot, de fruits exotiques, de tilleul, d'acacia…
Servir à 10°

Par personne
396 Calories

MOULES AU CURRY

Préparation : 20 mn
Cuisson : 15 mn

- 1 kg de moules
- 2 gousses d'ail
- 2 échalotes
- Persil, thym
- 2 feuilles de laurier
- 2 petits verres de vin blanc
- Poivre

Sauce

20 g de beurre
- 2 c. à soupe de farine
- 1/2 dl de crème
- Curry

• Nettoyer les moules, les mettre dans un saladier avec l'ail et les échalotes émincées, le persil haché, le thym, le laurier, le poivre, le vin blanc. Couvrir, cuire 8 à 10 mn pg cuisson maxi. Enlever une coquille, passer le jus.

• Dans une cocotte, faire fondre le beurre, ajouter la farine et incorporer le jus en fouettant. Ajouter la crème, mettre à cuire 2 mn, ajouter le curry, fouetter, arroser les moules avec cette sauce et chauffer l'ensemble 2 à 3 mn.

Vin
Riesling
Choisir un Riesling épicé, aux senteurs minérales, musquées, de bananes, de fruits de la passion... dans une belle charpente faite de moelleux et d'amertume.
Servir à 8°

Par personne
304 Calories

MOULES A LA TOMATE

Préparation : 20 mn
Cuisson : 9 mn

Pour 2 personnes
- 1 l de moules de bouchots
- 500 g de tomates mûres mais fermes
- 3 gousses d'ail
- 1 c. à café d'origan
- 2 c. à soupe de persil ciselé
- 2 c. à soupe d'huile d'olive
- 1 piment oiseau
- Poivre

- Gratter, nettoyer les moules. Les laver soigneusement en les ébarbant, les égoutter dans une passoire.
- Peler les tomates, les couper en deux horizontalement, les presser pour les épépiner puis couper la pulpe en tous petits cubes.
- Eplucher les gousses d'ail, les couper en deux, retirer le germe, les hacher très finement.
- Faire chauffer l'huile dans une cocotte de 20 cm de diamètre au four à micro-ondes sélecteur 9, 1 mn.
- Mettre l'ail dans l'huile chaude, mélanger 10 secondes, ajouter la pulpe des tomates. Glisser la cocotte dans le four, sélecteur 9, 4 mn.
- Assaisonner la préparation avec le piment émietté entre vos doigts, l'origan, le persil. Mélanger enfin, ajouter les moules. Couvrir la cocotte.
- Enfourner pour 4 mn, sélecteur 9, mélanger et poivrer à mi-cuisson.
- Servir aussitôt, dans la cocotte de cuisson.
- Accompagner de tranches de pain grillées.

Vin
Beaujolais
Vin rouge vif, tendre et nerveux, aux senteurs de fruits rouges.
Servir à 9-10°

Par personne
265 Calories

MOUCLADE CHARENTAISE

Préparation : 30 mn
Cuisson : 20 mn

Pour 3 personnes
- 2 kg de moules de bouchot
- 1/4 l de vin blanc sec
- 4 gousses d'ail
- 2 échalotes
- 4 c. à soupe de persil haché
- 1 c. à soupe d'estragon ciselé
- 300 g de beurre
- 6 c. à soupe de pain rassis coupé en petits cubes
- Sel, poivre

- Peler et hacher l'ail et l'échalote.
- Gratter et laver les moules, les égoutter.
- Dans une casserole, verser le vin blanc, ajouter l'échalote. Porter à ébullition puis ajouter les moules. Couvrir et laisser cuire jusqu'à ce que les moules soient ouvertes. Retirer la casserole du feu.
- Détacher la coquille vide des moules. Réserver au chaud.
- Dans une poêle faire chauffer le beurre jusqu'à ce qu'il prenne une belle couleur noisette, y faire dorer le pain. Ajouter l'ail, les trois quarts du persil et de l'estragon puis les moules. Poivrer. Goûter et rectifier l'assaisonnement si nécessaire. Bien mélanger le tout sur feu moyen.
- Verser la préparation dans un plat de service très chaud. Poudrer de persil. Servir aussitôt.

Vin
Entre-Deux-Mers
Un vin friand, rond,
souple, aux senteurs
fraîches de citron, fleurs
et feuilles de cassis.
Servir à 8°

Par personne
1041 Calories

HOMARD A L'AMERICAINE

Préparation : 45 mn
Cuisson : 40 mn

Pour 8 personnes
- 8 homards de 500 g
- 1 kg de tomates
- 200 g d'échalotes
- 100 g d'oignons
- 150 g de beurre
- 1 l de fumet de poisson
- 50 cl de vin blanc
- 10 cl de Cognac
- 2 brins d'estragon
- 1 bouquet garni
- 15 cl d'huile d'olive
- 2 gousses d'ail
- Sel, poivre

Vin rouge
Bandol
Nez puissant,
d'abord fruit rouge
puis animal (cuir et rôti)
puis sous-bois et garrigue.
Equilibré, tanique,
fondu.
Servir à 15-16°

Par personne
561 Calories

- Eplucher, hacher les oignons et les échalotes. Peler et écraser l'ail.
- Plonger les tomates dans de l'eau bouillante, les peler, les couper en deux, les épépiner en les pressant légèrement et les concasser.
- Sur un plan de travail, détacher les pinces et les pattes des homards à l'aide d'un gros couteau. Les briser avec une pince. Tronçonner le corps en plusieurs morceaux. Saler, poivrer tous les morceaux.
- Faire chauffer l'huile dans un sautoir, y jeter les morceaux de homard. Les saisir des 2 côtés. Quand les carapaces sont bien rouges, les retirer, les garder au chaud. Fendre les coffres en 2. Prélever, réserver les intestins et le corail.
- Jeter l'huile, la remplacer par une noix de beurre. Ajouter d'abord les oignons hachés, les faire suer doucement, puis l'ail, les échalotes, les tomates, le bouquet garni et l'estragon. Laisser fondre 5 mn. Verser sur les morceaux de homard. Arroser de Cognac et flamber. Mouiller avec le vin blanc. Laisser réduire à feu doux pendant quelques mn. Ajouter le fumet de poisson. Amener à ébullition, couvrir et laisser cuire 15 mn environ. Pendant ce temps, écraser les intestins et le corail à la fourchette, les mêler intimement avec 50 g de beurre. En fin de cuisson, prélever et réserver les morceaux de homard au chaud.
- Laisser réduire doucement la sauce, puis mettre sur feu vif, incorporer alors le beurre manié en fouettant. Amener à ébullition. Aux 1ers bouillons, retirer du feu. Saler, poivrer.
- Passer la sauce au chinois, ajouter le beurre restant en fouettant vivement afin d'obtenir une sauce lisse, homogène et brillante. Napper les homards de sauce.
Servir aussitôt avec du riz blanc.

HOMARD RAIDI A LA CREME D'ESTRAGON

Préparation : 20 mn
Cuisson : 15 mn

Pour 2 personnes
- 1 homard vivant de 1,2 kg environ
- 1/4 l de vin blanc sec (Graves)
- 3 cl de Cognac
- 70 g de beurre
- 5 feuilles d'estragon ciselées
- 5 c. à soupe de crème fraîche
- Sel et poivre

- Couper le homard vivant en deux dans le sens de la longueur. Réserver le corail sans l'estomac.
- Dans une sauteuse faire chauffer 20 g de beurre, y faire revenir le homard côté chair en laissant rougir le bord de la carapace.
- Flamber au Cognac. Verser le vin, ajouter la crème et l'estragon. Mélanger et cuire à couvert 6 mn. Retirer le homard, le réserver au chaud dans le plat de service. Mixer le corail du homard.
- Réduire légèrement la sauce, la lier avec le corail. Goûter et rectifier l'assaisonnement si nécessaire. Ajouter le beurre restant coupé en morceaux en fouettant énergiquement. Saler et poivrer. Napper le homard de sauce.
- Servir aussitôt.

Vin
Côte-Rôtie
Vin superbe, puissant, délicieusement tanique, gras, dense, nez de fruits rouges mûrs, de sous-bois, de rôti, venaison…
Servir à 16°

Par personne
906 Calories

SEICHE A L'ORIENTALE

Préparation : 20 mn
Cuisson : 20 mn

- 400 g de seiche (ou encornet)
- 1 petite boîte de sauce tomate
- 2 échalotes
- 200 g de riz sauvage
- 2 c. à soupe d'huile d'olive
- Sel, poivre, 1 pointe de Cayenne

- Dans un récipient, mettre la seiche coupée en très fines lanières avec les échalotes hachées et l'huile. Couvrir, cuire 5 mn pg cuisson maxi. Ajouter le riz, bien mélanger, ajouter la même quantité d'eau que de riz, la sauce tomate, le sel, le poivre, le Cayenne.
- Couvrir, cuire 5 mn, puis 10 mn en pg mijotage. Si nécessaire, ajouter un peu d'eau. (Il est important de couvrir, pour éviter les projections).

Vin blanc
Côtes-du-Rhône
Des notes de garrigue,
fleurs séchées, abricot…
dans une charpente
robuste où le rustique
pointe son nez.
Servir à 9°

Par personne
310 Calories (4 pers.)

BLANQUETTE DE SAINT-JACQUES AU VIEUX MALT

Préparation : 30 mn
Cuisson : 50 mn

Pour 8 personnes
- 1,2 kg de coquilles Saint-Jacques décortiquées
- Demander des arêtes de poissons à votre poissonnier pour le fumet
- 60 g d'échalotes
- 80 g d'oignons
- 50 g de poireaux
- 2 dl de vin blanc
- 1 petit bouquet garni
- 100 g de margarine
- 50 g de farine
- 1/4 l crème fraîche
- 8 cl de Whisky pur malt
- 30 g de beurre
- Gros sel, poivre

- Eplucher et émincer les oignons, les échalotes et les poireaux.
- Faire fondre 50 g de margarine dans un sautoir. Y faire suer les arêtes, ajouter les légumes. Bien remuer, laisser fondre pendant quelques instants. Mouiller avec le vin blanc et 1/2 l d'eau. Laisser cuire pendant 25 mn.
- Pendant ce temps, préparer un roux avec le reste de la margarine et la farine.
- Laisser complètement refroidir.
- Passer le fumet au chinois.
- Dans une sauteuse chauffer la moitié du fumet. Y faire pocher les Saint-Jacques pendant 3 à 4 mn. Les prélever à l'aide d'une écumoire et les réserver au chaud.
- Verser progressivement sur le roux blanc tout le fumet en fouettant énergiquement. Porter à ébullition et laisser cuire 10 mn environ.
- Ajouter la crème et laisser réduire quelques instants. Verser alors le Whisky. Mélanger et laisser cuire encore 2 mn.
- Goûter et rectifier l'assaisonnement. Passer au chinois et incorporer peu à peu le beurre en fouettant vigoureusement.
- Répartir les Saint-Jacques dans des coupelles, les napper de sauce et servir aussitôt.

Vin blanc
Hermitage blanc
Vin blanc savoureux,
présentant
une symphonie
aromatique extraordinaire
(fleurs, miel, vanille,
écorce d'orange…).
Gouleyant et souple.
Servir à 9-10°

Par personne
532 Calories

ANGUILLES DE LOIRE A LA MOELLE ET AU VERJUS

Préparation : 30 mn
Cuisson : 40 mn

- 1 anguille de Loire d'1 kg au moins
- 3 échalotes grises
- 150 g de moelle de bœuf
- 500 g d'épinards en branches
- 20 cl de Verjus de Pinot de Sancerre
- 10 cl de fond de veau
- 100 g de beurre
- 1 c. à café d'huile de tournesol ou d'arachide
- Sel et poivre noir du moulin

Vin
Vouvray sec
Avec ses notes de coing,
d'abricot, minérales
et de pierre à fusil
dans sa superbe structure
vive et tendue à la fois.
Servir à 9°

Par personne
671 Calories (6 pers.)

- Votre poissonnier dépouillera l'anguille et la videra en retirant le sang collé contre l'abdomen. La rincer, la tronçonner en 24 morceaux d'un bon cm. Réserver après avoir salé et poivré.
- Eplucher les épinards, les laver, les égoutter et les sécher dans un linge. Réserver. Couper la moelle en tronçons d'un 1/2 cm d'épaisseur. Faire pocher 30 secondes dans de l'eau salée bouillante. Egoutter tenir au chaud.
- Eplucher et hacher fin les échalotes.
- Préparer la sauce : verser dans une sauteuse, les échalotes, le Verjus de Sancerre (ou du raisin blanc pas assez mûr) et le fond de veau. Porter sur feu vif et, à gros bouillons, faire réduire à environ 12 cl. Réserver au chaud.
- Faire chauffer une poêle, verser l'huile et faire dorer de chaque côté les tranches d'anguille, juste 3 ou 4 mn. Eteindre et couvrir. Dans une sauteuse, faire chauffer une cuillère à café de beurre.
Y jeter les épinards par poignées successives. Dès qu'ils sont croquants, cuits, bien verts, les retirer avec une spatule perforée, saler, poivrer, les déposer au fur et à mesure au centre d'un plat creux chauffé. Couvrir, tenir au chaud jusqu'à la fin de la cuisson.
- Ranger les ronds d'anguille autour des épinards et en quinconce les rondelles de moelle.
- Terminer la sauce : reposer la sauteuse avec la réduction sur feu assez doux. Prélever le beurre mou, le fouetter avec la sauce. Goûter et rectifier l'assaisonnement.
- Servir avec des assiettes brûlantes. Chacun posera dans son assiette, des «édredons» d'épinards, dessus 6 rondelles d'anguille et nappera de sauce avec des croûtons grillés.

BAR A LA PUREE DE FENOUIL

Préparation : 25 mn
Cuisson : 20 mn

Pour 2 personnes
- 1 bar de ligne de 600 g
- 2 bulbes de fenouil de 500 g chacun
- 1,5 dl de crème fraîche liquide
- 2 c. à soupe d'huile d'olive
- Sel, poivre blanc.

- Demander à votre poissonnier d'écailler et de vider le bar.
- Le rincer, l'égoutter.
- Retirer les côtés dures des bulbes des fenouils. Couper et réserver les petites feuilles. Rincer, éponger.
- Saler, poivrer le bar, le déposer sur une feuille de papier sulfurisé avec la moitié des feuilles des fenouils. Fermer la papillote, piquer plusieurs fois le dessus avec la pointe d'un couteau. Réserver.
- Emincer 400 g de cœur de fenouil, les mettre dans une cocotte de 18 cm de diamètre, les mouiller avec la crème. Saler. Couvrir la cocotte et la glisser dans le four, sélecteur 9 pour 12 mn. Mélanger à mi-cuisson.
- Passer le contenu de la cocotte au mixeur jusqu'à l'obtention d'une fine purée en versant au fur et à mesure l'huile d'olive. Mettre cette purée dans une petite cocotte. Ajouter les feuilles restantes de fenouil en les ciselant finement.
- Faire cuire le bar au four à micro-ondes, sélecteur 9 pendant 7 mn.
- Retirer le poisson de la papillote, lever les filets et les disposer sur des assiettes préchauffées.
- Faire réchauffer la purée de fenouil, la répartir autour des filets de poisson et servir aussitôt.

Vin
Pouilly-Fumé
Face à Sancerre se dresse la seconde capitale du Sauvignon, de belle facture, avec des arômes de feuilles de cassis, de genêts fleuris, sa nervosité, sa finesse…
Servir à 8°

Par personne
514 Calories

CABILLAUD A LA CREME DE POIREAU

Préparation : 20 mn
Cuisson : 7 mn

Pour 3 personnes
- 3 filets de cabillaud de 120 g chacun, sans peau ni arête
- 100 g de champignons de Paris
- 1 blanc de poireau
- 60 g de crème fraîche épaisse
- 1 c. à soupe de moutarde nature au vin de Champagne
- 1 c. à soupe de moutarde verte
- 2 c. à soupe de câpres surfines
- 20 g de beurre
- 1 c. à soupe de ciboulette ciselée
- Sel, poivre

- Egoutter les filets de poisson, saler, les poivrer.
- Dans un plat rectangulaire, mettre le beurre et le faire fondre au four, sélecteur 9, 1 mn.
- Disposer les filets de poisson en triangle dans le beurre chaud, le retourner sens dessus dessous. Réserver.
- Couper la partie terreuse du pied des champignons, les laver, les éponger et les couper en très fines lamelles.
- Laver le blanc de poireau, le couper en rondelles extrêmement fines.
- Rincer les câpres, les égoutter.
- Dans un bol mélanger : les deux moutardes, la crème, les champignons, les poireaux émincés, la ciboulette, les câpres. Saler, poivrer légèrement. Napper les filets de poisson.
- Glisser le plat au four à micro-ondes. Faire cuire sélecteur 9 pendant 7 mn.
- Servir aussitôt.

* Vous pouvez préparer de la même manière des filets de rascasse, de sole ou de limande.

Vin
Sancerre
Dans une structure plutôt vive, nerveuse, la finesse n'a d'égal que ses arômes végétaux de menthe, de réglisse verte, de cassissier...
Servir à 8°

Par personne
242 Calories

CABILLAUD A LA PROVENÇALE

Préparation : 15 mn
Cuisson : 14 mn

- 600 à 800 g de filets de cabillaud
- 2 gousses d'ail
- 1/2 feuille de laurier
- 2 c. à soupe d'huile d'olive
- 4 tomates
- 20 g de beurre
- 8 olives noires
- Sel, poivre

- Dénoyauter et concasser les olives.
- Peler les tomates, les épépiner, les couper, les mettre dans un plat avec l'huile, l'ail haché, le laurier et les olives. Couvrir, cuire 6 à 8 mn pg cuisson maxi. Disposer le cabillaud sur la préparation, assaisonner, ajouter le beurre, couvrir, cuire 4 à 6 mn selon grosseur.
- Les extrémités du filet sont souvent moins épaisses, les rouler pour éviter la surcuisson.

Vin
Bandol
Face à cette recette il faut de la puissance et de l'élégance. Le Bandol offrira ses arômes complexes : fruits rouges, cuir, venaison… avec des tanins souples, superbes…
Servir à 15°

Par personne
248 Calories (4 pers.)

CHAPON FARCI AUX FRUITS DE MER

Préparation : 30 mn
Cuisson : 25 mn

• 1 chapon de 1,250 kg

Farce
• 300 g de moules
• 100 g de crevettes
• 150 g de riz
• 1 œuf
• 1 c. à café d'herbes de Provence
• 1/2 bouquet de persil simple
• 1/2 verre de vin blanc sec de Provence
• 1 échalote rose

Accompagnement
• 2 grosses pommes de terre
• 1 oignon assez gros
• 2 gousses d'ail
• 4 tomates mûres
• 2 c. à soupe d'huile
• 1 c. à café d'herbes de Provence
• 1 verre de vin blanc
• Sel et poivre du moulin

Vin blanc
Côtes-de-Provence
Finesse et puissance avec
des arômes floraux,
de garrigue ou d'iode
(pour les vins du littoral).
Servir à 8°

Par personne
634 Calories (6 pers.)

• Faire ouvrir les moules avec le 1/2 verre de vin blanc. Les retirer et les égoutter au fur et à mesure qu'elles s'ouvrent. Conserver le jus que vous laissez reposer avant de le filtrer. Décoquiller les moules et les réserver dans une jatte.
• Faire cuire le riz « al dente » à la vapeur ou à l'eau.
• Pendant qu'il refroidit, décortiquer les crevettes et les ajouter aux moules.
• Ciseler le persil et hacher finement l'échalote au-dessus de la jatte. Mélanger avec les herbes, sel (peu à cause des moules), poivre, vin blanc de cuisson bien filtré et riz tiédi. Battre l'œuf, le mêler à la farce (à laquelle vous pouvez ajouter une cuillerée de crème fraîche, ce qui n'est pas très méridional mais très bon).
• Demander à votre poissonnier de vider le chapon par la bouche et de vous l'écailler, si possible.
• Remplir l'intérieur du poisson avec la farce et laisser en attente pendant que vous préchauffez le four à th. 6/7 et préparer le « lit » de cuisson : éplucher les légumes, couper les pommes de terre en fines rondelles ainsi que l'oignon, écraser et hacher l'ail.
• Huiler un plat allant au four, ranger dedans les pommes de terre et l'oignon, parsemer d'ail et d'herbes, couper grossièrement les tomates sans les peler, mais en pressant un peu pour éliminer les graines.
• Poser le chapon farci sur les légumes, l'entourer de tomates, saler, poivrer et arroser de vin blanc.
• Huiler le poisson et enfourner pour 25 mn environ.
• Servir dans le même plat avec des croûtons grillés frottés de tapenade.

FILETS DE CARRELETS A LA TOMATE

Préparation : 10 mn
Cuisson : 12 mn

Pour 4 personnes
- 400 g de filets de carrelets
- 3 belles tomates
- 1/2 dl de vin blanc
- 20 g de beure
- 1 c. à café rase de fécule
- Thym
- 1 c. à soupe d'eau
- Sel, poivre

- Faire lever les filets par le poissonnier, les rouler, les maintenir avec un pic en bois.
- Dans un plat, mettre le beurre, les tomates pelées, épépinées et hachées, le vin blanc. Couvrir, cuire 8 mn pg cuisson maxi. Découvrir dès l'ébullition. Ajouter la fécule délayée avec l'eau, assaisonner, mélanger, disposer les morceaux de poisson sur la sauce. Parsemer de thym, cuire 4 mn.

Vin
Tavel
Ce vin rosé gouleyant, fruité, avec une rondeur et une élégance propre présente un équilibre séduisant au palais.
Servir à 7-8°

Par personne
136 Calories

344

COLINOTS AUX CITRONS VERTS

Préparation : 15 mn
Cuisson : 6 mn

• 4 colinots
• 2 citrons verts (zestes et jus)
• Gros sel de mer, poivre

• Faire étêter les colinots par le poissonnier, les laver, les essuyer, les mettre dans un plat, les assaisonner, les arroser de jus de citron, les parsemer de zestes.
• Couvrir, cuire 4 à 6 mn pg cuisson maxi selon grosseur. Servir nature, ou avec une sauce de votre choix.

Vin
Gros-Plant
De la vivacité, une belle acidité toutefois, des arômes plutôt floraux dans une charpente peu rustique.
Servir à 8°

Par personne
170 Calories (4 pers.)

DORADE AU GROS SEL, BEURRE BLANC AU POIVRE

Préparation : 20 mn
Cuisson : 11 mn

Pour 2 personnes
- 1 dorade royale de 600 g
- 4 c. à soupe de gros sel de mer
- 1 c. à café de fleurs de thym
- 60 g de beurre demi-sel
- 3 échalotes
- 1 c. 1/2 à soupe de vinaigre de cidre
- 1 c. à café de poivre mignonnette ou poivre concassé

- Demander à votre poissonnier de vider la dorade par les ouïes et de ne pas l'écailler. La laver, l'éponger.
- Mélanger le gros sel et les fleurs de thym.
- Tapisser un plat ovale, aux dimensions du poisson, de la moitié du mélange. Y coucher la dorade. La couvrir avec le reste du même mélange.
- Glisser le plat dans le four, sélecteur 9, 8 mn.
- Pendant ce temps, éplucher et hacher finement les échalotes, les mettre dans une petite casserole avec le vinaigre.
- Lorsque le poisson est cuit, le réserver dans son plat couvert pendant ce temps, préparer le beurre : glisser la casserole au four, sélecteur 9, 2 mn, le temps que le vinaigre s'évapore complètement. Ajouter alors le beurre et réenfourner pour 30 secondes, sélecteur 9.
- Retirer la casserole du four et fouetter vivement le beurre en y incorporant le poivre mignonnette. Fouetter encore 30 secondes jusqu'à ce que le beurre mousse et blanchisse.
- Retirer la peau de la dorade (elle se détache très facilement grâce aux écailles).
- Lever et dresser les filets dans deux assiettes. Les napper de beurre mousseux et servir aussitôt.

* Accompagner ce poisson d'un «gratin de courgettes» ou de pommes de terre.

Vin blanc
Costières-de-Nîmes
Un beau vin simple, fin, assez vif, aux arômes de fruits secs, d'amande grillée…
Servir à 8-9°

Par personne
461 Calories

FILETS DE DORADE
A LA FONDUE DE TOMATE

Préparation : 5 mn
Cuisson : 20 mn

Pour 4 personnes
- 4 ou 8 filets de dorade surgelés, selon la grosseur
- 200 g de riz étuvé
- 400 g de tomates surgelées
- 300 g d'oignons surgelés
- 2 pincées de safran en filaments
- 1 c. à café de graines de fenouil
- 3 c. à soupe d'huile d'olive
- 1/2 verre de vin blanc sec
- 1 pincée de Cayenne
- Sel, poivre

- Dans une casserole à fond épais, faire chauffer l'huile, ajouter les oignons encore surgelés, les faire rissoler.
- Ajouter les tomates encore surgelées, le Cayenne, le safran et les graines de fenouil. Laisser cuire sur feu doux.
- Dès que le mélange est homogène, verser le vin blanc sec. Mélanger à nouveau et laisser sur feu très doux.
- Pendant ce temps, faire cuire le riz dans 2 fois 1/2 son volume d'eau salée jusqu'à absorption totale du liquide.
- Faire cuire à la vapeur les filets de dorade encore surgelés pendant 6 à 7 mn.
- Dans les assiettes de service, disposer le riz, la fondue de tomate et les filets de dorade. Servir aussitôt.

Vin rouge
Côtes-du-Rhône
Lirac
Aux accents aromatiques de vanille, du mûre, de cassis, d'épices, dans une charpente généreuse de tanins ronds mais présents.
Servir à 14-15°

Par personne
456 Calories

DORADES AU FOUR A LA FAÇON DES PECHEURS

Préparation : 20 mn
Cuisson : 30 mn

Pour 4 personnes
• 2 dorades de 500 g
• 2 tomates
• 1/2 l de vin blanc
• 200 g de beurre
• 50 g de mie de pain
• 2 échalotes
• 1 branche de thym
• 1 feuille de laurier
• 1 gousse d'ail
• 1/4 l d'eau
• Sel, poivre

• Faire écailler, vider et retirer les ouïes des poissons par le poissonnier. Peler les échalotes et l'ail. Les couper en tranches très fines. Concasser le thym et le laurier.
• Porter une casserole d'eau à ébullition. Y plonger les tomates 1 mn, les passer sous l'eau froide, les peler, les couper en deux, retirer les pépins, concasser la chair.
Préchauffer le four th. 7/210° C.
• Beurrer largement un plat à four.
• Saler et poivrer. Parsemer d'échalote, d'ail, d'herbes et de dés de tomate.
• Saler et poivrer l'intérieur des poissons, les déposer dans le plat.
• Mouiller avec le vin blanc et l'eau. Parsemer de noisettes de beurre (100 g) et de mie de pain.
• Glisser au four pour 25 mn, arroser les poissons de temps en temps avec le jus de cuisson.
• Retirer le plat du four, réserver les poissons au chaud.
• Faire réduire dans une petite casserole le jus de cuisson des dorades.
• Ajouter le beurre restant en fouettant.
• Goûter et rectifier l'assaisonnement si nécessaire.
• Servir les poissons avec la sauce à part.

Vin blanc
Costières-de-Nîmes
Vin racé, fin et séduisant.
Arômes de miel,
fruits secs (noisette),
fenouil… Harmonieux
Servir à 8-9°

Par personne
705 Calories

HADDOCK AU CHOU

Préparation : 10 mn
Cuisson : 17 mn

Pour 4 personnes
- 750 g de haddock
- 1 verre de nage de poisson
- 1 c. à café de curry
- 1 petit cœur de chou vert
- 1 oignon, 1 gousse d'ail
- 1 c. à café de beurre
- 4 c. à soupe de crème fraîche
- 1 c. à soupe de ciboulette ciselée
- Pas de sel, poivre blanc moulu

- Couper le haddock en gros dés (essayer de ne pas acheter un morceau d'inégale épaisseur). Les rouler dans le curry et laisser en attente, couvert.
- Hacher fin l'oignon et l'ail. En recouvrir le haddock et laisser macérer. Pendant ce temps, éplucher le chou que vous coupez en tranches (les lanières de feuilles se déferont à la cuisson) et faire cuire 10 mn dans une cocotte avec 1 verre d'eau, couvercle posé, à pleine puissance. Laisser reposer 2 mn avant d'égoutter soigneusement.
- Faire cuire les gros dés de haddock dans la cocotte avec la nage froide. Couvrir et compter 3 mn à th. 9.
- Retirer le couvercle, faire pivoter les dés de poisson sens dessus-dessous. Recouvrir, faire cuire 2 mn. Les sortir pour une post cuisson de 2 mn, toujours couverts, dans leur nage.
- Eponger bien les feuilles de chou et les étaler sur un linge ou du papier absorbant.
- Mettre la crème dans un bol et la délayer avec de la nage de cuisson, oignons et échalotes compris. Ajouter la ciboulette.
- Prélever les dés de haddock, les disposer par 3 ou 4 sur 1 ou 2 feuilles de chou, poivrer et arroser de crème à la ciboulette.
- Refermer les feuilles de chou. Les ranger dans la cocotte sans nettoyer celle-ci où il restera un peu de nage et de hachis d'oignons et échalotes, et recouvrir les dernières feuilles de chou. Arroser avec le reste de crème / nage / ciboulette. Recouvrir et réchauffer la cocotte 2 mn à pleine puissance.
- Servir immédiatement sur des assiettes chaudes avec des pommes de terre ou du riz.

Vin rouge
Minervois
Il évoque le fruit légèrement confit, des notes de cassis avec beaucoup de sève, de la chair en bouche et des tanins très souples.
Servir à 16°

Par personne
309 Calories

HARENGS GRILLES DANS LEUR PEAU

Préparation : 5 mn
Cuisson : 5 mn

• 8 ou 12 harengs (selon grosseur) choisis de préférence «laités» (pleins en hiver) et très frais.
• 1 bol de sauce moutarde.

• Ne pas vider, ne pas écailler les harengs. Retirer seulement les ouïes qui peuvent être sableuses.
• Ranger les poissons sur la grille chauffée moyennement.
• Faire griller 4 ou 5 mn (selon leur grosseur de chaque côté).
• La peau partira toute seule lorsque les poissons seront cuits.
• Servir aussitôt avec de la sauce «portière», par exemple.

* Préparer et cuire de même les lisettes, petits maquereaux de Dieppe que l'on trouve en avril ou les maquereaux, un peu plus grands, de l'été. Les choisir rigides, brillants, le ventre ferme. Les vider par les ouïes et retirer par l'anus légèrement fendu, le petit boyau noir. Le servir avec la sauce précédente ou une purée de groseilles... à maquereaux.

* Les harengs et les maquereaux, poissons gras, n'ont pas besoin d'être huilés avant la cuisson.

* Les gros harengs (200-250 g) et les grands maquereaux (25 cm, 200 g) doivent être légèrement entaillés (3 incisions peu profondes en biais de chaque côté de la partie la plus épaisse du corps.

Vin
Gros-Plant
De la vivacité, une belle acidité, des arômes végétaux et floraux, acidulés (citrons) dans une charpente un peu rustique.
Servir à 8°

Par personne
648 Calories (6 pers.)
972 Calories (4 pers.)
+ 100 Calories/c. à café de sauce

LOTTE CLOUTEE EN VINAIGRETTE

Préparation : 15 mn
Cuisson : 6 mn

Pour 4 personnes
- 500 g de lotte
- 250 g de carottes longues
- 250 g de navets longs
- 3 c. à soupe d'huile d'olive

Vinaigrette d'herbes
- Cerfeuil, persil, ciboulette, estragon...
- Le jus d'1/2 citron
- 10 cl d'huile d'olive 1re pression à froid
- Sel, 3 tours de moulin à poivre

- Tronçonner la lotte sur 10 cm de long et 3 cm de diamètre.
- Tailler les légumes en bâtonnets de même longueur et de même section que le poisson. Les enfiler dans le sens de la longueur de chaque tronçon de poisson.
- Verser 3 cuillères d'huile dans un plat creux. Rouler dedans les tronçons de lotte.
- Couvrir le plat (couvercle de verre ou film). Mettre, dans le four à micro-ondes à th. 8 pour 6 mn. Laisser reposer 4 mn puis assaisonner à votre goût.
- Déposer 2 morceaux de lotte par assiette et napper de vinaigrette d'herbes.

* Vous pouvez « clouter » la lotte avec des anchois (dans ce cas, ne pas saler) ou des lanières de poivron rouge.

Vins blanc
Pouilly-Fuissé
Avec des arômes de noisette, de beurre, d'amande grillée.
Servir à 8-9°

Par personne
346 Calories

PETITS PAVES DE LOTTE AU SAFRAN ET AU FENOUIL

Préparation : 12 mn
Cuisson : 10 mn 30

Pour 4 personnes
- 800 g de lotte (prise près de la tête)
- 4 bulbes de fenouil
- 2 c. à soupe de jus de citron non traité
- 1 c. à soupe d'huile d'olive
- 1 dose de safran en poudre
- 1 pincée de poivre vert, 1 de baies roses
- 1 dz d'olives noires dénoyautées
- 1 tasse à thé (25 cl d'environ) de nage de poisson
- Sel, poivre

Vins blanc
Mâcon-Villages
De 2 ans
Avec de la densité et des arômes généreux : pêche, abricot, tilleul.
Servir à 8-9°

Par personne
265 Calories

- Lever les filets de chaque côté du cartilage dorsal (la lotte n'a pas d'arête). Les couper en 8 cubes d'égale grosseur. Les déposer dans une cocotte, les napper d'huile et les retourner. Les poivrer, mais ne pas les saler encore. Les parsemer de grains de poivre et de baies roses. Les laisser en attente.
- Eplucher, laver, égoutter les bulbes de fenouil. Les couper en deux. Les déposer dans une petite cocotte avec la nage et 1 c. à soupe de jus de citron. Poivrer un peu, ne pas saler. Couvrir et mettre à cuire 6 mn à th. 9. Laisser reposer 2 mn.
- Arroser les cubes de lotte de nage froide. Egoutter les fenouils, verser leur jus sur le poisson. Recouvrir les légumes pour qu'ils restent chauds.
- Mettre le poisson à cuire couvert, pour 2 mn à th. 9. Saupoudrer de safran, recouvrir, saler un peu, basculer les cubes sens dessus-dessous. Faire cuire encore 2 mn à th. 9. Laisser reposer 3 mn.
- Ranger dans un plat de service les cubes de lotte et les demi-bulbes de fenouil. Ajouter les olives noires et bien récupérer les grains de poivre et les baies roses. Les disperser sur les ingrédients. Couvrir et tenir au chaud.
- Mélanger les 2 jus (de fenouil et de lotte) dans la petite cocotte. Mettre dans le four à micro-ondes, couvert pour 30 secondes de réchauffage à pleine puissance.
- Sortir et verser sur le plat à servir. La chaleur du jus suffira à réchauffer le plat. Servir aussitôt.

ROTI DE LOTTE AUX PLEUROTES

Préparation : 10 mn
Cuisson : 30 mn

Pour 4 personnes
- 1,2 kg de lotte surgelée
- 800 g de pleurotes surgelées
- 2 gousses d'ail
- 4 c. à soupe d'huile
- 50 g de beurre
- 1 bouquet de persil
- 1 dl de vin blanc sec
- Sel, poivre

- Laisser décongeler à température ambiante le rôti de lotte ou 10 mn au four à micro-ondes. Décongeler les pleurotes en les étalant sur du papier absorbant pour retirer l'excédent d'eau 4 mn au micro-ondes.
- Dans une cocotte, faire chauffer l'huile, y faire dorer la lotte sur toutes ses faces, saler et poivrer. Puis mouiller avec le vin blanc. Couvrir et laisser cuire sur feu doux pendant 20 mn.
- Peler et émincer l'ail.
- Ciseler le persil.
- Dans une sauteuse, faire chauffer le beurre, y faire revenir les pleurotes, laisser cuire sur feu moyen pendant 5 mn. Baisser le feu et ajouter l'ail et le persil. Saler et poivrer, laisser cuire encore 10 mn.
- Retirer la lotte de la cocotte, lever les filets pour retirer l'arête centrale et les couper en morceaux. Les déposer sur les pleurotes et servir aussitôt.

Vin
Condrieu
Ce fameux vin des Côtes du Rhône septentrionales est plein, sèveux, fruité, charpenté. Des notes de fleurs jaunes, de fruits (abricots, coing…) de grillé…
Servir à 9°

Par personne
490 Calories

LOUP AU GROS SEL

Préparation : 15 mn
Cuisson : 30 mn

- 1 loup d'environ 1,2 kg
- 1 bouquet d'herbes diverses : persil, aneth, cerfeuil, ciboulette etc.
- 1 c. à soupe de beurre demi-sel.
- 1 c. à café de poivre mignonnette
- 1,5 kg à 3 kg de gros sel.

• Mixer ou hacher les herbes effeuillées, réserver les tiges. Travailler dans une coupelle le beurre avec la moitié du poivre et les herbes. Faire une sorte de pâte que vous introduirez à l'intérieur du poisson vidé par les ouïes et non écaillé.
• Couper une feuille d'aluminium quatre fois longue comme le poisson. La replier en deux et étaler le tiers du sel dessus et bien au centre. Répartir les fines herbes et même les feuilles rejetées parce que moins belles. Poser le poisson dessus et replier vers le milieu les deux grands côtés de la double feuille.
• Enrouler serré les épaisseurs d'aluminium de la tête à la queue d'un côté puis de l'autre mais ne pas réunir les deux bouts du papier. Poivrer le poisson par la fente restée ouverte puis finir de le couvrir de sel. En pressant doucement sur le dessus du poisson, répartir régulièrement le sel.
• Fermer hermétiquement les deux bords du papier aluminium et faire cuire 25 à 30 mn à four préchauffé à la plus forte puissance.
• Laisser reposer ensuite 10 mn, four éteint et entrouvert. Puis ouvrir la papillote, casser la croûte de sel qui entraînera la peau et les écailles et poser le poisson sur un plat chauffé.
• Il ne sera pas salé et chacun l'assaisonnera à son goût.
L'accompagner d'une sauce crème et thym ou crème et moutarde et d'un Graves blanc frais.

Vin blanc
Graves
Vin de Bordeaux à la fois puissant, tendre, seveux, fin avec une belle mâche grâce à sa densité et aux arômes généreux de fleurs, d'agrumes (mangue…), de fumée de bois…
Servir à 10°

Par personne
298 Calories (4 pers.)
+ 88 Calories/c. à soupe de crème

MAQUEREAUX AU GROS SEL DE MER

Préparation : 20 mn
Cuisson : 35 mn

Pour 4 personnes
- 1,5 kg de maquereaux (4 pièces environ)
- 2 kg de gros sel marin
- 4 branches de thym
- 100 g de beurre
- 1 citron
- Poivre du moulin

- Préchauffer le four th. 9 (270°).
- Vider et nettoyer les maquereaux. Les sécher dans du papier absorbant.
- Déposer 1 branche de thym dans chaque poisson.
- Couvrir le fond d'un grand plat à four, long et creux, d'une épaisse couche de sel. Y déposer les maquereaux, les recouvrir de sel.
- Glisser le plat au four et laisser cuire 35 mn.
- Faire fondre le beurre sans le laisser prendre couleur, ajouter le jus du citron, poivrer.
- Sortir le plat du four. Servir dans le plat de cuisson afin de briser la croûte de sel devant les invités. Servir le beurre fondu à part.

Vin
Gros-Plant
Ce vin rustique mais très plaisant conviendra à ce mets par sa vivacité, son côté friand, ses arômes citronnés et floraux.
Servir à 8°

Par personne
864 Calories

MORUE BRETONNE

Préparation : 15 mn
Cuisson : 26 mn

- 400 g de morue
- 2 gros oignons
- 600 g de pommes de terre moyennes
- 1,5 dl de crème fraîche
- 3 c. à soupe d'eau
- Poivre

• La veille, mettre la morue à dessaler dans de l'eau, la changer plusieurs fois.
• Laver les pommes de terre, les piquer, les mettre dans un récipient avec 2 cuillerées d'eau, couvrir, cuire 8 à 12 mn pg cuisson maxi selon grosseur. Les éplucher, les couper en tranches. Dans un bol, mettre les oignons en fines rondelles avec 1 cuillerée d'eau. Couvrir, cuire 4 mn.
• Dans un plat à manqué, disposer par couches successives les pommes de terre, la morue coupée en dés, les oignons et la crème. Poivrer, couvrir, cuire 8 à 10 mn.

Vin rosé
Rosé des Côtes-de-Provence
Du nerf, de la vivacité dans un fruité remarquable et des épices poivrés plein la bouche.
Servir à 8°

Par personne
347 Calories

RAIE AU CITRON ET AUX CAPRES

Préparation : 20 mn
Cuisson : 20 mn

Pour 4 personnes
- 4 petites ailes de raie surgelées
- 5 citrons verts
- 4 c. à soupe de câpres
- 4 tranches de pain de mie
- 200 g de beurre
- 8 pommes de terre nouvelles
- quelques pâtissons
- 1 zeste d'orange
- Quelques feuilles de persil
- Sel, poivre

- Faire décongeler la raie sous un filet d'eau froide.
- Peler à vif 4 citrons verts, puis dégager les quartiers.
- Couper les tranches de pain en petits cubes.
- Peler les pommes de terre.
- Emincer le zeste d'orange.
- Faire cuire les pommes de terre à la vapeur pendant 10 mn. Réserver au chaud.
- Faire cuire à la vapeur les ailes de raie pendant 6 mn. Dans une poêle, faire fondre 50 g de beurre, y faire rissoler les croûtons.
- Dans une petite casserole, faire fondre le reste du beurre sans le laisser noircir (au besoin faire cette opération au bain-marie). Ajouter le jus du citron restant, les quartiers de citron, le zeste d'orange, les câpres et les pâtissons. Saler et poivrer. Laisser chauffer 5 mn.
- Retirer les cartilages de la raie.
- Déposer la chair sur les assiettes de service ainsi que les pommes de terre. Arroser avec le beurre au citron.
- Servir aussitôt.

Vin blanc
Entre-Deux-Mers
Cet excellent vin blanc de Bordeaux est à la fois souple et nerveux, gouleyant et vif. Des arômes de fleurs, de fruits exotiques (agrumes).
Servir à 8-9°

Par personne
618 Calories

RAIE AU BEURRE NOISETTE

Préparation : 5 mn
Cuisson : 17 mn

- 4 morceaux de raie
- 1 gros oignon
- 4 c. à soupe de jus de citron
- Thym, laurier
- 40 g de beurre
- 1 c. à soupe de chapelure
- Sel, poivre

• Eplucher l'oignon, le couper en rondelles fines, le précuire dans un bol couvert 3 mn pg cuisson maxi avec 1 cuillerée d'eau. Le mettre dans un plat avec les morceaux de raie, arroser avec le jus de citron, assaisonner, disposer le thym et le laurier, couvrir, cuire 8 à 10 mn. Dans un bol, mettre la chapelure et le beurre, assaisonner, chauffer 3 à 4 mn jusqu'à coloration.

Vin blanc
Cassis
Des notes florales rappelant l'acacia et les genêts fleuris, des notes fruitées (citron, abricot) dans de la fraîcheur et de la souplesse.
Servir à 8°

Par personne
185 Calories

ROUGETS A L'HUILE D'OLIVE

Préparation : 30 mn
Cuisson : 10 mn
M.O. 4 mn

Pour 4 personnes
- 4 rougets moyens surgelés
- 1 bouquet de coriandre
- 1 bouquet de menthe
- 4 c. à soupe d'huile d'olive vierge
- Sel, poivre du moulin

- Laisser décongeler les rougets à température ambiante ou 3 mn au micro-ondes.
- Les écailler à l'aide d'un couteau en les grattant et lever les filets en faisant glisser la lame d'un couteau bien aiguisé (filet de sole).
- Laver et essuyer délicatement les feuilles de menthe et de coriandre. Les mettre dans le bol du Magimix, ajouter l'huile d'olive, sel et poivre. Bien mixer le tout pour obtenir une purée verte.
- Préchauffer le four th. 6/180°.
- Napper les filets de rouget de cette purée. Les enfermer deux par deux dans une papillote de papier sulfurisé et enfourner pour 10 mn.
- Servir aussitôt avec du riz créole ou des fonds d'artichauds cuits à la vapeur.

Micro-ondes :
- Piquer la papillote avec une épingle et glisser au four à micro-ondes pour 4 mn.

Vin blanc
Bandol
Des arômes floraux
(acacia, chèvrefeuille) le
fenouil, la résine de pin et
les fruits exotiques dans
une bouche suave et
harmonieuse.
Servir à 9-10°

Par personne
352 Calories
+ 80 Calories/portion
d'artichauts
+ 105 Calories/portion
de riz

SAUMON AU LARD

Préparation : 20 mn
Cuisson : 15 mn

- 1 saumon d'1,2 kg environ
- 25 g de beurre
- 150 g de lard de poitrine salé
- 10 cl de jus de veau ou de volaille
- 1 citron non traité
- 10 cl de crème fleurette
- Sel et poivre noir concassé

• Faire par le poissonnier, retirer la peau, lever les filets et les poser à plat sur une planche. Retirer toutes les arêtes pouvant rester, à la pince à épiler. Vérifier que vous n'en avez pas oublié en passant le doigt à contre-fil de la chair. Réserver.
• Préchauffer le four à th. 8/9.
• Beurrer un plat allant au four.
Y déposer les lardons taillés en lanière. Les passer au four pour les raidir et les fondre quelques minutes.
• Sortir le plat du four. Ranger les filets sur les lardons, côté peau dessus. Pencher un peu le plat et arroser le poisson avec la graisse rendue. Saler peu à cause des lardons et poivrer. Enfourner pour 8 mn environ.
• Presser le jus du citron.
• Sortir le plat, ranger les filets dans un plat de service chauffé avec, autour, les lardons.
• Tenir au chaud (par exemple dans le four ouvert et éteint).
• Poser le plat de cuisson sur le feu (mettre un diffuseur s'il n'est pas conçu pour les deux usages) et déglacer la cuisson avec le jus du citron, le jus de viande et la crème fraîche. Laisser faire quelques bouillonnements, goûter et rectifier l'assaisonnement et napper le poisson.

Vin
Montrachet
Bouquet d'amande et de pain grillé avec des notes de fruits (abricot, pêche) et de la vanille, le tout dans de la soie et une charpente moelleuse.
Servir à 9-10°

Par personne
777 Calories (4 pers.)

TAGLIATELLE AU SAUMON FUME

Préparation : 10 mn
Cuisson : 5 mn

Pour 4 personnes
- 350 g de tagliatelle (ou fraîches)
- 3 l 1/2 d'eau
- 200 g de saumon fumé
- 100 g d'œufs de saumon
- 6 c. à soupe de crème fraîche
- Le jus d'1/2 citron
- 1 c. à soupe de ciboulette ciselée
- Quelques petites branches d'aneth frais
- Sel, poivre rose du moulin

- Porter à ébullition 3 l 1/2 d'eau.
- Couper le saumon en lanières.
- Mettre la crème dans une sauteuse avec la moitié du saumon et des œufs, le jus de citron, la moitié de la ciboulette, quelques branches d'aneth.
- Lorsque l'eau bout, saler. Faire cuire les pâtes.
- Les égoutter «al dente». Les verser dans la sauteuse, poivrer, mélanger.
- Porter à ébullition, laisser quelques instants. Enlever du feu et verser sur un plat de service chaud en disposant dessus, les lanières et les œufs de saumon restants.
- Eparpiller le reste de ciboulette et d'aneth.
- Servir rapidement dans des assiettes chaudes.

Vin
Haut-Poitou blanc
(Sauvigon)
La discrétion de cette appellation n'empêche nullement ses grandes qualités :
vin charpenté, chaleureux, vif, au nez de violette, de fruits exotiques (pamplemousse) avec finale vive.
Servir à 8°

Par personne
606 Calories

PANACHE DE LA MER A LA VAPEUR D'ALGUES

Préparation : 20 mn
Cuisson : 12 mn
M.O. 6 mn

Pour 4 personnes
- 2 rougets surgelés
- 4 filets de sole surgelés
- 2 filets de cabillaud surgelés
- 4 darnes de lotte surgelées
- 2 poireaux
- 3 carottes
- 400 g de brocoli surgelés
- 1 dl de fumet de poisson
- 4 c. à soupe de crème fraîche
- 1 bouquet de cerfeuil
- 2 c. à soupe de poivre mignonnette
- 2 poignées d'algues
- Sel, poivre

• Laisser décongeler les poissons à température ambiante ou 5 mn au four micro-ondes.

• Pendant ce temps, peler les carottes, les couper en bâtonnets. Nettoyer les poireaux et les couper en lanières. Réserver le tout.

• Ecailler les rougets et lever les filets. Recouvrir le tour des darnes de lotte de mignonnette.

• Faire cuire à la vapeur les carottes, les poireaux et les brocoli (encore surgelés) pendant 6 mn. Réserver au chaud.

• Dans une petite casserole, verser le fumet de poisson, la crème, poivre et cerfeuil. Porter à ébullition puis baisser le feu.

• Dans la partie supérieure d'un cuisson-vapeur, mettre les algues, y déposer les tranches de lotte, laisser cuire 3 mn puis ajouter les rougets, le cabillaud et les filets de sole. Laisser cuire encore 3 mn.

• Dans les assiettes de service, déposer les poissons en faisant un panaché, ajouter les légumes. Servir la sauce à part.

Micro-ondes :
• Faire cuire les poissons à la vapeur sur les algues en commençant par les plus épais (lotte) pendant 3 mn. Ajouter les autres filets et compter encore 3 mn à couvert et à pleine puissance.

Vin blanc
Mercurey
Vin vif, frais, aux arômes légèrement musqués, une pointe d'amande verte, de réglisse et de boisé.
Servir à 9-10°

Par personne
592 Calories

SAINT-PIERRE EN MOUSSE VERTE

Préparation : 10 mn
Cuisson : 21 mn

Pour 4 personnes
- 4 filets de Saint-Pierre
- 15 cl de nage de poisson (peut être fait avec les « parures » de Saint-Pierre
- 300 g de brocoli
- 2 belles ciboules ou 2 petits poireaux
- 40 g de beurre
- 2 c. à soupe de sauce béchamel
- 3 c. à soupe de crème fraîche
- 1 c. à soupe de persil simple ciselé fin

- Séparer les brocoli en petits bouquets. Les mettre dans la cocotte avec 2 c. à soupe d'eau. Couvrir et enfourner pour 8 mn à th. 9. Compter 2 mn de repos.
- Préparer la sauce béchamel et la laisser couverte en attente.
- Egoutter les brocoli. Eplucher les ciboules, les fendre sur leur longueur aux 2/3 à partir du vert tendre.
- Mixer ou passer au tamis les brocoli bien égouttés. Leur ajouter la béchamel et bien mélanger. Remettre la purée obtenue à réchauffer 2 mn à th. 7. Repos : 1 mn, toujours couvert.
- Verser la nage dans le plat et déposer dedans les filets de poisson. Parsemer le dessus de ceux-ci de petits pois de beurre. Couvrir et faire cuire 2 mn de chaque côté à th. 9. Sortir et laisser reposer 2 mn.
- Faire réchauffer la sauce béchamel 2 mn à th. 9.
- Mixer les brocoli égouttés avec la moitié de la crème fraîche, du sel et du poivre à votre goût. Ajouter ensuite, en travaillant à la cuillère en bois, la béchamel pour rendre la purée plus onctueuse.
- Remettre à réchauffer 3 mn à th. 9. Repos de 1 mn
- Pendant ce temps, ranger les filets sur un plat chaud de service avec les ciboules (ou les poireaux) de chaque côté. Couvrir pour garder chaud.
- Mettre le plat creux de cuisson avec son jus à réchauffer 2 mn à th.9.
- Disposer, pendant ce réchauffage, la purée verte, moitié sur une partie des filets, moitié sur le plat. Saupoudrer de persil.
- Verser le jus bouillant dans un bol avec le reste de crème, fouetter pour homogénéiser, et verser autour et sur le poisson ou offrir en saucière, chacun se servant à son gré.

Vin blanc
Vouvray sec
Tendre, vif, nerveux, rond, souple avec des arômes de pierre à fusil, de fourrure, de craie et des notes de fruits jaunes (coing, abricot).
Servir à 8-9°

Par personne
260 Calories

FILETS DE SOLE AUX CEPES

Préparation : 15 mn
Cuisson : 20 mn

Pour 4 personnes
- 12 filets de sole surgelés
- 500 g de cèpes surgelés
- 3 c. à soupe d'échalotes émincées surgelées
- 1 c. à café d'ail émincé surgelé
- 40 g de beurre
- 1 c. à soupe d'huile
- 3 branches de persil plat
- Sel, poivre

- Laisser décongeler à température ambiante les filets de sole ainsi que les cèpes. Puis déposer les champignons sur du papier ménage pour retirer l'excédent d'eau.
- Couper en biais les filets de sole en lanières. Réserver.
- Dans une poêle anti-adhésive, faire chauffer l'huile et le beurre. Y faire rissoler les cèpes 15 mn, ajouter les échalotes et l'ail, sel et poivre. Mélanger le tout. Saupoudrer de persil ciselé. Laisser cuire 2 mn sur feu doux.
- Dans la partie inférieure d'un cuisson-vapeur, verser 1 l d'eau. Porter à ébullition. Sur la partie supérieure déposer les lanières de sole. Saler et poivrer. Couvrir et laisser cuire 2 mn.
- Dans les assiettes de service, déposer les lanières de sole et les cèpes.
- Servir aussitôt.

Vin
Sancerre
De la jeunesse, de la fraîcheur.
Tout y est souple et vif avec des odeurs végétales, florales (genêt, feuilles de cassis, tilleul...) et du fruit exotique.
Servir à 8°

Par personne
269 Calories

FILETS DE SOLE A LA CREME

Préparation : 5 mn
Cuisson : 8 mn

- 600 g de filets de sole
- 4 c. à soupe de crème fraîche
- 1/2 verre de vin blanc sec
- Thym, laurier, persil
- 2 échalotes
- 30 g de beurre de crevettes
- 2 branches de cerfeuil
- Sel, poivre

• Disposer les filets dans un plat avec le thym, les échalotes et le persil haché, le laurier, le vin blanc, assaisonner, couvrir, cuire 4 à 5 mn pg cuisson maxi.
• Filtrer le jus de cuisson, le mélanger à la crème, ajouter le beurre de crevettes, faire réduire dans un bol 2 à 3 mn.
• Arroser les filets (pour une meilleure présentation, rouler les filets en les maintenant avec un pic en bois).
• Servir avec des tagliatelle. Décorer de cerfeuil.

Vin
Rully
Arômes fins, subtils mais francs. Ils évoquent l'amande, l'acacia et le chèvrefeuille. Vin frais, fruité et sec.
Servir à 9°

Par personne
247 Calories (4 pers.)

THON A LA BASQUAISE

Préparation : 15 mn
Macération : 1 h
Cuisson : 20 mn

- 4 darnes de thon de 2 cm d'épaisseur
- 4 gousses d'ail
- 1 verre d'huile d'olive pimentée
- 1 bouquet de persil plat
- Sel, poivre, tabasco en
Accompagnement
- Tomates, poivrons rouges et verts, oignons.

- Laver et essuyer les darnes.
Les placer dans un plat creux allant sur le feu. Arroser d'huile d'olive et de tabasco et laisser macérer 1 h environ.
- Pendant ce temps, éplucher les légumes : épépiner et tailler en lanières les poivrons, émincer les oignons, peler et épépiner les tomates.
Les couper en quatre. Réserver.
- Peler, écraser et hacher les gousses d'ail, les ajouter aux légumes.
- Chauffer la grille à chaleur moyenne.
- Retirer les darnes de thon de la macération, retirer la peau qui entoure chaque tranche pour qu'elle ne se recroqueville pas en cuisant, déposer sur une assiette.
- Verser les légumes dans le plat de macération avec l'ail. Poser sur la grille. Baisser le couvercle du gril et faire cuire 15 mn.
- Après ce temps, ouvrir l'appareil, poser les tranches de thon sur la grille. Les faire griller 2 mn d'un côté puis 1 mn de l'autre.
- Déposer les darnes dans le plat sur - et dans - les légumes cuits. Saler et poivrer à votre goût. Couvrir le plat d'une feuille d'aluminium.
- Fermer le couvercle du gril, laisser encore mijoter 2 mn.
- Servir aussitôt avec un aïoli.

Vin rouge
Irouléguy
Vin parfumé, avec du fruité (fruits rouges, mûres en confit), des senteurs de pruneaux, de sous-bois, de la fraîcheur et de la vivacité.
Servir à 15°

Par personne
666 Calories (4 pers.)

TRUITES AU CONCOMBRE

Préparation : 15 mn
Cuisson : 16 mn 30

- 4 truites
- 2 échalotes
- 1 concombre
- Le jus d'1/2 citron
- 30 g de beurre
- 1 jaune d'œuf
- Sel, poivre

• Eplucher concombre et échalotes, couper le concombre en dés, les échalotes en fines lamelles. Ajouter le beurre, couvrir, cuire 6 mn pg cuisson maxi.
• Egoutter le jus, le verser en fouettant sur le jaune d'œuf, assaisonner, ajouter le jus de citron.
• Sur un plat, disposer les truites vidées et essuyées, puis le concombre et les échalotes précuits. Couvrir, cuire 3 mn puis 4 à 6 mn pg mijotage.
• Faire chauffer la sauce 20 secondes, fouetter, remettre 10 secondes, fouetter. Servir. La sauce ne doit pas bouillir.

Vin blanc
Saint-Joseph
Dans sa charpente
délicieusement vive, du
gras, du soyeux avec
des notes boisées,
du sous-bois (fougère),
fumées, de rose,
de violette…
Servir à 9°

Par personne
304 Calories (4 pers.)

TRUITES AUX CHARBONNIERS

Préparation : 30 mn
Cuisson : 30 mn

• 4 truites de rivière
(si vous avez un pêcheur dans la famille)
• 240 g de charbonniers
(champignons - russules)
• 3 échalotes grises
• 25 cl de vin blanc d'Ambierle
• 30 cl de crème fraîche épaisse
• 2 branches de persil simple
• 1/4 de botte de ciboulette
• 1 citron non traité
• 50 g de beurre
• Sel, poivre noir frais moulu

Vin blanc
Crozes Hermitage
Vin délicat, fin, plein de charmes tant par sa charpente de velours que par ses arômes (tilleul, miel, pain d'épices, fruits de la passion…).
Servir à 8°

Par personne
464 Calories

• Votre poissonnier videra le poisson par les ouïes et retirera l'arête dorsale en laissant les filets intacts. Conserver les arêtes pour le court-fumet : mettre dans une casserole les queues de persil, les arêtes. Réserver.
• Nettoyer les charbonniers. Raccourcir les queues sans la base terreuse, jeter ces queues hachées dans la casserole. Hacher fin les échalotes et en jeter 2 dans la casserole. Mouiller avec le vin blanc, faire réduire à feu doux avec une pincée de poivre.
• Dans une autre casserole, faire fondre une c. de beurre et mettre la dernière échalote hachée. Poser l'ustensile sur feu doux, essuyer le chapeau des champignons. Les émincer, retailler les lamelles en 2. Les ajouter aux échalotes avec un peu d'écorce de citron. Saler, poivrer, remuer et laisser cuire 10 mn. Conserver l'eau rendue par les champignons pour le fumet.
• Préchauffer le four th. 6. Prendre un plat allant au four. Le beurrer. Mettre de la farce dans chaque truite, refermer. Déposer les poissons dans le plat, les arroser d'une c. de fumet passé au chinois, déposer une noisette de beurre sur chaque truite. Couvrir le plat d'une feuille d'alu. Et enfourner pour 8 mn.
• Sortir le plat, retourner les truites, reposer la feuille dessus, baisser le th. à 5 et laisser cuire encore 4 à 6 mn, selon le goût. Eteindre, laisser au chaud (four entrouvert).
• Passer le fumet au chinois en pressant un peu les ingrédients. Ajouter la crème, faire faire, sur feu vif, 1 ou 2 bouillons. Saler, poivrer et citronner (la moitié du jus du fruit). La sauce frémit à nouveau : ajouter le reste du beurre, fouetter, verser sur les truites parsemées de persil et de ciboulette ciselée. Offrir des assiettes brûlantes.

TURBOT A L'HUILE PIMENTEE

Préparation : 15 mn
Macération : 1 h
Cuisson : 13 mn

- 1 turbot (ou 1 barbue) de 1,5 kg environ
- 4 c. à soupe d'huile pimentée
- 1 branche de thym
- 1 citron non traité
- Sel, poivre, muscade
- 1 verre de crème fraîche
- 1 tasse de tomates concassées cuites.

- Faire retirer la peau du poisson et le déposer dans un grand plat. L'arroser d'huile pimentée et le saupoudrer de thym effeuillé. Le laisser macérer au frais (mais pas au froid) 1 h environ.
- Chauffer la grille à température moyenne. Faire griller le poisson entier 5 mn de chaque côté.
- Pendant ce temps, râper le citron lavé et séché. Mêler cette rapure à la crème fraîche que vous mettrez dans un récipient allant sur le feu. Le poser sur le côté de la grille.
- En retournant, à l'aide de deux spatules, le turbot sur la grille, saler et poivrer le côté grillé, l'arroser de quelques gouttes de citron.
- Prendre un plat à gratin de la taille du turbot, verser dedans la concassade de tomates. Le mettre sur le côté de la grille.
- Lorsque le poisson est prêt, le déposer dans le plat avec précaution, car il est devenu fragile, l'arroser avec la crème assaisonnée et fermer le couvercle.
- Baisser la flamme Butagaz à doux.
- Laisser reposer le poisson 3 mn puis servir dans le plat de cuisson avec un citron coupé en quartiers.

Vin blanc
Côte-de-Saint-Mont
Des notes complexes agréables, de miel, de tilleul, d'acacia, de fruits exotiques avec beaucoup de finesses dans la charpente.
Servir à 9°

Par personne
648 Calories (4 pers.)

BROCHETTES DE POISSON

Préparation : 20 mn
Cuisson : 15 mn

Pour 4 personnes
• 500 g de lotte
• 12 tranches de bacon
• 4 oignons
• 1/2 boîte d'ananas en tranches
• 20 g de beurre
• Sel, poivre

• Couper la lotte en morceaux.
• Peler les oignons, les couper en quartiers.
• Sur des brochettes en bois, piquer les morceaux de lotte en les intercalant avec les tranches de bacon, les quartiers d'oignon et des quarts de tranches d'ananas. Saler légèrement et poivrer.
• Faire fondre le beurre dans une petite casserole. A l'aide d'un pinceau, en enduire les brochettes.
• Préchauffer un gril, y faire cuire les brochettes pendant 15 mn, en les retournant de temps en temps. Servir bien chaud avec un riz créole et des quartiers de citron.

Vin blanc
Bergerac (sec)
Finesse élégante avec un fruité très voluptueux, aux arômes intenses, persistants. Belle structure.
Servir à 8-9°

Par personne
425 Calories

BLANQUETTE DE POISSON

Préparation : 8 mn
Cuisson : 8 mn

Pour 4 personnes
- 650 g de filets de poissons (merlan, Saint-Pierre, sole etc. choisis tous de la même épaisseur)
- 4 blancs de poireaux assez petits
- 4 petites carottes tendres
- 1 botte de petits oignons blancs avec leur tige verte
- 1 bouquet garni (avec céleri)
- 1 c. à soupe rase de beurre demi-sel
- 15 cl de fumet de poisson
- 12 cl de vin blanc sec
- 1 fragment de zeste de citron non traité
- 1 pot (25 cl) de crème fraîche épaisse
- Sel, poivre blanc
- Pincée de muscade
- 3 branches de cerfeuil
- 1 jaune d'œuf (facultatif)

- Tronçonner les poireaux sur 2 cm, couper les carottes en petits dés réguliers, éplucher les oignons en leur laissant leur tige verte.
- Verser dans la cocotte, le vin blanc, le fumet et le beurre. Déposer les oignons, les carottes et le bouquet garni. Couvrir et, à toute puissance, cuire 3 mn.
- Ajouter les blancs de poireaux, recouvrir et cuire encore 2 mn.
- Retirer les légumes avec l'écumoire. Les mettre dans un plat creux.
- Fouetter le jus de citron avec la crème. Disposer les filets de poisson dans la sauce. Recouvrir de légumes, saler un peu, poivrer et saupoudrer de muscade. Recouvrir et faire cuire 3 mn, toujours à th. 9.
- Pendant ce temps, séparer dans un bol, le jaune du blanc. Effeuiller le cerfeuil.
- Sortir la cocotte, en la penchant, prélever le maximum de jus que vous ajoutez en fouettant au jaune d'œuf. Reverser dans la cocotte et recouvrir. Laisser reposer 2 mn. La chaleur suffira à achever la cuisson des poissons et à cuire, sans le coaguler, le jaune d'œuf*.
- Servir saupoudré de cerfeuil.

* Si par hasard, la sauce avait commencé à coaguler, il suffira de disposer la blanquette, prélevée avec l'écumoire, sur un plat chaud, et de fouetter très rapidement ou de mixer la sauce qui retrouvera aussitôt sa fluidité.

Vin
Riesling
Le plus racé dans sa catégorie donne des arômes exotiques (fruits de la passion), de pain grillé, avec des notes épicées, minérales…
Le tout dans de l'élégance, du raffinement.
Servir à 9°

Par personne
331 Calories

BOURRIDE TROPEZIENNE

Préparation : 40 mn
Cuisson : 40 mn

Pour 8 personnes
- 1 loup de 2 kg
- 4 Saint-Pierre de 500 g
- 1 lotte de 1,2 kg
- 2 soles à filets de 800 g
- 4 merlans de 300 g
- 1 baguette de pain
- 1 tête d'ail

Soupe
- 3 oignons
- 3 têtes d'ail
- 1/4 de pied de céleri branche
- 3 l de fumet de poisson
- 1 bouquet garni
- 3 fenouils
- 1 petit bouquet de branches de fenouil sec
- 25 cl d'huile d'olive
- 8 jaunes d'œufs
- 1 carotte
- 1 branche de céleri

Aïoli
- 2 têtes d'ail
- 500 g de pommes de terre
- 75 cl d'huile d'olive
- 4 jaunes d'œufs

Vin rosé
Côtes-de-Provence
Servir à 8-9°
Vin rouge
Côte-de-Provence
Servir à 15-16°

Par personne
913 Calories
+ 610 Calories (sauce)

- Votre poissonnier lèvera les filets de poissons. Couper les filets de loup en 8 parts. Escaloper les filets de lotte en tranches de 100 g.
- Rouler les filets de sole, les maintenir avec un pique en bois. Réserver les poissons au froid.
- *Soupe :* peler et émincer les oignons. Peler l'ail. Nettoyer et émincer les fenouils. Dans une grande casserole, faire chauffer l'huile d'olive, y faire suer les oignons et les fenouils 5 mn sans laisser colorer. Ajouter l'ail. Mouiller avec le fumet, ajouter le bouquet garni et saler modérément. Laisser cuire 30 mn sur feu moyen puis chinoiser. Réserver. Peler la carotte. Retirer les filaments de la branche de céleri. Tailler le tout en brunoise (en tout petits morceaux). Dans une casserole, faire fondre le beurre, y faire étuver la brunoise 10 mn en remuant de temps en temps.
- *Aïoli :* peler les pommes de terre, les faire cuire 20 mn à la vapeur. Les passer au tamis pour en faire une purée très fine.
- Peler et piler l'ail. Y ajouter la purée, 4 jaunes d'œufs. Saler. Bien mélanger, puis monter l'aïoli à l'huile d'olive, comme pour une mayonnaise. Réserver. Couper la baguette en rondelles fines, les faire dorer au four puis les frotter à l'ail.
- Dans une sauteuse, verser la soupe. Ajouter les escalopes de lotte et les paupiettes de sole. Porter à ébullition sur feu moyen, ajouter le loup, le Saint-Pierre et les merlans. Laisser cuire 4 mn.
- Dans les assiettes creuses chauffées, disposer les croûtons, les filets de poissons, la brunoise. Réserver au chaud. Incorporer l'aïoli à la soupe, les 8 jaunes d'œufs un à un en mélangeant bien. Passer le tout au chinois.
- Servir aussitôt.

CHOUCROUTE DE POISSON

Préparation : 30 mn
Cuisson : 15 mn

Pour 4 personnes
- 1 filet de haddock
- 1 queue de lotte de 500 g environ
- 1 filet de saumon
- 4 petits filets de sole
- 1 kg de choucroute cuite
- 1 dl de vin blanc sec
- 1/2 l de lait
- 1/2 l de court-bouillon
- 4 œufs entiers
- 1/2 dl de vinaigre

- Couper le haddock et le saumon en morceaux, la lotte en 8 morceaux.
- Faire pocher le haddock 10 mn dans le lait frémissant.
- Dans la partie inférieure d'un couscoussier, verser le bouillon et l'eau.
- Couvrir et porter à ébullition.
- Déposer les autres poissons sur la partie supérieure, couvrir et laisser cuire à la vapeur 5 à 8 mn.
- Pendant ce temps, faire réchauffer sur feu doux la choucroute avec le vin blanc.
- Porter à ébullition une casserole d'eau vinaigrée. Baisser le feu, l'eau doit frémir.
- Ajouter les œufs un à un pour les faire pocher 3 mn, les retirer.
- Sur des assiettes de service, déposer la choucroute, les poissons et les œufs pochés.
- Servir aussitôt.

Vin rouge
Riesling Grand Cru
Nez intense, mi-floral, mi-fruité, arômes riches et intenses, frais, croquant et charnu, vif et tendre.
Opulent et généreux.
Servir à 8-9 °

Par personne
680 Calories

COTES D'AGNEAU ROULEES AUX HERBES

Préparation : 12 mn
Cuisson : 8 mn 30

Pour 4 personnes :
- 8 côtes premières d'agneau
- 1 bouquet d'herbes diverses
- 1 gros oignon, 1 gousse d'ail
- 1 «œuf» de mie de pain rassis
- 1 verre de vin blanc sec
- 2 ou 3 petits champignons de Paris
- 1 c. à soupe d'huile d'olive
- Sel, poivre, pincée de romarin en poudre

- Hacher très fin l'oignon et l'ail écrasé.
- Faire chauffer le plat à brunir. Puis verser 1/2 cuillère d'huile et mettre le hachis à fondre 3 mn à th. 8.
- Ciseler les herbes dans une jatte. Ajouter la mie de pain et la couvrir d'une cuillère de vin blanc.
- Hacher finement les champignons, les ajouter au hachis, couvrir et faire fondre 2 mn à th. 7. Laisser reposer 2 mn.
- Mélanger la cuisson au contenu de la jatte. Saler un peu, poivrer et ajouter le romarin. Mélanger bien à la fourchette de façon à obtenir une pâte souple mais cohérente.
- Retirer l'os de la viande, pour avoir une noix d'agneau tenant à l'os et une longue bande de chair. Tartiner l'intérieur de cette bande avec le hachis, tout en l'enroulant sur elle-même. Tenir avec un peu de ficelle si nécessaire.
- Remettre à chauffer le plat à brunir, essuyé mais pas lavé. Ajouter la moitié du reste d'huile et faire dorer 1 mn d'un côté, retourner encore 1 mn 30 et repos, couvert 6 mn.
- Retirer la viande sur un plat chaud. Couvrir.
- Déglacer le plat avec le vin blanc, à th. 9, 1 mn.
- Verser le jus, en filtrant ou non, sur la viande. Servir avec des tomates farcies à la provençale.

Vin blanc
Meursault
Montrachet
de 3 à 4 ans.
Servir à 10°
Vin rouge
St-Emilion
Graves
Côtes-du-Roussillon
Corbières
de 3 à 4 ans.
Servir à 14-15°

Par personne
763 Calories

GIGOT D'AGNEAU A LA PRINTANIERE DE LEGUMES

Préparation : 20 mn
Cuisson : 30 mn

Pour 4 personnes :
- 1 petit gigot d'agneau surgelé
- 4 gousses d'ail
- 600 g de printanière de légumes surgelée
- 60 g de beurre
- 2 c. à soupe d'huile
- 6 brins de cerfeuil
- Sel, poivre

- Faire décongeler le gigot à température ambiante ou 12 mn au micro-ondes.
- Piquer le gigot avec les gousses d'ail.
- Dans une cocotte, faire chauffer le beurre et l'huile. Y faire rissoler le gigot sur toutes les faces.
- Saler et poivrer.
- Couvrir et laisser cuire 10 mn.
- Ajouter la jardinière de légumes.
- Mélanger, couvrir et laisser cuire encore 20 mn, ajouter les pluches de cerfeuil.
- Servir aussitôt.

Vin
Pauillac
Un Médoc qui prendra toute sa valeur sur ce gigot : bouquet complexe (fruits rouges mûrs et des notes de vanille, de réglisse, de cuir…) et une harmonie de bouche totale.
Servir à 17-18°

Par personne
807 Calories

STEAKS DE MOUTON AUX HERBES

Préparation : 15 mn
Macération : 30 mn
Cuisson : 4 mn

Pour 4 personnes
- 4 tranches d'épaule ou de gigot bien épaisses
- 1 petit bouquet de persil
- 1 branche de cerfeuil
- 2 branches d'estragon
- 1 branchette de sarriette ou de marjolaine
- 1 gousse d'ail, 1 échalote
- Sel, 1 c. à soupe rase de poivre concassé
- 1 c. à soupe d'huile d'olive
- 1 c. à soupe de beurre.

- Effeuiller dans un plat creux toutes les herbes, écraser et hacher fin l'ail, hacher l'échalote. Mélanger avec le poivre et 1 filet d'huile.
- Mettre les tranches à macérer 30 mn dans les herbes. Retourner à mi-temps. Au moment de la cuisson, mettre le beurre et les herbes égouttées dans une petite casserole dont le manche ne craint pas le feu (métal, Vision Corning, Arcoflam).
- Griller les tranches sur la grille très chaude. Après 2 mn les retourner, les saler et les laisser encore 2 mn.
- A mi-cuisson mettre la casserole avec le beurre et les herbes à chauffer sur un coin de la grille.
- Servir les steaks de mouton avec la sauce chaude et des tomates grillées sur le coin du feu ou des champignons de saison

Vin
Côtes-de-Provence
Côte-du-Roussillon
Corbières
Servir à 16°

Par personne
649 Calories

EPAULE D'AGNEAU FARCIE

Préparation : 20 mn
Cuisson : 20 mn

Pour 8 à 10 personnes
Pour 2 kg d'épaule désossée :
• 250 g de sauté de veau haché
• 100 g de lard de poitrine frais haché
• 1 bouquet de persil plat
• 3 c. à soupe de chapelure
• 1/2 c. à café de cannelle en poudre
• 1/2 c. à café de macis en poudre
• 2 feuilles fraîches de laurier
• 2 œufs
• 2 c. à soupe d'huile d'olive
• 1 citron non traité
• Sel, poivre du moulin

• Faire désosser l'épaule par votre boucher, mais lui demander les os.
• Etaler l'épaule sur une planche. Assaisonner légèrement à l'intérieur, poser les 2 feuilles de laurier bien écartées et la refermer.
• Préparer la farce en rassemblant, dans une jatte, le hachis de veau et de lard, le persil haché fin, la chapelure, les épices, un peu de zeste de citron (lavé et séché). Mélanger bien le tout avant d'ajouter les œufs battus et 1 filet d'huile. Remalaxer pour que le mélange soit homogène.
• Ouvrir l'épaule, étaler la farce sur l'intérieur en ne vous approchant pas trop des bords. Rouler la viande, la ficeler, replier les extrémités à l'intérieur ou, pour plus de sûreté, la recoudre.
• Mettre l'épaule entre les deux parties de la grille du gril vertical.
• Préchauffer au maximum.
• Poser les os réservés dans le lèche frite avec 1/2 verre d'eau ou de vin blanc.
• Faire cuire, pendant 20 mn après avoir huilé au pinceau.
• Passer le jus recueilli. Servir aussitôt.

Vin
Pauillac
Côtes-de-Buzet
Côtes-de-Duras
Pour cette recette, il convient de choisir des vins assez puissants, superbement taniques pour effacer le goût de suint.
Servir à 16-17°

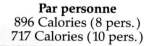

Par personne
896 Calories (8 pers.)
717 Calories (10 pers.)

CARRE D'AGNEAU AUX LEGUMES NOUVEAUX

Préparation : 30 mn
Cuisson : 17 mn

Pour 4 personnes
- 2 carrés d'agneau de 5 côtes premières
- 500 g de fèves
- 12 petites asperges vertes
- 4 artichauts violets de 100 g chacun
- 4 petites courgettes de 50 g chacune
- 4 oignons nouveaux ronds
- 40 g de beurre
- 8 brins de cerfeuil
- 1/2 citron
- Sel, poivre blanc

- Votre boucher désossera et dégraissera les carrés d'agneau. Saler et les poivrer.
- Ecosser et retirer la petite peau des fèves. Couper et réserver les pointes d'asperges. Les laver. Enlever les deux extrémités des courgettes. Les laver, les éponger et les détailler en rondelles de 3 mm d'épaisseur. Peler les oignons et les émincer finement.
- Casser la queue des artichauts à 1 cm du cœur. Enlever toutes les feuilles dures, les fendre en 2, les citronner puis retirer le foin et couper les cœurs en lamelles de 1 cm d'épaisseur, les arroser de jus de citron pour qu'elles ne noircissent pas. Laver le cerfeuil, l'effeuiller.
- Faire chauffer un plat brunisseur de 24 cm de diamètre, sélecteur 9, 3 mn.
- Mettre le beurre dans le plat chaud : il fond aussitôt, ajouter les oignons émincés, mélanger 10 secondes. Remettre le plat au four, sélecteur 9, 1 mn.
- Déposer à leur tour les lamelles d'artichauts rincées et égouttées, les pointes d'asperges et les rondelles de courgettes. Saler. Couvrir le plat, faire cuire au micro-ondes, sélecteur 9, 6 mn, puis ajouter les fèves et laisser cuire 3 mn à la même allure.
- Retirer le plat du four et laisser les légumes reposer à couvert.
- Mettre les filets d'agneau dans un plat en porcelaine à feu. Les faire cuire, sélecteur 9, 6 mn. Les laisser reposer 5 mn avant de les couper en tranches épaisses : la viande est rosée.
- Ajouter le cerfeuil dans les légumes et les faire réchauffer sélecteur 9, 1 mn.
- Répartir les tranches d'agneau dans 4 assiettes, les entourer de légumes et servir aussitôt.

Vin
Pécharmant
Bergerac (rouge)
Côtes-du-Frontonnais
Servir à 8°

Par personne
1047 Calories

TAGINE D'EPAULE D'AGNEAU AUX COURGETTES

Préparation : 10 mn
Cuisson : 1 h

Pour 6 personnes
- 1,5 kg d'épaule d'agneau coupée en petits cubes
- 1 c. à soupe de beurre
- 1 c. à soupe d'huile
- 2 gousses d'ail écrasées
- 1 gros oignon
- 1 c. à café de cannelle en poudre
- 1 c. à café de gingembre râpé
- 4 courgettes moyennes
- 2 belles tomates mûres
- Sel, piment en poudre (fort ou doux selon le goût)

- Garder les os de l'épaule.
- Faire chauffer l'huile et le beurre dans une cocotte posée sur la grille chauffée à forte température.
- Mettre tout de suite les cubes de viande à revenir. Remuer.
- Emincer l'oignon et l'ajouter à la viande avec l'ail. Laisser dorer pendant 5 mn en remuant.
- Mouiller ensuite la cuisson avec environ 1,5 l d'eau. Ajouter la cannelle, le gimgembre, le sel, le piment. Bien mélanger, ajouter les os réservés et les tomates pelées.
- Dès que l'ébullition est atteinte, baisser le feu au maximum, couvrir (mais pas hermétiquement afin que la vapeur puisse s'échapper) et laisser mijoter 45 mn, le couvercle baissé. Eplucher les courgettes en retirant le bout du pédoncule et en enlevant avec le couteau-économe une languette de peau sur deux. Les couper en gros tronçons. Les ajouter dans la sauce en les posant sur les morceaux de viande. Les courgettes vont ainsi cuire moitié dans la sauce, moitié à la vapeur de viande.
- Après 10 mn elles seront cuites. Eteindre sous la cocotte, laisser le four fermé et attendre 5 mn avant de servir dans la même cocotte ou dans un tagine.

* Profiter de cette cuisson pour griller des légumes : oignons, poivrons, aubergines, etc., ou des fruits : pommes, poires, etc.

Vin rosé
Côtes-de-Provence
Tavel
Lirac
Des vins rosés qui prêteront une saveur tendrement fruitée, de la fraîcheur et du moelleux.
Servir à 8°

Par personne
792 Calories

NAVARIN DE MOUTON

Préparation : 30 mn
Cuisson : 3 h

Pour 6 personnes
- 1,5 kg de mouton (750 g de flanchet, 750 g de poitrine)
- 60 g de beurre
- 2 oignons moyens
- 125 g de carottes
- 2 branches de céleri
- 1 grosse tomate
- 40 g de farine
- 1/2 l de bouillon de bœuf (1 tablette)
- 1 gousse d'ail
- 100 g de navets
- 1 c. à café de thym
- 1 feuille de laurier
- 1 c. à café de sel
- 1 c. à café de poivre en grains moulu

- Préparer le bouillon et le mettre en attente.
- Couper le mouton en morceaux.
- Dans une grande cocotte en fonte, mettre le beurre à fondre et faire revenir vivement les morceaux de mouton. Les laisser dorer, saupoudrer de farine, mouiller avec le bouillon. Ajouter le sel et le poivre, le thym et le laurier. Remuer bien (éviter les grumeaux). Laisser cuire doucement 30 mn.
- Pendant ce temps, nettoyer et éplucher les légumes. Les couper en petits morceaux et les ajouter dans la cocotte avec l'ail haché fin. Laisser mijoter 1 h 30. Surveiller la cuisson et ajouter du bouillon, si besoin est. Vérifier l'assaisonnement.
- Sortir les morceaux et les petits légumes et les répartir dans les bocaux préparés à cet effet. Remuer bien la sauce avant de la verser dans les bocaux.
- Poser les capsules, fermer les couvercles et traiter 1 h 30 à l'autocuiseur.

* Pour bien déguster ce navarin, le réchauffer quelques minutes au bain-marie. Le verser ensuite dans une grande terrine ronde avec couvercle et mettre au four (th. 4/5) pendant 30 à 40 mn. Servir dans la terrine, accompagné de navets glacés.

Vin rouge
Saint-Estèphe
Servir à 17°

Par personne
810 Calories

CIVET D'AGNEAU DU VERDON

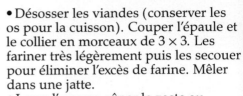

Préparation : 20 mn
Cuisson : 1 h

Pour 6 à 8 personnes
- 1 épaule d'agneau
- 600 g d'agneau dans le collier
- 2 oignons moyens
- 1 grain d'ail rose du Var
- 1 orange non traitée
- 1 branchette de sarriette
- 1 bouquet garni
- 1 verre de sang d'agneau
- 1 bouteille de rouge des coteaux d'Aix-en-Provence
- 50 cl de bouillon de veau ou de volaille
- 3 c. à soupe d'huile d'olive
- 6 à 8 grains de cade
- Sel, poivre en grains

- Désosser les viandes (conserver les os pour la cuisson). Couper l'épaule et le collier en morceaux de 3 × 3. Les fariner très légèrement puis les secouer pour éliminer l'excès de farine. Mêler dans une jatte.
- Laver l'orange, râper le zeste au-dessus de la jatte. Émietter la sarriette sur les viandes. Hacher fin les 2 oignons. Éplucher, écraser et hacher gros l'ail.
- Choisir une cocotte épaisse, assez large (les viandes y tiennent à l'aise au fond). Verser une cuillère d'huile, faire chauffer sur feu moyen et y jeter le hachis d'oignon. Remuer quelques minutes et laisser à peine blondir. Ajouter les morceaux de viande en retournant de temps en temps (toutes les faces doivent être dorées). Retirer les viandes et déposer les os qui doivent aussi dorer puis ajouter les viandes. Parsemer d'ail, mouiller de bouillon chaud, ajouter le vin, le bouquet garni, saler au gros sel, ajouter poivre en grains, et la cade (grains de genièvre). Attendre le 1er bouillonnement pour couvrir et baisser le feu au minimum pour 45 mn.
- 10 mn avant la fin de la cuisson, prélever une louchette de jus de cuisson, la mettre à tiédir un peu dans un bol puis verser sur le sang tout en mélangeant bien.
- Prélever toute la cuisson. Mettre les viandes dans un plat creux chaud, couvrir. Passer la sauce au chinois dans une casserole. Verser en tournant le sang délayé et laisser à peine frémir, et surtout pas bouillir.
- Napper les viandes de la sauce.

Vin rouge
Côtes-de-Provence
Palette
Bandol
Bellet-de-Nice
Servir à 15°

Par personne
782 Calories

CERVELLES D'AGNEAU AU THYM ET AU CITRON

Préparation : 10 mn
Cuisson : 13 mn

Pour 4 personnes
- 500 g de cervelles
- 1 échalote
- 1 dl d'eau
- 1 branche de persil
- 1 branche de thym
- 40 de beurre
- 2 c. à soupe de vinaigre
- Le jus d'1/2 citron
- Persil haché
- Sel, poivre

• Dans un plat, poser la branche de persil, l'échalote émincée, le thym, l'eau, le vinaigre. Saler, couvrir, chauffer 4 mn pg cuisson maxi.
• Faire dégorger les cervelles sous l'eau froide, retirer les fines membranes, les mettre dans le court-bouillon, couvrir, cuire 8 mn pg mijotage puis laisser en attente. Dans un bol, mettre le beurre, le jus de citron, assaisonner, chauffer 1 mn 30 pg cuisson maxi. Ajouter le persil haché. Servir en saucière.

Vin blanc
Costières-de-Nîmes
Coteaux-du-Languedoc
(Fougères, Saint-Chinon)
Les vins blancs
au caractère fin et délicat
avec leur bouquet
aromatique précis (fruits,
fleurs et notes exotiques)
s'exprimeront à merveille
sur ce plat.
Servir à 8°

Par personne
226 Calories

FRICASSEE DE CHEVREAU A L'AILLET ET A L'OSEILLE

Préparation : 20 mn
Cuisson : 1 h

- 1 baron de chevreau et sa fressure
- 75 g de beurre
- 1 bouteille de Côtes-du-Rhône blanc
- 6 gousses d'ail nouveau avec leur tige tendre
- 100 g d'oseille jeune
- 1 verre de muscat sec
- 1 c. à soupe de vin de noix
- 10 cl de crème fraîche
- Sel, poivre noir, muscade

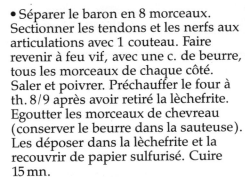

Vin rouge
Châteauneuf-du-Pape
Vacqueyras
Gigondas
Servir à 16°

Par personne
671 Calories (4 pers.)

- Séparer le baron en 8 morceaux. Sectionner les tendons et les nerfs aux articulations avec 1 couteau. Faire revenir à feu vif, avec une c. de beurre, tous les morceaux de chaque côté. Saler et poivrer. Préchauffer le four à th. 8/9 après avoir retiré la lèchefrite. Egoutter les morceaux de chevreau (conserver le beurre dans la sauteuse). Les déposer dans la lèchefrite et la recouvrir de papier sulfurisé. Cuire 15 mn.
- Préparer alors l'ail et l'oseille. Peler et écraser l'ail en conservant la tige tendre. Eplucher l'oseille lavée et séchée, couper la moitié en lanières. Réserver l'autre moitié.
- Sortir la lèchefrite, la poser sur feu doux, retirer le papier, déglacer avec le Côtes-du-Rhône. Faire flamber, puis, les flammes éteintes, ajouter l'ail dans le liquide. Recouvrir avec la feuille de papier et remettre à four plus doux (th. 6/7) pour encore 40 mn, 5 mn avant la fin, saupoudrer les morceaux avec l'oseille (lanières) et remettre le papier.
- Faire fondre pendant ce temps, l'oseille réservée à feu doux avec une c. de beurre. Saler et poivrer, muscader légèrement. Tout est fondu : ajouter la crème. Eteindre couvrir et tenir au chaud. Faire rissoler la fressure coupée en gros morceaux dans la sauteuse, avec le beurre de la cuisson du chevreau. Ajouter (facultatif) un oignon haché. Lorsque les abats sont dorés, les mouiller avec le vin de noix et le Muscat, saler, poivrer. Faire mijoter, couvrir 4 mn à feu doux. Ajouter un peu de bouillon de veau ou de volailles si nécessaire.
- Dans un plat creux chauffé, disposer la fressure au centre, les morceaux de chevreau autour, et mélanger les deux jus de cuisson avant d'en napper le plat.
- Servir à part l'oseille fondue.

ENTRECOTE A LA MODE DU PASSOUE

Préparation : 30 mn
Cuisson : 6 mn

Pour 4 personnes
- 4 entrecôtes épaisses (200 g)
- 6 échalotes
- 2 verres de vinaigre de vin
- 2 verres de vin rouge
- 50 g de beurre
- 100 g de cèpes
- 200 g de champignons de Paris émincés
- 200 g de crème fraîche liquide
- 1/2 verre de Cognac ou Armagnac
- Sel, poivre concassé

- Dans une poêle, faire réduire les échalotes émincées avec le vin et le vinaigre.
- Après réduction à sec – sans laisser brûler – mettre le beurre puis les champignons (cèpes et autres). Faire bouillir et flamber à l'Armagnac. Saler, poivrer. Ajouter la crème fraîche, laisser frissonner 10 mn et mixer.
- Garder au chaud.
- Saler et poivrer les entrecôtes juste avant la cuisson. Mettre aussitôt à cuire, sur un gril chaud, 2 mn d'un côté puis tourner, 1 à 2 mn de l'autre. Retourner encore 2 fois à 90° pour rayer la viande en croix en baissant un peu la température du gril.
- Continuer à cuire sur le gril nettement moins chaud si l'on désire une viande plus cuite.
- Servir avec des frites ou pommes dauphines et des champignons étuvés au Porto.

Vin rouge
Auxey-Duresses
Volnay
Beaune
Servir à 17°

Par personne
226 Calories

COTE DE BŒUF AU FARCI QUIMPEROIS

Préparation : 15 mn
Cuisson : 20 mn (pour 500 g)

Pour 3 personnes
- 1 côte de bœuf de 800 g
- 200 g de farine de blé noir
- 2 verres de lait
- 40 g de saindoux
- 4 œufs
- Pruneaux coupés, trempés dans du thé tiède
- Sel, poivre, noix de muscade

- Mélanger au batteur la farine, le lait, le saindoux fondu, les œufs et les épices, puis ajouter les pruneaux.
- Mettre dans un plat creux et poser une grille sur ce plat. Poser la côte en la salant et poivrant juste avant la cuisson.
- Faire cuire à feu fort au début, puis moyen et laisser le jus de viande tomber sur le farci qui gonfle pendant la cuisson. On compte 1/4 d'heure pour 500 g.
- Le farci découpé en tranches sert de légumes.

Vin rouge
Anjou-Villages
Bourgeuil
Coteaux-d'Ancenis
Servir à 15-16°

Par personne
717 Calories

BROCHETTE DE BŒUF A LA HONGROISE

Préparation : 10 mn
Macération : 5 h
Cuisson : 10 mn

Pour 4 personnes
• 600 g de faux-filet
• 1 gros oignon jaune
• 1 c. à soupe de saindoux ou de beurre
• 1/2 c. à café de poivre noir moulu
• 1 c. à café de paprika doux
• 2 c. à soupe de jus de grenade fraîche ou, à défaut de vinaigre de vin rouge
• 1 branche de coriandre fraîche
• 1 citron non traité
• Sel

• Couper le bœuf en cubes de 3,5 cm de côté.
• Mélanger dans une jatte, les feuilles de coriandre ciselées, le paprika, le poivre, très peu de sel et l'oignon râpé ou haché très, très fin. Déposer les cubes, mêler et arroser de vinaigre.
• Couvrir d'un linge et laisser reposer 5 h au réfrigérateur ou 3 h à température ambiante en retournant de temps en temps.
• Au moment du repas, préchauffer la grille au maximum.
• Embrocher les cubes de viande.
• Faire fondre sur la grille, la matière grasse choisie et, avec un pinceau en badigeonner la viande.
• Laisser griller en tournant trois fois et en badigeonnant chaque fois.
• Servir avec des pommes grillées, à l'huile ou des tomates grillées ou encore une salade verte et offrir à chacun, un quart de citron.

> *Vin*
> Bandol
> Gigondas
> Châteauneuf-du-Pape
> Servir à 16°

> **Par personne**
> 236 Calories
> + 75 Calories (salade)

T.BONE STEAK DALLAS

Préparation : 15 mn
Macération : 1 h
Cuisson : 5 mn

• 4 steaks épais taillés «à l'américaine» (c'est-à-dire, en ayant dans le même morceau, une partie de faux-filet et une de filet séparée par l'os qui forme à peu près un T majuscule).
• 40 cl de marinade acidulée
• 2 gousses d'ail
• 2 c. à soupe de beurre poivré et persillé
• Sel et poivre non moulu
• 1 c. à soupe d'huile d'arachide

• Faire mariner les T.bones-steaks pendant 1 h en les retournant à mi-temps dans la marinade bien épicée et relevée d'ail écrasé et haché fin.
• Après ce temps, essuyer les steaks, les huiler très largement avec un pinceau des 2 côtés.
• Les faire griller sur la grille très chaude et selon leur épaisseur de façon à les conserver saignants.
• Les laisser reposer sur la grille, feu éteint, 1 ou 2 mn pour que la chaleur se diffuse bien, sans cuisson, jusqu'au cœur.
• Saler et poivrer que la partie retournée à mi-cuisson et mettre 4 assiettes à chauffer à ce moment-là sur la grille.
• Ou offrir les T.bones steaks sur des planches comme aux U.S.A. avec sur chacun une noix de beurre persillé.

* Servir avec du pain grillé.

Vin
Minervois
Corbières
Cahors
Servir à 16°

Par personne
520 Calories

BŒUF A LA FICELLE

Préparation : 10 mn
Cuisson : 25 mn

Pour 4 personnes
- 750 g de filet de bœuf
- 2 tablettes de bouillon
- Les légumes habituels du pot-au-feu
- 1 gousse d'ail
- 1 bouquet garni
ou 1 l de bouillon de pot-au-feu

Sauce
- 2 c. à soupe de bon Banyuls sec
- 1 c. à soupe de poivre vert au naturel
- 1 c. à soupe de crème fraîche

- Faire couper le morceau de filet en 4 tournedos. Ficeler chaque pavé en laissant un long bout de ficelle.
- Deux solutions : préparer un pot-au-feu, en remplaçant les abattis par 1 kg de viande de bœuf coupée en petits morceaux (3 cm d'épaisseur), cuisson 20 mn, ou mettre dans la cocotte 1 carotte, 1 navet, 2 poireaux, 1 branche de céleri coupée en quatre ou en deux selon leur grosseur, avec le bouquet garni, pour 6 mn, de cuisson, couvert. C'est le temps nécessaire pour précuire les légumes.
- Sortir la cocotte, y faire dissoudre les tablettes et remettre dans le four à micro-ondes pour atteindre à nouveau l'ébullition à th. 9. Ajouter l'ail non épluché.
- Attacher les pavés de viande sur le manche d'une longue cuillère ou sur une baguette, après avoir vérifié qu'ainsi ils reposeraient sur les légumes, sans toucher le fond. Poser un couvercle, cela tiendra la baguette en laissant passer la vapeur. Faire cuire à pleine puissance, 2 mn si vous aimez la viande bleue, 3 mn si vous la voulez saignante, et 4 mn si vous la préférez plus à point.
- Retirer du four et laisser reposer 2 mn avant de servir d'abord le bouillon avec des croûtons grillés et aillés et quelques légumes.
- Puis servir la viande tenue au chaud sous une feuille de papier d'aluminium, avec une sauce au poivre vert.
- Ecraser le poivre avec la chair de la gousse d'ail, saler un peu. Ajouter la crème et fouetter avec le Banyuls, que vous versez peu à peu jusqu'à ce que tout soit homogène.

Vin rouge
Collioure
Côtes-du-Roussillon
Cahors
Madiran
Irouléguy
de 4 à 5 ans
Servir à 15-16°

Par personne
600 Calories

---

* Le bouillon filtré se conserve 2 ou 3 jours au réfrigérateur et servira comme base de mouillage ou de cuisson.

BŒUF EN DAUBE A LA PROVENCALE

Préparation : 20 mn
Cuisson : 6 h 1/2

Pour 6 personnes
- 1 kg de gîte à la noix coupé en 10 morceaux
- 1 c. à soupe de saindoux
- 1 c. à soupe d'huile d'olive
- 4 oignons coupés en 4
- 1/2 c. à café 4 épices
- 2 carottes coupées en fibres
- 2 tomates
- 1 bouteille de Côtes-du-Rhône
- 6 gousses d'ail (sans le germe)
- 1 bouquet garni
- 100 g de lard maigre (1/2 sel) coupé en tout petits dés, passés sous l'eau froide
- Poivre (pas de sel à cause du lard)
- 1 pied de veau refendu

- Au fond d'une daubière, si possible en terre, mettre 1 cuillère à soupe de saindoux, l'huile d'olive et le lard.
- Faire chauffer. Quand le lard «chante», ajouter les oignons, les carottes, les tomates coupées en 4, le bouquet garni et les 4 épices, ainsi que l'ail écrasé. Poivrer.
- Déposer sur les légumes, le pied de veau puis les morceaux de bœuf. Faire sauter pour tout mélanger. Verser la bouteille de vin. Couvrir la daubière et faire cuire à feu vif jusqu'à ébullition.
- Enfourner alors à feu très doux (th. 3/4), de façon à ce que le liquide frémisse à peine, pendant 6 heures. Chinoiser le jus de cuisson.
- Y faire cuire des macaronis frais. Retirer et réserver avec la viande.
- Pendant ce temps, laisser réduire le jus. Mixer le lard et les légumes de cuisson, mélanger au jus réduit.
- Servir la viande et les macaronis dans un plat creux. Napper avec la crème de légumes.

Vin
Côte Rôtie
Crozes-Hermitage
Servir à 15-16°

Par personne
680 Calories

STUFATU

Préparation : 15 mn
Cuisson : 3 h 15

Pour 6 personnes
- 250 g de pâtes à lasagnes
- 2 verres de vin blanc sec (Corse ou Provence)
- 100 g de saindoux
- 1 oignon
- 2 kg de bœuf
- Thym, laurier
- 3 tomates concassées
- 200 g de champignons
- 4 épices
- 4 gousses d'ail hachées
- Sel, poivre
- 1 kg de chair à saucisse
- 2 kg de tranche grasse (ou griffe) lardée de préférence de jambon cru de montagne (ou de lard maigre) coupé en petits cubes et passé dans le poivre moulu noir et la cannelle moulue

- Piquer la viande d'ail.
- Faire revenir l'oignon dans le saindoux fondu.
- Dès qu'il est transparent, ajouter la viande et le laurier. Faire cuire doucement à couvert 45 mn sur toutes ses faces.
- Après cette première cuisson, mouiller avec le vin et ajouter les tomates, les champignons émincés, le hachis d'ail, le sel, le poivre, le thym et la chair à saucisse.
- Laisser bouillir doucement à couvert 1/2 h puis verser 1 l d'eau et laisser mijoter environ 2 h en laissant réduire de moitié.
- Pendant ce temps, porter à ébullition 1 l d'eau salée. Hors du feu, y plonger les pâtes : ramener à ébullition. Couvrir d'un torchon et d'un couvercle, laisser cuire 15 à 20 mn.
- Lorsque la viande est cuite, chinoiser le jus de cuisson. Couper le bœuf en dés et mélanger à la chair. Poser dans un plat allant au four, en couches successives, les pâtes et la viande. Terminer par les pâtes. Arroser avec le jus de cuisson et passer au four 5 mn.

* On peut accompagner ce plat avec des courgettes farcies ou des aubergines frites.

Vin corse
Ajaccio
Servir à 16°

Par personne
2862 Calories

BROUFADO DES MARINIERS DU RHONE

Préparation : 20 mn
Cuisson : 2 h 15

Pour 2 repas de 4 personnes
- 1,5 kg de bœuf dans la culotte
- 1 carotte
- 10 gousses d'ail
- 1 bouquet garni avec sarriette
- 1 bouteille de Côtes-du-Rhône rouge
- 2 oignons
- 10 cl de Cognac
- 15 cl d'huile d'olive vierge
- 1 bouquet de persil simple
- 10 cl de bouillon de bœuf
- 6 cornichons moyens
- 6 anchois au sel
- 100 g de câpres
- 1 fragment d'écorce d'orange séchée (amère si possible)
- 1 clou de girofle
- Gros sel, poivre en grains

Vin
Gigondas
Vacqueyras
Servir à 16°

Par personne
1154 Calories

• Eplucher 2 gousses d'ail, les écraser. Couper la carotte en rondelles. Effeuiller le persil, réserver les feuilles, ficeler les queues avec 1 bottillon de thym frais, 4 feuilles de laurier vert et 1 brin de sarriette. Couper la viande en gros morceaux. Mettre tout cela dans une jatte avec du poivre en grains, le clou de girofle, le Cognac, le vin rouge et un filet d'huile d'olive. Couvrir d'un linge et laisser macérer au frais jusqu'au lendemain.

• 15 mn avant la cuisson, égoutter la viande dans une passoire posée sur une jatte. Sécher bien avec du papier absorbant.

• Hacher menu les oignons et les faire revenir dans une cocotte ou mieux, dans un poêlon en terre, avec 2 cuillères d'huile d'olive. Lorsque les oignons commencent à peine à blondir, ajouter les morceaux de viande et les tourner de tous côtés pour les faire dorer. Baisser le feu au fur et à mesure que la viande se colore.

• Recouvrir largement la viande avec la marinade et ses éléments ; ajouter l'écorce d'orange.

• Poser le couvercle, laisser cuire très doucement pendant 2 h. Si le jus réduit trop, verser un peu de bouillon. Pendant ce temps, rincer les anchois, ôter les arêtes avec soin. Hacher finement avec les cornichons, les câpres, le persil et les 8 gousses d'ail épluchées, écrasées. Mélanger bien, réserver.

• Vérifier la cuisson de la viande. Si elle est tendre, retirer les morceaux de viande, les tenir au chaud dans un plat de service, bien couverts et passer ou non au chinois.

• Mettre le hachis dans la cocotte avec la sauce, ainsi que la viande, couvrir, laisser cuire 15 mn à très petit feu. Servir aussitôt.

QUEUE DE BŒUF AU MENETOU ROUGE

Préparation : 20 mn
Cuisson : 1 h 30

Pour 4 à 6 personnes
- 1 queue de bœuf
- 4 carottes
- 4 oignons moyens
- 1 gousse d'ail
- 1 bouquet garni
- 1 bouteille de Menetou rouge
- 1 litre de bouillon de bœuf
- 50 cl de pâte à crêpes (mi-froment mi-sarrasin) ou 12 crêpes (pour 4 personnes)
- 1 bouquet de ciboulette
- 250 g de champignons sauvages
- 2 c. à soupe d'huile d'arachide
- 60 g de beurre
- Sel et poivre

Vin rouge
Menetou-Salon
Sancerre
Reuilly
Servir à 13-14°

Par personne
769 Calories

• Votre boucher tronçonnera et ficellera (en rosace) les morceaux de queue de bœuf.

• Eplucher les carottes et les oignons, les couper en petits dés.

• Faire revenir la rosace de queue de bœuf des deux côtés avec une c. d'huile bien chaude. La viande est dorée : la sécher avec du papier absorbant et ajouter autour les dés de carottes et d'oignons. Remuer 5 mn (ils blondissent) puis ajouter l'ail en chemise écrasé, le bouquet garni et mouiller avec le bouillon et le Menetou rouge. Couvrir et laisser cuire à très petit feu 1 h 30.

• Couper la base des pieds des champignons, bien les nettoyer (ne pas les laisser tremper dans l'eau).

• Dans une sauteuse, faire chauffer à feu moyen le reste d'huile et de beurre. Y jeter les champignons séchés, coupés en 2 ou 3 et les laisser étuver en remuant la sauteuse de temps en temps. Saler et poivrer.

• Sortir la queue de bœuf, la déposer sur une planche tout en continuant la cuisson de la sauce qui doit réduire.

• Préparer les cèpes, les tenir au chaud.

• Revenir à la queue de bœuf, tiédie à présent. La désosser et couper les chairs en morceaux. Les mêler aux champignons. Prélever toutes les carottes encore en dés, les ajouter à la viande. Réserver au chaud.

• La sauce est bien réduite : la passer au chinois en pressant sur les parois avec le dos d'une cuillère en bois. La monter au fouet avec 50 g de beurre.

• Compter 2 ou 3 crêpes par assiette, les remplir de mélange champignons, bœuf, carottes, les replier et les napper de sauce brûlante, parsemer de ciboulette. Servir aussitôt.

FILETS AU POIVRE VIEILLE FINE

Préparation : 15 mn
Cuisson : 15 mn

Pour 4 personnes
- 4 filets de 180 g
- 4 c. à soupe de crème fraîche
- 4 cl de vieille fine
- 1/2 c. à soupe de poivre mignonnette
- 120 g de beurre
- 1 c. à soupe d'huile
- Persil haché
- Sel, poivre

- Rouler les filets dans le poivre mignonnette.
- Dans une poêle, faire chauffer l'huile et 20 g de beurre, y faire cuire les filets.
- Les retirer de la poêle. Réserver au chaud.
- Dégraisser la poêle, verser la vieille fine. Flamber et laisser réduire de moitié. Ajouter la crème et laisser réduire à nouveau.
- Hors du feu, ajouter le beurre restant coupé en morceaux en remuant avec un fouet. Goûter et rectifier l'assaisonnement si nécessaire.
- Passer la sauce au tamis.
- Dresser les filets sur un plat préalablement chauffé, les napper de sauce.
- Décorer de persil haché. Servir aussitôt avec un gratin de pommes de terre.

Vin
Bordeaux
Bordeaux-Supérieur
suffisent avec leurs odeurs
fruitées (fraise, cassis),
de sous-bois, de réglisse…
Dans une charpente
souple mais puissante.
Servir à 16-17°

Par personne
662 Calories

TOURNEDOS A LA DAUPHINOISE

Préparation : 20 mn
Cuisson : 15 mn

Pour 6 personnes
- 6 tournedos
- 250 g de mousserons ou girolles ou champignons de Paris (fendus en 2 ou non selon la taille)
- 100 g de beurre
- 1 verre de vin blanc sec
- 1 c. à café de farine
- 2 dl de crème fraîche
- Sel, poivre

- Faire sauter les champignons à feu vif avec 60 g de beurre. Secouer souvent. Saler, poivrer.
- Lorsque la cuisson est réduite (6/7 mn), mettre sur feu doux. Saupoudrer de farine. Mélanger avec une spatule en bois et ajouter la crème fraîche. Tenir au chaud.
- Faire sauter les tournedos salés et poivrés au beurre dans une poêle à feu vif. Poser les tournedos sur des croûtons, dans un plat très chaud. Garnir avec les champignons préparés.
- Jeter le beurre de cuisson de la viande et déglacer au vin blanc. Bien faire fondre les sucs collés au fond de la poêle. Faire un bouillon pour cuire le vin et verser l'ensemble sur la viande.

Vin
Vin de Savoie-Arbin
Mondeuse
Bugey
Servir à 14-15°

Par personne
525 Calories

BROCHETTES DE PORC AUX POIRES ET AUX PRUNEAUX

Préparation : 30 mn
Cuisson : 25 mn

Pour 4 personnes
- 500 g de filet de porc coupé en gros dés
- 2 poires
- 8 pruneaux dénoyautés
- 8 abricots secs
- 2 c. à soupe de graines de sésame
- 2 c. à soupe de sauce soja
- 1 c. à café de gingembre en poudre
- Sel, poivre

- Dans une jatte, mettre la sauce soja, la moitié des graines de sésame, le gingembre, sel et poivre. Ajouter les dés de porc et bien mélanger. Laisser macérer 5 mn.
- Peler les poires, retirer les cœurs, couper la chair en quartiers.
- Piquer sur des brochettes en bois les morceaux de viande, en les intercalant avec les quartiers de poire, les pruneaux et les abricots. Les poudrer de sésame.
- Préchauffer un gril et faire cuire les brochettes pendant 25 mn sur feu moyen en les retournant de temps en temps. Servir bien chaud avec un riz au curry.

Vin
Gewurztraminer
Riesling
Klevner
Servir à 10°

Par personne
525 Calories

COTES DE PORC CHARCUTIERE

Préparation : 30 mn
Cuisson : 30 mn

Pour 4 personnes
- 4 côtelettes dans le filet
- 1 gros œuf de saindoux
- 1 gros oignon moyen
- 2 échalotes roses
- 30 cl de bouillon de veau ou de volaille
- 15 cl de vin blanc sec
- 1 cuillère à soupe de vinaigre de vin blanc
- 2 tomates fraîches ou 1 cuillère à soupe de coulis de tomates
- 1 pincée de fécule
- 6 cornichons au vinaigre
- 3 branches de persil simple
- Sel, poivre

- Préparer d'abord la sauce : hacher menu oignon et échalotes, mettre à blondir dans les 2/3 du saindoux. Mouiller avec le bouillon chaud, remuer à la cuillère de bois, ajouter le vin blanc, le vinaigre et les tomates fraîches pelées et épépinées (ou le coulis). Remuer encore et laisser cuire 10 mn très doucement. Saler poivrer et laisser réduire encore 10 mn. Délayer la fécule avec un peu de bouillon froid (5 cl) puis verser dans la sauce. Remuer et ne faire plus bouillir. Tenir au chaud pendant la cuisson de la viande.
- Faire chauffer le reste de saindoux dans une poêle à feu moyen et déposer les côtelettes pour les dorer 3 mn de chaque côté.
- Saler et poivrer ensuite, baisser le feu au maximum pour 15 mn de douce cuisson. Ciseler pendant ce temps, le persil, couper les cornichons en rondelles. Chauffer un plat de service allant au four.
- Préchauffer celui-ci à th. 7.
- Ajouter les cornichons à la sauce chaude ou doucement réchauffée (attention, mieux vaut dans ce cas n'ajouter la fécule qu'au dernier moment).
- Retirer les côtelettes cuites, les sécher sur du papier absorbant. Les ranger dans le plat, napper de sauce, et passer 2 mn au four chaud ou, mieux, sous le gril.
- Parsemer de persil et servir aussitôt avec des pommes sautées ou soufflées ou frites et le sacro-saint bouquet de cresson tellement « Ile-de-France ».

Vin
Bordeaux-Supérieur
Côtes-de-Bourg
Premières-Côtes-de-Bordeaux
Servir à 15-16°

Par personne
575 Calories

PORC AUX POIVRONS

Préparation : 20 mn
Macération : 10 mn
Cuisson : 11 mn

Pour 2 personnes
• 200 g de filet de porc
• 1 poivron rouge charnu de 300 g
• 25 g de gingembre frais
• 1 c. à soupe de Vermouth blanc
sec (Noilly)
• 1 c. à soupe de sauce de soja
• 4 pincées de 4 épices
• 1/2 c. à café de maïzena
• 1 oignon de 100 g
• 1 c. à café de sucre semoule
• 1 c. à soupe de raisin de Smyrne
• 1 c. à soupe de coriandre fraîche
ciselée
• 1 gousse d'ail
• 1 c. à soupe d'huile d'arachide

• Peler le gingembre et le râper
finement au-dessus d'une terrine.
Eplucher la gousse d'ail, la passer au
presse-ail au-dessus de la terrine.
Ajouter la maïzena, les 4 épices, le
sucre, la sauce de soja, le Vermouth.
Mélanger.
• Couper la viande en lamelles de
2 × 3 cm, aussi fines que possible,
les aplatir au rouleau à pâtisserie,
les mettre dans la terrine, les tourner
plusieurs fois et les laisser mariner
10 mn.
• Pendant ce temps, laver le poivron, le
couper en quatre verticalement, retirer
le pédoncule et les grains, couper
chaque quartier dans le sens de la
largeur en lamelles, de 3 mm
d'épaisseur.
• Peler l'oignon et l'émincer finement.
• Faire chauffer un plat brunisseur de
24 cm de diamètre, sélecteur 9, 4 mn.
Verser l'huile dans le plat, ajouter les
poivrons, mélanger, glisser le plat dans
le four, sélecteur 9, 4 mn.
• Ajouter les oignons, remettre au four,
sélecteur 9 pendant 2 mn. Mélanger.
• Ajouter la viande et sa marinade
dans le plat. Mélanger et faire cuire
5 mn dans le four à micro-ondes.
• A mi-cuisson ajouter les raisins et la
coriandre en tournant la viande.
• Servir aussitôt.

Vin
Chinon
Haut-Poitou Cabernet
Servir à 15°

Par personne
465 Calories

CASSOULET DE CARCASSONNE

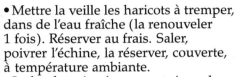

Préparation : 30 mn
Cuisson : 2 h 30

Pour 6 ou 8 personnes
A commencer la veille
• 600 g de haricots blancs secs
(de l'Ariège, si possible)
• 350 g de saucisse de Toulouse
• 350 g d'échine de porc
• 1 petit jarret de porc
• 100 g de couenne
• 3 quartiers de confit de canard
• 2 oignons
• 3 gousses d'ail
• 1 carotte moyenne
• 1 brindille de thym
• 1/2 feuille de laurier frais
• 2 branches de persil simple
• 1 bouquet garni
• 2 clous de girofle
• Gros sel et poivre noir
moulus frais

Vin
Minervois
Corbières
Côtes-du-Frontonnais
Servir à 16-17°

Par personne
1074 Calories (6 pers.)
806 Calories (8 pers.)

• Mettre la veille les haricots à tremper, dans de l'eau fraîche (la renouveler 1 fois). Réserver au frais. Saler, poivrer l'échine, la réserver, couverte, à température ambiante.
• Le lendemain, égoutter et rincer les haricots ; les cuire dans de l'eau sur un tout petit feu.
• Cuire les couennes, le jarret coupé en morceaux avec assez d'eau pour les recouvrir, mettre le thym, le laurier et l'oignon clouté de girofle. Ecraser l'ail ; couper en gros morceaux l'oignon, y piquer le clou de girofle. Couper l'échine en gros morceaux.
• Prélever un peu de graisse des confits, la poser sur feu moyen et, dès qu'elle est chaude, y mettre les morceaux d'échine. Les retourner tous, (ils sont dorés) baisser le feu et ajouter l'oignon, 1 gousse d'ail, la carotte, le bouquet garni, le persil, sel et poivre et prélever juste assez de liquide de cuisson des haricots pour couvrir les morceaux d'échine. Faire mijoter, à feu doux 1 h 30 mn.
• Faire dorer les confits des 2 côtés pendant 15 mn. Ajouter la saucisse de Toulouse coupée en 6 pour 15 mn de plus, toujours à feu doux.
• Préchauffer le four à th. 6.
• Frotter les parois d'une casserole avec 1 ou 2 gousses d'ail. Couvrir le fond de couennes (le gras au fond). Ajouter la moitié des haricots bien cuits et égouttés, les viandes et la saucisse sans sa peau. Recouvrir avec le reste de haricots, leur jus et celui de la cocotte. Poudrer de chapelure, parsemer de flocons de saindoux ou de graisse de confits, et gratiner au four 30 mn.
• Enfouir cette croûte dorée dans les haricots, arroser d'un peu de jus de cuisson des haricots si l'aspect est trop sec et faire encore gratiner 30 mn.

ENCHAUD DE PORC

Préparation : 50 mn
Macération : 48 h
Cuisson : 3 h

Pour 4 personnes
- 2 kg de porc dans le filet
- 1 kg de panne de porc fraîche
- 500 g de lard gras

Macération
- 1 c. à café de poudre 4 épices
- 2 feuilles de laurier émietté
- 1 c. à café de thym émietté
- 1 c. à café de sucre en poudre
- 40 g de gros sel moulu
- 10 g de poivre en grains moulu

• Faire couper et ficeler 4 rôtis de 500 g chacun.
• Verser tous les ingrédients de la macération dans un plat en terre, bien mélanger et en frotter copieusement chaque morceau de porc. Les ranger bien serrés les uns contre les autres. Couvrir d'un linge, poser une planche avec un poids dessus et laisser macérer 48 h au frais (non au réfrigérateur).
• A ce moment-là, couper la panne de porc, ainsi que le lard, en gros morceaux et les faire fondre doucement dans une grande marmite.
• Bien essuyer bien les morceaux de porc et les déposer dans la graisse fondue. Laisser cuire, à feu doux, durant 1 h 30, en les retournant de temps en temps.
• Laisser tiédir un moment, préparer vos bocaux et déposer la viande encore chaude dedans.
• Faire alors bouillir la panne, l'écumer, la filtrer et la verser dans les bocaux.
• Poser les capsules, fermer les couvercles. Traiter 1 h 30 à l'autocuiseur.
L'enchaud de porc, comme tous les confits, se garde facilement plusieurs mois. Surtout, ne pas le consommer avant 3 mois.

* Réchauffer le bocal au bain-marie, 35 mn environ. Sortir le confit et le mettre au réfrigérateur 1 à 2 h. Enlever alors la ficelle et le découper en tranches un peu épaisses. Servir, accompagné de cornichons et d'une sauce verte au basilic.

Vin rouge
Saint-Emilion
Servir à 17°

Par personne
1225 Calories

FARCI AU CHOU

Préparation : 40 mn
Cuisson : 25 mn
M.O. : 6 mn

Pour 4 personnes
- 1 chou vert
- 2 blancs de poulet surgelés
- 400 g d'échine de porc surgelée
- 3 oignons
- 1 l 1/2 de bouillon de volaille
- 2 gousses d'ail
- 1 petit bouquet de persil
- Sel, poivre

- Laisser décongeler les viandes à température ambiante ou 3 mn au micro-ondes.
- Retirer les premières feuilles du chou.
- Nettoyer les autres et ôter la côte centrale.
- Porter à ébullition une grande casserole d'eau salée. Y faire blanchir les feuilles de chou 2 mn. Les égoutter et les passer sous l'eau froide. Puis les déposer sur du papier absorbant pour retirer l'excédent d'eau.
- Dans la cuve du Magimix, mettre les viandes, les oignons et l'ail émincés, saler et poivrer. Bien mixer le tout.
- Sur le plan de travail, déposer les feuilles de chou en les faisant se chevaucher. Déposer la moitié de la farce. Replier les feuilles et ficeler le tout.
- Recommencer l'opération avec le reste des feuilles et de farce.
- Dans une cocotte, verser le bouillon et le porter à ébullition.
- Plonger les farcis dans le bouillon, ajouter le persil. Couvrir et faire cuire sur feu doux pendant 20 à 25 mn.
- Servir bien chaud tel quel ou avec du riz.

Micro-ondes :
- Faire blanchir les feuilles de chou 1 mn au micro-ondes à pleine puissance dans de l'eau salée.
- Farcir.
- Déposer les farcis dans un plat, ajouter le bouillon, couvrir et faire cuire 6 mn à pleine puissance. Laisser reposer 3 mn avant de servir.

Vin
Côtes-du-Rhône-Villages
Châteauneuf-du-Pape
Servir à 17°

Par personne
565 Calories

FILET MIGNON DE PORC AUX DEUX MOUTARDES

Préparation : 15 mn
Cuisson : 14 mn

Pour 3 personnes
- 1 filet mignon de porc de 400 g
- 1 échalote
- 1 c. à soupe de moutarde forte
- 1 c. à soupe de moutarde rustique
- 100 g de crème fraîche épaisse
- 2 c. à soupe de vermouth blanc sec (Noilly)
- 24 feuilles d'estragon
- 1 c. à soupe d'huile
- Sel, poivre

- Couper le filet mignon en deux dans le sens de la largeur.
- Saler et le poivrer.
- Peler l'échalote et la hacher menu.
- Laver les feuilles d'estragon, les éponger, les ciseler grossièrement.
- Mélanger dans un bol les deux moutardes et la crème.
- Réserver.
- Faire chauffer un plat brunisseur de 24 cm, sélecteur 9, 3 mn.
- Verser l'huile dedans. Mettre les morceaux de filet dans le plat, les retourner dans l'huile chaude. Les faire cuire au four à micro-ondes sélecteur 9 pour 8 mn, tourner la viande 3 fois en cours de cuisson.
- Retirer la viande du plat. La découper en tranches d'1 cm d'épaisseur. A sa place, mettre l'échalote, l'estragon et le Vermouth, mélanger.
- Faire réduire au four, sélecteur 9 pour 2 mn.
- Retirer le plat du four, y verser le contenu du bol. Remuer bien et enfourner à nouveau, sélecteur 9 pour 2 mn.
- Ranger les tranches de filet dans la sauce en prenant soin de bien les couvrir. Glisser le plat dans le four pour la dernière fois, sélecteur 9, 1 mn.
- Servir aussitôt.
- Accompagner ce plat de « riz aux légumes » ou de riz nature.

Vin
Irancy
Fixin
Marsannay
Servir à 16-17°

Par personne
535 Calories

PORC A L'AIGRE DOUCE

Préparation : 15 mn
Cuisson : 23 mn

Pour 3 à 4 personnes
- 400 g de porc dans l'échine (désossé)
- 1/2 poivron vert
- 1 belle tomate
- 1 oignon moyen
- 1 c. à café de fécule
- 1 c. à soupe d'huile
- 2 c. à soupe de vinaigre
- 1 c. à soupe de sucre
- 2 c. à soupe de jus d'orange
- 1 c. à café de sauce soja
- 1 c. à soupe d'eau
- Sel, 1 pincée de Cayenne

- Laver le poivron, le couper en tout petits dés. Eplucher la tomate, l'épépiner, la couper très finement ainsi que l'oignon, couvrir, cuire 4 mn pg cuisson maxi.
- Couper le porc en dés, l'arroser avec l'huile.
- Préchauffer le plat brunisseur 8 mn, verser le porc rapidement pour le saisir, remettre à cuire 2 mn. Ajouter le reste des ingrédients, sauf la fécule. Assaisonner, couvrir, cuire 5 mn. Ajouter la fécule délayée dans l'eau. Mélanger, rectifier l'assaisonnement si besoin. Cuire sans couvrir 4 mn.

Vin
Chinon
Anjou-Villages
Saumur-Champigny
Servir à 14-15°

Par personne
429 Calories (4 pers.)
572 Calories (3 pers.)

JAMBON CHAUD SAUCE AUX TRUFFES

Préparation : 6 mn
Cuisson : 7 à 8 mn

Pour 4 personnes
- 4 tranches de jambon cuit à l'os de 200 g chacune
- 2 échalotes grises
- 125 g de champignons de Paris
- 2 c. à soupe de beurre
- 1 bol de sauce béchamel
- 1 truffe et son jus
- 1 petit verre de Porto

- Préparer la sauce en suivant les indications de la recette et la tenir au chaud dans un bain-marie.
- Hacher les échalotes, émincer les champignons.
- Chauffer le plat à brunir pendant 5 mn. Déposer la moitié du beurre dessus et dès qu'il est fondu, répartir le hachis et les champignons. Poivrer mais ne pas saler encore. Couvrir et cuire 3 mn à th. 9. Remuer à mi-cuisson. Puis retirer avec la spatule sur un plat chauffé. Couvrir pour conserver la chaleur.
- Refaire chauffer 2 mn le plat à brunir. Déposer les tranches de jambon côte-à-côte et les faire dorer à th. 9, 2 mn d'un côté. Les retourner, déposer dessus des petits flocons de beurre (1 cuillère), couvrir et cuire encore 1 mn à th. 9.
- Répartir sur les tranches, champignons et hachis. Recouvrir et tenir au chaud.
- Pendant la cuisson, couper la truffe en lamelles. Le mettre dans le ramequin avec le Porto. Couvrir et faire recuire 1 mn à th. 9.
- Ajouter la béchamel et servir aussitôt, la sauce à part, en nappant le plat, à votre gré.

* En accompagnement, une purée de courgettes.

Vin rouge
Pomerol
Saint-Emilion Grand Cru
de 5 à 7 ans
Servir à 16-17°

Par personne
774 Calories

ROULADES DE VEAU AU JAMBON DE PARME ET AU BASILIC

Préparation : 30 mn
Cuisson : 7 mn

Pour 4 personnes
- 300 g de filet de veau
- 6 tranches très fines de jambon de Parme
- 24 feuilles de basilic
- 500 g de tomates mûres à point
- 1 gousse d'ail
- 2 c. à soupe d'huile d'olive
- 1 noix de beurre
- 4 pincées de noix de muscade
- Sel, poivre
- Facultatif : 2 c. à soupe de parmesan très finement et très fraîchement râpé

- Demander à votre boucher de couper dans le filet de veau 12 très petites escalopes et de les aplatir.
- Couper les tranches de jambon en deux dans le sens de la largeur, retirer tout le gras.
- Peler les tomates, les couper en deux, épépiner puis détailler la pulpe en cubes de 1/2 cm de côté, les laisser s'égoutter dans une passoire après les avoir légèrement poudrées de sel.
- Peler la gousse d'ail. Laver les feuilles de basilic et les éponger.
- Poser deux feuilles de basilic puis une demi-tranche de jambon sur chaque escalope avant de la rouler sur elle-même sans serrer.
- Faire chauffer un plat brunisseur de 24 cm de diamètre, sélecteur 9 pendant 3 mn.
- Lorsque le plat est chaud, mettre l'huile, le beurre, la gousse d'ail passée au presse-ail et les cubes de tomates. Mélanger, glisser le plat dans le four, sélecteur 9 pour 2 mn.
- Retirer le plat du four, ranger les roulades de veau sur les tomates en couronne. Remettre au four, sélecteur 9 pour 5 mn. A mi-cuisson, retourner les roulades sur elles-mêmes, les poudrer de poivre et de noix de muscade.
- Servir les roulades dès leur sortie du four, poudrées ou non de parmesan.

Accompagner ce plat de 300 g de bâtonnets de courgettes de 3 cm de long, d'1 cm d'épaisseur et de large, cuits à découvert, sélecteur 9, 4 mn, retournés à mi-cuisson.

Vin
Moulis (Médoc)
St-Julien (Médoc)
Servir à 16°

Par personne
376 Calories (sans par.)
396 Calories (avec par.)
+ 25 Calories / port. de c.

GRENADINS DE VEAU AUX BROCOLI

Préparation : 15 mn
Cuisson : 25 mn
M.O. : 8 mn

Pour 4 personnes
- 4 grenadins de veau surgelés
- 500 g de brocoli surgelés
- 4 tomates
- 3 gousses d'ail
- 60 g de beurre
- 1 c. à soupe d'huile
- Sel, poivre

- Faire décongeler les grenadins à température ambiante ou 10 mn au micro-ondes et les brocoli 5 mn.
- Peler et concasser les tomates.
- Peler et émincer les gousses d'ail.
- Dans une cocotte, faire chauffer le beurre et l'huile. Faire rissoler les grenadins de chaque côté, ajouter l'ail, les tomates, saler et poivrer. Couvrir et laisser cuire 15 mn.
- Ajouter les brocoli, couvrir à nouveau et laisser cuire encore 10 mn.
- Servir aussitôt.

Micro-ondes :
- Faire chauffer un plat brunisseur 3 mn à pleine puissance. Ajouter le beurre et l'huile, faire rissoler les grenadins 1 mn sur chaque face. Ajouter les tomates, l'ail, saler et poivrer. Couvrir et glisser au four 3 mn à pleine puissance, ajouter les brocoli, couvrir et faire cuire encore 2 mn.
- Laisser reposer 3 mn avant de servir.

Vin
Côtes-de-Buzet
Côtes-de-Blaye
Servir à 16°

Par personne
581 Calories

ROTI DE VEAU A LA POLENTA

Préparation : 15 mn
Cuisson : 1 h

Pour 4 personnes
- 1 rôti de veau de 1,2 kg surgelé
- 400 g de tomates surgelées
- 3 oignons
- 3 gousses d'ail
- 250 g de polenta
- 3/4 l de lait
- 1 petit bouquet de persil
- 100 g de beurre
- 1 c. à soupe d'huile d'arachide
- 3 c. à soupe d'huile d'olive
- Sel, poivre

- Faire décongeler le rôti à température ambiante ou 16 mn au micro-ondes.
- Peler, émincer les oignons et l'ail.
- Laver et ciseler le persil.
- Dans une cocotte, faire chauffer 60 g de beurre et l'huile d'arachide. Y faire rissoler le rôti de veau sur toutes les faces. Ajouter 1/3 des oignons. Saler et poivrer. Mouiller avec 1/2 verre d'eau. Couvrir et laisser cuire sur feu moyen pendant 1 h.
- Dans une casserole à fond épais, faire chauffer l'huile d'olive, y faire rissoler les oignons. Ajouter l'ail, le persil et les tomates. Saler et poivrer. Mélanger, couvrir et laisser cuire sur feu moyen pendant 20 mn.
- Porter à ébullition le lait et 40 g de beurre, verser en pluie la polenta, saler, poivrer, remuer et laisser cuire 15 mn sur feu doux en remuant de temps en temps.
- Couper le rôti en tranches, les déposer sur le plat de service, ajouter la fondue de tomates.
- Rouler la polenta dans une feuille de papier aluminium pour lui donner une forme de cylindre - laisser complètement refroidir avant de le couper en tranches. Servir aussitôt.

Vin rouge
Arbois (Arbois-Pupillin)
Côtes-du-Jura
Servir à 15-16°

Par personne
924 Calories

PAUPIETTES DE VEAU AUX PLEUROTES

Préparation : 20 mn
Cuisson : 37 mn
M.O : 14 mn

Pour 4 personnes
- 4 paupiettes surgelées
- 200 g de poitrine fumée
- 8 olives noires
- 400 g de tomates cerises
- 500 g de pleurotes surgelés
- 4 c. à soupe d'huile d'olive
- 2 gousses d'ail
- Sel, poivre

- Faire décongeler les paupiettes à température ambiante ou 7 mn au micro-ondes.
- Laisser décongeler les pleurotes à température ambiante ou 4 mn au micro-ondes. Les laisser reposer sur du papier absorbant.
- Couper la poitrine en bâtonnets.
- Dans une cocotte, faire chauffer l'huile, y faire rissoler les paupiettes 5 mn. Réserver.
- Faire rissoler les lardons, ajouter les tomates, l'ail émincé, les paupiettes, saler et poivrer. Couvrir et laisser cuire 15 mn sur feu doux.
- Ajouter les pleurotes et les olives, couvrir et laisser cuire encore 15 mn. Servir aussitôt.

Micro-ondes :
- Faire chauffer un plat brunisseur avec l'huile 3 mn au four à pleine puissance.
- Y faire rissoler les paupiettes et les lardons. Ajouter les tomates et l'ail. Mélanger, couvrir et laisser cuire pendant 6 mn à pleine puisssance.
- Incorporer les pleurotes, les olives et faire cuire à couvert 5 mn.
- Laisser reposer 5 mn et servir aussitôt.

Vin
Côtes-de-Provence
Arômes assez chauds,
avec des notes de
garrigue, de fruits rouges,
de réglisse… dans un tissu
tanique, souple et rond,
avec un joli corps,
de l'élégance,
de la puissance…
Servir à 15°

Par personne
602 Calories

SALTIMBOCCA

Préparation : 20 mn
Cuisson : 2 mn

Pour 4 personnes
- 480 g de filet de veau surgelé
- 4 fines tranches de jambon de Parme
- 16 feuilles de basilic
- 1 c. à soupe d'huile d'arachide
- 1 c. à soupe de vin blanc sec
- Sel, poivre

- Laisser décongeler le filet de veau à température ambiante ou 10 mn au micro-ondes. Puis couper 16 tranches très fines de 30 g chacune. Les aplatir. Poivrer légèrement.
- Retirer le gras du jambon et couper chaque tranche en 4 lamelles.
- Déposer une lamelle de jambon sur chaque escalope et une feuille de basilic. Maintenir le tout avec un pique en bois.
- Badigeonner d'huile une poêle et faire chauffer sur feu moyen. Déposer les escalopes côté basilic et laisser cuire 30 secondes. Retourner et cuire encore 1 mn 30, en aspergeant en fin de cuisson avec le vin blanc.
- Servir aussitôt avec des tagliatelles fraîches cuites « al dente ».

Vin
Moulis (Médoc)
Saint-Julien (Médoc)
Servir à 16°

Par personne
352 Calories

TOURTE LORRAINE

Préparation : 30 mn
Macération : 24 h
Cuisson : 1 h

Pour 6 personnes
- 300 g de pâte feuilletée
- 200 g d'épaule de veau sans os
- 200 g d'échine de porc sans os
- 100 g d'échalotes grises
- 1 gousse d'ail
- Thym et laurier frais
- 1 clou de girofle
- 20 cl de vin gris de Toul ou un blanc sec d'Alsace
- 25 g de beurre
- 3 œufs
- 20 cl de crème fraîche
- Sel, poivre concassé

Vin blanc
Riesling
Pinot blanc
Servir à 8-9°

Par personne
339 Calories

- Couper les viandes en lanières de 1 cm puis en dés, les mettre à macérer dans une terrine inoxydable avec les échalotes hachées, l'ail écrasé puis finement haché, du poivre, une feuille de laurier, une brindille de thym effeuillée, le clou de girofle écrasé. Arroser de vin blanc, couvrir et laisser au frais 24 h en retournant plusieurs fois les morceaux. Le lendemain, égoutter les viandes.
- Partager la pâte en 1/3, 2/3. Etaler chaque part sur une planche farinée. Beurrer une tourtière et la garnir avec le plus grand rond en appuyant bien sur les parois. Disposer les viandes sur la pâte. Saler et rectifier l'assaisonnement après avoir goûté.
- Préchauffer le four à th. 6-7.
- Poser le petit rond faisant couvercle en pinçant les bords des deux pâtes avec les doigts.
- Battre un œuf dans un bol. Avec un pinceau, le badigeonner sur toute la surface en insistant bien sur le contour pincé. Faire au centre du couvercle, un petit trou pour évacuer la vapeur et tenir cette cheminée ouverte par un petit carton roulé.
- Mettre au four pour 40 mn en surveillant la coloration du dessus. Pendant ce temps, battre les 2 derniers œufs dans le bol où il reste de l'œuf puis ajouter du sel, du poivre et la crème, bien mélanger.
Sortir la tourtière après 40 mn. Verser le mélange par le trou de la cheminée et pour bien le répartir, remuer la tourtière avec précaution. Remettre au four pour 15 à 20 mn après avoir baissé un peu le thermostat.
- Servir chaud ou presque tiède.

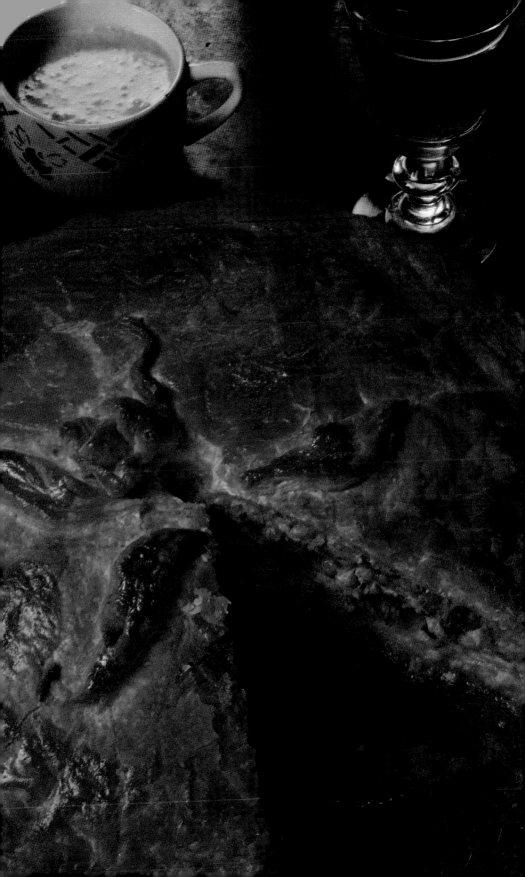

BLANQUETTE A LA ROYALE

Préparation : 10 mn
Cuisson : 47 mn

Pour 4 personnes
- 1 kg de poitrine ou d'épaule de veau
- 1 oignon moyen, 2 carottes, 1 navet
- 1 bouquet garni (ne pas oublier le céleri et les queues de persil)
- 2 verres de vin blanc (Savennières ou Vouvray sec)
- Sel, poivre blanc, pincées de muscade et de cumin
- 12 cl de crème fraîche
- Le jus d'1 citron non traité
- 1 jaune d'œuf
- 150 g de petits champignons de Paris

Vin rouge
Graves
Côtes de Bourg
de 4 à 5 ans.
Servir à 15-17°

Vin blanc
Savennières
Jasnières, Vouvray sec
Montlouis
de 3 ans.
Servir à 9°

Par personne
672 Calories

- Mettre les morceaux de veau dans une jatte, les recouvrir d'eau froide et les laisser tremper.
- Eplucher les carottes, le navet et l'oignon, les couper en rondelles d'1/2 cm. Les déposer dans la cocotte avec le bouquet garni.
- Egoutter la viande et la répartir sur les légumes. Poivrer au moulin. Verser le vin blanc et recouvrir d'eau froide au niveau des ingrédients. Poser le couvercle et enfourner à th. 9 pour 20 mn.
- Sortir ensuite la cocotte, remuer les morceaux de viande, ajouter un fragment de zeste de citron, recouvrir et remettre au four pour encore 20 mn th. 9.
- Eplucher la queue des champignons. Les laver, les égoutter, les couper en 4, les citronner (1/2 citron).
- Ecumer la viande et les légumes de la cocotte. Les déposer dans un plat creux chaud. Couvrir.
- Jeter les champignons et leur jus dans la cocotte. Couvrir et remettre au four pour 6 mn à th. 9.
- Presser le jus du 1/2 citron restant dans un bol. 5 mn avant la fin de la cuisson, ajouter la crème fraîche et le jaune d'œuf au jus de citron, un peu de poivre, du sel et la muscade râpée. Battre le tout.
- Dès que les champignons sont presque cuits : retirer le bouquet garni et le fragment de zeste.
- Prélever une petite louche de jus de cuisson, la verser en filet dans le bol tout en fouettant jusqu'à ce que tout soit crémeux et bien homogénéisé.
- Verser le mélange dans la cocotte, bien remuer, remettre la viande et le jus, remuer, couvrir et cuire 1 mn à th. 9.
- Servir dans le plat chauffé, saupoudré de pluches de cerfeuil avec, à part, un riz nature.

TETE DE VEAU SAUCE RAVIGOTE

Préparation : 30 mn
Cuisson : 2 h

Pour 6 personnes
- 1/2 tête de veau
- 1 langue de veau
- 1 cervelle de veau
- 1 oignon moyen
- 1 grosse carotte
- 50 g de farine
- 2 l d'eau
- 1 bouquet garni
- 1 clou de girofle
- 1 c. à soupe de vinaigre
- Gros sel

Sauce ravigote
- 4 cornichons
- 2 c. à soupe de câpres
- 8 c. à soupe d'huile
- 3 c. à soupe de moutarde
- 3 c. à soupe de vinaigre
- Ciboulette
- Cerfeuil
- Estragon
- Persil
- Sel, poivre

- Mettre la cervelle à tremper sous un filet d'eau froide.
- Peler la carotte et l'oignon, le piquer du clou de girofle.
- Dans un faitout, mélanger la farine et l'eau. Ajouter la carotte, l'oignon, le bouquet garni, gros sel et poivre. Porter à ébullition. Ajouter la tête de veau et la langue. Laisser cuire sur feu doux pendant 2 heures.
- Laisser refroidir dans le bouillon.
- Retirer les vaisseaux de la cervelle. La faire pocher 15 mn sur feu doux dans de l'eau salée et vinaigrée. L'égoutter et retirer les petites membranes. Réserver au chaud.

Sauce ravigote :
- Hacher les cornichons, les câpres, la ciboulette, le persil, l'estragon et le cerfeuil. Dans un saladier mettre la moutarde, l'huile, le vinaigre, sel et poivre. Bien mélanger.
- Incorporer les condiments hachés et les herbes. Verser en saucière.
- Peler la langue. Couper en tranches la tête de veau, la langue et la cervelle. Dresser sur un plat. Servir chaud avec des pommes vapeur.

Vin
Brouilly Dubœuf
Ce brouilly, légèrement mordant sur une assise ronde, souple et fruitée aux parfums de cerise, cassis et amande se fond avec ce plat comme glace au soleil.
D'où un mariage heureux.

Par personne
689 Calories

RIS DE VEAU TIEDE AU CURRY

Préparation : 15 mn
(à commencer 3 h à l'avance)
Cuisson : 43 mn 15

Pour 4 personnes
- 400 g de ris de veau
- 1 c. à soupe de vinaigre d'alcool
- 3 échalotes grises
- 1 betterave rouge cuite
- 100 g de haricots verts

Sauce
- 2 c. à soupe de vin blanc sec
- 1 c. à café de curry en poudre
- 1 c. à soupe d'huile d'olive
- 1 jaune d'œuf
- 1 c. à soupe de crème fraîche épaisse
- 1 c. à soupe de vinaigre de vin rouge
- Sel, poivre blanc moulu

- Faire dégorger 3 h à l'eau fraîche vinaigrée le ris de veau. Le déposer ensuite dans une cocotte et le faire blanchir recouvert d'eau froide à th. 9. Eteindre dès que l'ébullition est atteinte. Rincer à l'eau froide.
- Préchauffer 5 mn à pleine puissance le plat à brunir. Ajouter 1 cuillère à café d'huile. Y mettre l'échalote coupée en deux. Escaloper le ris de veau et le faire cuire 1 mn d'un côté, puis 45 secondes de l'autre côté. Saler et poivrer, couvrir et laisser reposer.
- Préparer la sauce qui doit avoir le temps de refroidir : hacher fin 2 échalotes. Les mettre dans une coupelle avec le vin blanc, le curry et quelques gouttes d'huile. Couvrir de film et enfourner pour 30 secondes à th. 9. Laisser reposer et refroidir, après avoir salé et poivré à votre goût.
- Faire cuire les haricots verts «croquants». Egoutter et les réserver.
- Achever la sauce : ajouter la crème fraîche et le jaune d'œuf dans les échalotes cuites et travailler à la cuillère pour amalgamer. Ajouter le reste d'huile d'olive, le vinaigre et goûter pour rectifier l'assaisonnement.
- Sur 4 assiettes chaudes, disposer les dés de betterave froide, les haricots verts tièdes et les escalopes de ris de veau chaudes.
- Napper de sauce et servir aussitôt.

* La même recette peut se faire avec de la cervelle d'agneau ou de veau.

Vin rouge
Pomerol
Saint-Emilion
de 5 à 6 ans
Servir à 16°

Par personne
225 Calories

FOIE DE VEAU AU VINAIGRE DE XERES

Préparation : 10 mn
Cuisson : 8 mn 30

Pour 4 personnes
- 4 tranches de foie de veau
- 4 belles échalotes
- 4 c. à soupe de vinaigre de Xérès ou de vin
- 40 g de beurre
- 1 c. à soupe d'eau
- Persil haché
- Sel, poivre

• Dans un bol, mettre 4 échalotes émincées avec l'eau, couvrir, cuire 2 mn pg cuisson maxi. Ajouter le vinaigre, le beurre, assaisonner, couvrir, cuire 4 mn.
• Verser cette préparation dans une large assiette, poser le foie dessus, assaisonner, couvrir, cuire 1 mn pg cuisson maxi puis 2 mn 30 pg mijotage.
• Servir parsemé de persil haché et accompagné de pommes vapeur.

Vin
Château-Châlon
(Vin jaune en Côtes-du-Jura)
Servir à 12-13°

Par personne
276 Calories

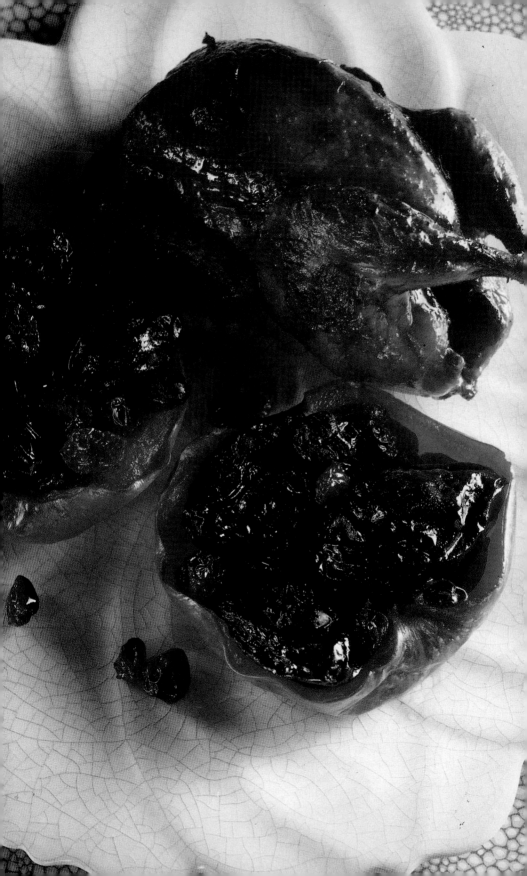

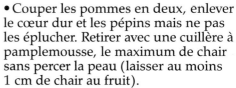

CAILLES AUX POMMES

Préparation : 30 mn
Macération : 3 h
Cuisson : 33 mn

Pour 4 personnes
- 4 cailles bridées, prêtes à cuire
- 2 pommes acides
- 1 c. à café de cannelle en poudre
- 50 g de raisins de Smyrne
- 8 pruneaux d'Agen dénoyautés
- 1 verre à Porto d'Armagnac
- 1 c. à café de miel
- 1 c. à soupe de moutarde douce
- 1 c. à soupe de crème fraîche épaisse
- Sel, poivre blanc moulu

- Couper les pommes en deux, enlever le cœur dur et les pépins mais ne pas les éplucher. Retirer avec une cuillère à pamplemousse, le maximum de chair sans percer la peau (laisser au moins 1 cm de chair au fruit).
- Pouder de cannelle, de sel et de poivre chaque «berceau».
- Saler et poivrer l'intérieur des cailles. Les remplir de raisins secs, de 2 pruneaux et verser le quart de l'Armagnac.
- Déposer chaque caille dans une moitié de pomme et ensuite dans un plat creux, recouvrir de papier d'aluminium et tenir au frais 2 ou 3 h.
- Préchauffer l'appareil au maximum, en position «four», couvercle baissé.
- Sortir le plat et le laisser à température ambiante le temps de préparer la crème qui recouvrira les cailles.
- Mélanger, dans un bol, le miel et le reste d'Armagnac jusqu'à former une crème liquide. Ajouter alors la moutarde, bien mélanger, puis la crème fraîche, mélanger encore. Saler et poivrer un peu.
- Découvrir les «berceaux». Enduire avec une spatule souple ou 1 pinceau la partie des cailles qui dépassent la demi-pomme et le tour de chair qui entoure l'oiseau. Toute la «crème» préparée doit être utilisée.
- Poser sur la grille chaude et fermer le couvercle. Baisser un peu la chaleur à moyen.
- Faire cuire 20 à 25 mn. Eteindre et laisser reposer, couvercle toujours fermé, chaleur éteinte, 6 à 8 mn.

* Ce plat raffiné peut être cuit en papillotes individuelles à feu moyen sur la grille. Il faudra tourner trois fois les oiseaux pendant la cuisson et préchauffer à température minimum pendant 10 mn. Laisser reposer 5 mn avant d'ouvrir la papillote.

Vin
Chinon
Bourgueil
St-Nicolas-de-Bourgueil
Servir à 15°

Par personne
406 Calories

SALMIS DE FAISANS

Préparation : 30 mn
Cuisson : 50 mn

Pour 4 personnes
- 1 faisan
- 50 g de lard demi-sel
- 2 carottes
- 4 tranches de pain de mie
- 80 g de beurre
- 1 gousse d'ail, sel, poivre
- 4 épices
- 3 verres de vin rouge (Cahors, Bordeaux, Madiran)
- 1/4 verre de Cognac
- 1 c. à soupe de farine
- 1 oignon
- 1 échalote
- 1 bouquet garni

- Découper le faisan et faire dorer dans une cocotte, laisser mijoter 20 mn.
- Retirer les morceaux et les essuyer.
- Mettre dans la cocotte le lard émincé et les légumes hachés gros. Faire revenir rapidement.
- Ajouter les morceaux de viande, les mouiller avec le Cognac et faire flamber. Ajouter, l'échalote, les 4 épices, le bouquet garni, verser le vin. Saler, poivrer. Faire mijoter 30 mn puis égoutter les morceaux de faisan, dans une passoire au-dessus d'un récipient. Faire un roux brun avec le jus de cuisson.
- Passer quelques minutes le faisan à four chaud et servir aussitôt sur du pain de mie grillé.

Vin rouge
Cahors
Madiran
Côtes-de-Buzet
Servir à 16°

Par personne
558 Calories

GARENNE MARINE A LA BROCHE

Préparation : 10 mn
Marinade : 45 mn
Cuisson : 25 à 30 mn

Pour 4 personnes
• 1 garenne (avec son foie ou un petit morceau de foie de veau ou de volaille).
• 1 crépine de porc
• 1 oignon haché
• 1 verre d'huile d'olive
• Herbes de Provence

• Faire mariner 3/4 h le garenne dans une marinade cuite. Bien l'éponger. Embrocher la viande et la faire cuire au tourne-broche après l'avoir enduite d'huile, d'herbes de Provence et entourée d'une crépine de porc. La badigeonner souvent avec l'huile d'olive lorsque la cuisson est presque terminée.
• Faire dorer doucement le foie dans un peu d'huile avec l'oignon (sans le laisser trop colorer).
• Hacher le foie et l'oignon. Ajouter le jus de cuisson du garenne et si nécessaire de la marinade.
• Retirer la crépine pour servir la viande. Présenter la sauce chaude à côté.

Vin
Côtes-de-Provence
Côtes-du-Rhône
Costières-de-Nîmes
Servir à 16°

Par personne
465 Calories

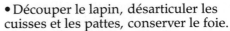

GIBELOTTE DE GARENNE EN MARENGO

Préparation : 30 mn
Cuisson : 2 h 30

Pour 4 à 6 personnes
- 1 beau et jeune garenne dépouillé d'1,5 kg
- 125 g de poitrine fumée
- 1/2 bouteille de vin blanc sec
- 250 g de champignons de Paris
- 3 belles tomates
- 12 petits oignons
- 1 c. à café de thym émietté
- 3 c. à soupe d'huile d'olive
- 1 c. à café de sel
- 1 c. à café de poivre en grains moulu

- Découper le lapin, désarticuler les cuisses et les pattes, conserver le foie.
- Mettre l'huile à chauffer dans une sauteuse, faire revenir les morceaux de lapin, saler, poivrer, saupoudrer de thym, les faire bien dorer de tous côtés, en les retournant plusieurs fois. Ajouter la poitrine fumée coupée en lardons, la faire revenir à son tour puis verser la moitié du vin blanc.
- Eplucher les oignons et les jeter entiers, dans la sauteuse. Réduire le feu, faire cuire doucement.
- Pocher les tomates 1 mn dans de l'eau bouillante pour les peler facilement, les couper en quartiers et les mettre dans la sauteuse.
- Eplucher ensuite les champignons, les couper en 4 et les ajouter dans la cuisson.
- Verser le reste du vin blanc. Les morceaux doivent être recouverts (au besoin, ajouter un peu d'eau). Remuer et faire mijoter 1 h environ.
- Prélever et répartir les morceaux de garenne, dans les bocaux préparés à cet effet. Répartir également et successivement les lardons, les oignons, les champignons. Verser la sauce par-dessus.
- Poser les capsules et fermer les couvercles. Traiter 1 h 30 à l'autocuiseur. Ces bocaux se conservent plusieurs mois au frais.

* Afin de déguster au mieux cette gibelotte, la faire réchauffer quelques minutes au bain-marie. Verser ensuite le bocal dans une terrine, couvrir et mettre à chauffer à four doux (th. 4/5) durant 30 à 40 mn. Servir dans la terrine, accompagnée de pâtes fraîches.

Vin rouge
Gigondas
Servir à 16°

Par personne
431 Calories (6 pers.)
647 Calories (4 pers.)

LIEVRE AU SAUTERNES

Préparation : 20 mn
Marinade : 3 h
Cuisson : 35 mn

Pour 6/8 personnes
- 1 lièvre en morceaux ou 6 cuisses
- 1 bouteille de Sauternes (vin blanc moelleux. On peut choisir une autre appellation)
- 3 échalotes
- Sel, poivre, thym, laurier, beurre
- 1 c. à café de maïzéna
- Armagnac (1 v. à liqueur)
- Canapés

- Faire mariner le lièvre en morceaux 3 heures dans le vin (1/2 bouteille) avec tous les légumes concassés.
- Retirer les morceaux, les essuyer et les faire revenir dans le beurre.
- Pendant ce temps, faire réduire doucement la marinade dans une casserole.
- Délayer la cuillère de maïzéna dans un demi-verre de vin. Chinoiser la marinade puis l'ajouter à la maïzena diluée.
- Flamber le lièvre à l'Armagnac, ajouter la sauce. Terminer la cuisson.
- Servir sur canapés grillés.

Vin
Sauternes
Barsac
Cadillac
Servir à 8-9°

Par personne
366 Calories (6 pers.)
274 Calories (8 pers.)
+ 72 Calories (2 tranches de pain de mie)

ROTI DE BICHE A L'ESTRAGON

Préparation : 10 mn
Cuisson : 1 h

Pour 6 personnes
- 2 kg de selle ou cuissot de biche
- Estragon frais ou séché, rehumidifié
- Sel, poivre
- Sauce béarnaise

- Inciser la peau de la viande et introduire de l'estragon dans la chair. Saler, poivrer.
- Si le rôti ne comporte pas une petite couche de graisse, le barder.
- Cuire à la broche ou dans un plat à four très chaud (th. 8), quand le rôti est doré, baisser le feu.
- Vérifier la cuisson en enfonçant une longue broche, la pointe doit être chaude.
- Ce rôti se sert avec une sauce béarnaise, accompagné de petites pommes de terre rôties.

Vin
Chinon
Bourgueil
Anjou-Villages
Servir à 14-15°

Par personne
393 Calories
+ 64 Calories/c. à café
de sauce béarnaise

FILETS DE CHEVREUIL
A LA MODE DE PERIGUEUX

Préparation : 15 mn
Cuisson : 45 mn

Pour 4 personnes
• 4 filets
• 100 g de lard maigre coupé en dés
• 2 oignons
• 1 truffe coupée en très fines lamelles
• 2 verres de Monbazillac
• Os cassés

• Faire revenir les oignons et les os cassés dans un peu d'huile. Saler, poivrer. Verser le vin blanc et laisser frémir 15 mn. Chinoiser. Réserver.
• Aplatir légèrement les filets, les piquer avec le lard et la moitié de la truffe. Les badigeonner d'huile au pinceau. Saler, poivrer. Griller très rapidement.
• Faire un roux blond, mouiller avec le bouillon et juste avant de servir ajouter le reste de truffe dans la sauce, puis napper les filets de chevreuil.

Vin
Mercurey
Pécharmant
Bergerac
Servir à 15-16°

Par personne
381 Calories

SANGLIER A L'ARDENNAISE

Préparation : 40 mn
Marinade : 3 jours
Cuisson : 3 h 45

Pour 6 à 8 personnes
- A commencer 4 jours à l'avance
- 1 cuissot de sanglier
- 6 tranches de poitrine fumée
- 2 c. à soupe de miel, ou
5 morceaux de sucre roux
- 1 petit verre de marc de
Champagne
- 1 c. à soupe de farine
- 75 g de beurre
- 300 g d'airelles

Marinade
- 1 bouteille de côtes-du-rhône
- 40 cl de vinaigre de vin rouge
- 3 carottes
- 2 oignons
- 1 bouquet garni
- 2 gousses d'ail
- 1 clou de girofle
- Gros sel, poivre noir en grains

• Faire cuire tous les éléments de la marinade après avoir écrasé l'ail et émincé les carottes et les oignons. Après 10 à 15 mn de petit feu, laisser refroidir.
• Choisir une terrine à la taille du cuissot et y plonger la viande. Couvrir et tenir 3 jours au frais en retournant le cuissot tous les jours.
• Le jour de la cuisson, choisir une cocotte à la taille de la viande et allant au four. Egoutter le sanglier. Couper la poitrine fumée en petits dés. Faire revenir dans la cocotte avec le beurre.
• Sécher bien le cuissot avec du papier. Le saupoudrer de farine des 2 côtés pour achever le séchage.
• Retirer les lardons dans une assiette sans entraîner le beurre et déposer la viande. Faire dorer des 2 côtés à feu moyen puis retourner le cuissot encore une fois. Arroser de marc, flamber et laisser éteindre. Remettre les lardons autour de la viande, ajouter le miel.
• Mouiller avec la marinade passée et laisser chauffer sur feu moyen jusqu'à frémissement. Saler et poivrer.
• Couvrir alors et enfourner pour 2 h 30 mn. Baisser ensuite le th. à 6 ajouter les airelles. Reposer le couvercle et laisser cuire 1 h.
• Servir le cuissot coupé en tranches entouré de 4 pommes acides coupées en 2 et sautées au beurre.
• La sauce sera proposée en saucière ébouillantée.
• Le sanglier, peut être remplacé par du marcassin. Laisser alors macérer 3 jours. Forcer sur les épices : baies de genièvre et sarriette.
• Compter environ 1 h 40 de cuisson.
• Offrir du pain de campagne grillé, de la marmelade d'airelles.

Vin
Santenay
Chambolle-Musigny
Nuits-Saint-Georges
Servir à 17-18°

Par personne
511 Calories (6 pers.)
681 Calories (8 pers.)
+ 100 Calories/
pommes sautées

JAMBON DE SANGLIER «CORSICA»

Préparation : 1 h
Cuisson : 50 mn/kg

Pour 6 personnes
- 1 jambon de sanglier
- 3 oignons hachés
- 3 carottes hachées
- Huile d'olive
- 5 c. à soupe de sucre roux
- 1 c. à soupe de vinaigre de vin
- 20 cerises au vinaigre
- 1 dz d'olives noires
- 2 verres de pignons
- 1 verre d'écorces de cédrat confites

Marinade
- Pignons
- Ecorces de cédrat confites
- 1 verre de liqueur de cédrat

- Piquer le jambon de pignons et faire macérer pendant 3 jours dans la marinade cuite.
- Faire revenir le jambon égoutté dans l'huile d'olive très chaude. Saler, poivrer. Ajouter le hachis de carottes et d'oignons. Laisser cuire à feu doux.
- Mouiller avec la marinade. Compter 20 à 25 mn par livre.
- Retirer la viande dans un plat allant au four. Chinoiser le jus de cuisson et arroser un peu de jambon cuit, saupoudrer de sucre pour glacer au four.
- Conserver au chaud.
- Dans 1 casserole faire caraméliser le reste du sucre roux, déglacer avec le vinaigre de vin et mouiller avec la marinade et le jus de cuisson passé. Laisser réduire pendant quelques minutes. Chinoiser. Ajouter les pignons et les écorces de cédrat. Porter à ébullition.
- Incorporer les cerises confites et les olives. Faire bouillir à nouveau.
- Trancher finement le sanglier. Verser dessus la sauce très chaude et servir aussitôt accompagné d'aubergines en purée ou en mousseline et des petits oignons marinés dans le vinaigre chaud.

Vin
Ajaccio
Patrimonio
Servir à 15-16°

Par personne
388 Calories
+ 45 Calories (aubergines)

AIGUILLETTES DE CANARD AU VINAIGRE

Préparation : 30 mn
Cuisson : 45 mn

Pour 4 personnes
- 2 aiguillettes de canard de 320 g
- 2 cl d'huile d'arachide
- 20 g de sucre en poudre
- 8 cl de vinaigre de framboises
- 50 g d'échalotes
- 5 cl de vin rouge (Bordeaux)
- 10 cl de fond de canard
- 25 g de beurre
- 4 belles poires pochées
- 200 g de pâtes fraîches
- 1/2 botte de persil plat
- 1 l de vin rouge (Bordeaux)
- 1 c. à café de cannelle
- 100 g de sucre
- Le jus d'1 citron
- Quelques airelles pour la décoration
- Sel, poivre

Vin
Pomerol
Vin rond et souple,
de grande sève, corsé,
équilibré, à la fois
onctueux, gras et ample.
Arômes de fruits rouges
surmûris, de cacao,
de cuir, de truffe,
de sous-bois…
Servir à 17-18°

Par personne
960 Calories

- Peler les poires en laissant les queues. Les arroser de jus de citron pour éviter qu'elles noircissent.
- Dans une casserole, verser le vin rouge, la cannelle et le sucre. Mélanger et faire chauffer jusqu'à ce que le sucre soit complètement dissout. Ajouter les fruits, les faire pocher pendant 30 mn sur feu doux. Laisser refroidir.
- Préchauffer le four th. 6/180 °C.
- Dans un grand sautoir allant au four, faire chauffer l'huile, y saisir les aiguillettes de canard côté peau d'abord pour faire fondre la graisse, saler, poivrer et saupoudrer de sucre.
- Enfourner et faire rôtir les aiguillettes pendant 5 à 6 mn. Prélever les aiguillettes, les réserver au chaud.
- Éplucher et hacher les échalotes. Verser le sucre dans le sautoir, y faire confire les échalotes. Déglacer avec le vinaigre de framboises. Faire réduire pratiquement à sec. Mouiller avec le vin de Bordeaux. Poursuivre la réduction aux 3/4, arroser avec le fond de canard. Bien mélanger et laisser réduire aux 3/4.
- Chinoiser la sauce. Ajouter le beurre en fouettant. Rectifier l'assaisonnement. Cette sauce doit être aigre-douce.
- Amener à ébullition une casserole d'eau. Y plonger les pâtes fraîches. Les laisser cuire 1 mn. Egoutter.
- Faire fondre le beurre dans un autre sautoir. Y faire revenir les pâtes quelques instants en ajoutant les airelles.
- Napper de sauce le fond des assiettes.
- Escaloper les aiguillettes et les dresser en éventail. Emincer les poires en minces quartiers, les disposer harmonieusement sur les assiettes. Enfin déposer les pâtes fraîches en dôme au milieu ou sur les côtés.
- Décorer avec du persil plat.

MAGRET DE CANARD AU POIVRE VERT

Préparation : 10 mn
Cuisson : 12 mn

Pour 3 à 4 personnes
- 2 magrets bien parés
- 1 dl de crème fraîche
- 1 c. à soupe de poivre vert
- 30 g de beurre
- 2 c. à soupe de Cognac
- 4 pommes Golden
- Sel

- Eplucher les pommes, les couper en deux, les évider, disposer une noix de beurre dans chaque demi-pomme, couvrir, cuire 5 à 6 mn pg cuisson maxi. Préchauffer le plat brunisseur 10 mn. Y déposer les magrets côté peau, cuire 2 à 3 mn, retourner les magrets, les parsemer de poivre vert concassé, saler, cuire 1 mn, flamber, retirer les magrets, déglacer le fond du plat avec la crème fraîche, chauffer 2 mn. Couper les magrets en tranches fines, les déposer dans le plat de service entourés des pommes.

Vin
Crozes-Hermitage
Vin assez puissant, fruité (fruits mûrs), nez de café, de moka, de vanille, des épices, des tanins ronds mais présents. Belle structure en bouche, tanique et fruité.
Servir à 16-17°

Par personne
379 Calories (4 pers.)
505 Calories (3 pers.)

BROCHETTES DE CANARD FUME AUX AGRUMES

Préparation : 15 mn
Macération : 2 h
Cuisson : 10 mn

Pour 2 personnes
- 1 magret de canard fumé au poivre
- 1 orange et 1 citron non traités
- 1 écorce d'orange confite
- 1 pincée de quatre-épices
- 1 c. à soupe de miel liquide ou de sirop d'érable
- 2 c. à soupe de soja
- Sel, paprika fort

- Tailler le magret en lamelles pas trop fines.
- Mélanger le miel, le soja, le sel et le paprika. Ajouter le jus du citron et son zeste lavé et râpé. Laver et râper aussi celui de l'orange. Détacher les quartiers d'orange et les réserver.
- Faire macérer le magret et l'écorce d'orange confite dans la marinade pendant au moins 2 h. Retirer l'écorce au bout de 20 mn (il ne s'agit que de l'attendrir) et la couper en morceaux de la taille du magret ou des quartiers d'orange.
- Préchauffer la grille à chaleur maximum.
- Embrocher successivement 1 lamelle d'écorce d'orange, 1 magret, 1 tranche d'orange, 1 magret, 1 lamelle, etc. Et ainsi de suite en terminant la brochette par une lamelle d'écorce.
- Badigeonner encore avec le pinceau trempé dans le reste de marinade et poser sur la grille. Baisser aussitôt la chaleur à moyen.
- Tourner et badigeonner les brochettes pour avoir une jolie croûte caramélisée.
- Servir avec une salade verte aux noix assaisonnée à l'huile de noisettes et au citron.

Vin
Jurançon demi-sec
Pourquoi ne pas tenter de rester dans des notes exotiques ? Le Jurançon exhale des arômes de miel, de fruits exotiques et, en bouche, il se fondra avec cette dominante de grillé / rôti / sucré / miellé / exotique.
Servir à 9-10°

Par personne
303 Calories (2 pers.)
+ 75 Calories (salade)

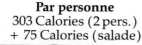

GARBURE BEARNAISE

Préparation : 20 mn
Cuisson : 1 h 30

Pour 4 à 6 personnes
- 4 morceaux de confit au choix : canard ou oie
- 1 os de jambon encore garni de chair
- 1 bouquet garni avec beaucoup de thym
- 250 g de haricots blancs (secs ou frais) ou des fèves
- 1 beau chou blanc ou vert
- 2 gousses d'ail
- 2 oignons
- 1 branche de persil simple
- 500 g de pommes de terre
- 1 bon morceau de citrouille
- 1 piment fort
- 2 carottes
- 2 poireaux
- 2 navets
- 1 c. à soupe de graisse d'oie et canard
- Sel, poivre
- 8 croûtons de pain de campagne grillés et aillés

Vin
Béarn de Bellocq
Ce vin de rouge a des arômes où se mêlent pruneau, cassis, sous-bois, vanille… Bien que des tanins de qualité soient présents c'est un vin assez rond et friand.
Servir à 15°

Par personne
910 Calories (4 pers.)
607 Calories (6 pers.)

- La veille, faire tremper les haricots dans de l'eau fraîche. Dans une grande «toupine» mettre le «chamango» (l'os) les féculents avec 3,5 l d'eau et la cuillère de graisse, saler et poivrer. Poser sur feu moyen.
- A ébullition, ajouter le bouquet, les légumes épluchés mais entiers, le piment entier, l'ail, le persil, les oignons coupés en quatre. Laisser cuire 1 h.
- Pendant ce temps, éplucher le chou, le couper en 8 et le blanchir ou non.
- Peler les pommes de terre et les couper en morceaux.
- Eplucher et égrener le potiron, le tailler en cubes.
- Ajouter le chou, les pommes de terre et la citrouille dans la soupe et continuer à cuire doucement 30 mn.
- Dans une poêle posée sur feu doux, mettre les morceaux de confit à fondre. Réserver la graisse dans le pot à confits et laisser les morceaux revenir, côté peau d'abord, puis côté chair ensuite. Les égoutter et les ajouter au bouillon pour 15 mn de très doux mijotage.
- Pendant que la garbure achève de cuire, griller les croûtons au four puis les frotter avec une gousse d'ail.
- Préparer une soupière chaude, un plat creux pour les légumes et les viandes, des assiettes creuses chaudes aussi.
- Servir le bouillon dans la soupière avec ce qu'il viendra de légumes. Donner à part, les croûtons et du fromage râpé (un vieux Cantal). Le chou, les pommes et les haricots (ou les fèves) seront proposés avec les viandes sans oublier l'os dont la chair a des amateurs. Puis, à côté, des piments, oignons et cornichons au vinaigre et une sauce tomate.

CANARD AUX NAVETS

Préparation : 20 mn
Cuisson : 45 mn
M.O. : 17 mn

Pour 4 personnes
- 1 canard surgelé
- 1 kg de navets surgelés
- 4 dl de bouillon de poule
- 60 g de beurre
- 2 c. à soupe d'huile
- 1 petit bouquet de cerfeuil
- Sel, poivre

- Faire décongeler le canard à température ambiante ou 20 mn au micro-ondes. Couper le canard en morceaux.
- Dans une cocotte à fond épais, faire chauffer le beurre et l'huile, y faire rissoler les morceaux de canard. Saler et poivrer. Laisser cuire 10 mn. Les réserver.
- Mettre dans la cocotte les navets encore surgelés et le bouillon. Saler et poivrer. Bien mélanger. Couvrir et laisser cuire sur feu doux 10 mn. Ajouter les morceaux de canard et laisser cuire encore 15 mn toujours à couvert. Ajouter les pluches de cerfeuil et laisser encore 5 mn.
- Servir aussitôt.

Micro-ondes :
- Faire décongeler les navets dans un peu d'eau pendant 12 mn.
- Faire chauffer un plat brunisseur 3 mn à pleine puissance, faire fondre le beurre et l'huile. Y faire rissoler les morceaux de canard.
- Ajouter le bouillon, couvrir et glisser au four pour 5 mn. Ajouter les navets et les pluches de cerfeuil. Enfourner pour 8 mn à pleine puissance. Laisser reposer 5 mn avant de servir.

Vin
Bordeaux
Bordeaux-Supérieur qui ont l'avantage de présenter des arômes développés (fruits rouges, grillé, venaison, sous-bois) et une grande souplesse malgré une structure tanique séduisante.
Servir à 16-17°

Par personne
811 Calories

Volailles

CANETTES AUX EPICES ET CAFE VERT

Préparation : 20 mn
Cuisson : 1 h

Pour 4 personnes
- 2 canettes de 1,8 kg
- 2 oignons
- 4 échalotes
- 4 gousses d'ail
- 1/2 l de bon vin rouge
- 2 c. de concentré de tomates
- 1/2 l de bouillon de viande
- 1 c. à soupe de 5 épices
- 1 pincée de cannelle
- 1 c. à soupe de maïzena
- 1 bouquet garni
- 1 c. à soupe de Nescafé
- 100 g de café vert
(enfermé dans un nouet)
- Rhum
- 6 c. à soupe d'huile de tournesol
- Sel et poivre

Vin rouge
San Daniele
Costières-de-Nîmes
Ce vin a du muscle, du corps et une puissance notables. Au nez, des arômes fruités (fruits mûrs) des senteurs de garrigue et des épices (laurier, sauge). En bouche, il allie noblesse de caractère et rusticité de saveur.
Servir à 16-17°

Par personne
1688 Calories
+ 105 Calories (riz)

- Préchauffer le four th. 8/240 °C.
- Dans un petit bol bien mélanger les 5 épices et du sel. En frotter la poitrine et les cuisses des canettes. Réserver les abats des volailles.
- Dresser les canettes sur la plaque du four, les arroser de 4 cuillères à soupe d'huile.
- Enfourner pour 10 mn en retournant les volailles à mi-cuisson.
- Les sortir et les égoutter.
- Les couper en deux puis les désosser (retirer les charpentes osseuses, les réserver), laisser les cuisses attenantes aux filets. Poudrer l'intérieur du mélange d'épices. Envelopper chaque demi-canette d'une feuille de papier d'aluminium. Réserver. Baisser le four th. 7/210 °C.
- Concasser les abats des canettes.
- Peler et émincer les oignons, les échalotes et l'ail.
- Dans une sauteuse verser l'huile restante. Ajouter les carcasses, les abats, les oignons, les échalotes, l'ail et faire rissoler sur feu moyen.
- Déglacer avec le vin. Ajouter le bouillon, le concentré de tomates, le bouquet garni, les 5 épices, le Nescafé et le nouet contenant le café vert. Poivrer.
- Laisser cuire 40 mn à faible ébullition puis passer au chinois. Dégraisser. Dans un bol mettre la maïzena, ajouter un peu de bouillon. Bien mélanger, verser ce mélange dans le bouillon. Bien remuer. Goûter et rectifier l'assaisonnement si nécessaire.
- Glisser au four les papillotes 5 mn.
- Préchauffer les assiettes de service. Y dresser les demi-canettes, les napper de sauce.
- Ecraser les grains de café vert au pilon, les mélanger à une pincée de Nescafé et de gros-sel. En parsemer les canettes. Servir aussitôt.

CONFIT DE CANARD

Préparation (la veille) : 1 h
Macération : 24 h
Cuisson : 3 h

Pour 6 à 8 personnes
• 1 beau canard
bien gras
de 4 à 5 kg

Macération
• 2 feuilles de laurier émietté
• 5 g de poudre de 4 épices
• 1 c. à dessert de thym émietté
• 1 c. à café de sucre en poudre
• 50 g de gros sel moulu
• 7 g poivre en grains moulu

La veille :
• Couper les pattes, les ailerons et le cou du canard (réserver ailerons et cou). Le vider, retirer la graisse de la partie arrière.
• Avec un couteau pointu, inciser la poitrine jusqu'à l'os. Détacher la chair de chaque côté de la carcasse : dépouiller le canard.
• Dégager le foie délicatement et le mettre au frais, après lui avoir retiré aussitôt le fiel.
• Couper la dépouille du canard en 4 morceaux : les 2 ailes (ou magrets) et les 2 cuisses (conserver le reste de la carcasse pour les rillettes).
• Retirer sa graisse, la mettre de côté, au frais.
• Mélanger ensuite, dans un plat en terre, tous les ingrédients de la macération et en frotter les morceaux. Les placer serrés dans le plat, couvrir d'un linge et d'un poids et laisser macérer 24 h.

Le lendemain :
• Couper en morceaux la graisse du canard et la mettre à fondre doucement dans une cocotte épaisse (ajouter de la graisse de canard fondue, en boîte si vous n'en avez pas assez). Entre-temps, essuyer les morceaux de volaille et les déposer dans la graisse fondue. Faire cuire doucement, à feu doux, 1 h 30.
• Vérifier la cuisson à l'aide d'une grosse aiguille : elle pénètre aisément dans la chair et elle ressort sèche, les morceaux sont cuits.
• Placer alors les morceaux (1 aile, 1 cuisse) dans des bocaux préparés.
• Faire bouillir la graisse seule, l'écumer, la filtrer et la verser sur le confit (recouvrir les morceaux). Poser caoutchouc ou capsules, fermer les couvercles. Traiter 1 h 30 à l'autocuiseur.

Vin rouge
Madiran
Avec ses notes olfactives mêlant le floral (violette, iris…) et le fruité (cassis, mûre…) et sa structure tanique présente, fondue, souple avec le temps, un vrai plaisir en perspective. Servir à 15-16°

Par personne
1206 Calories (6 pers.)
905 Calories (8 pers.)

ESCALOPE DE DINDE A L'ALSACIENNE

Préparation : 6 mn
Cuisson : 10 mn en tout

Pour 4 personnes
- 4 escalopes de dinde
- 3 échalotes grises
- 1 c. à café d'huile d'arachide
- 1 branche d'estragon
- 10 cl de Sylvaner
- 1 petit pot (12 cl) de crème fraîche
- 1 pincée de grains de carvi
- Sel, poivre blanc du moulin

- Huiler au pinceau les deux côtés de chaque escalope.
- Chauffer le plat à brunir 6 mn à toute puissance puis y déposer les escalopes 2 mn d'un côté, 1 mn de l'autre.
- Pendant ce temps, hacher finement les échalotes et effeuiller l'estragon.
- Sortir les escalopes, les déposer sur un plat et les couvrir. A leur place mettre le hachis bien réparti. Couvrir et faire cuire 1 mn. Déposer les escalopes sur le hachis, les parsemer de feuilles d'estragon et de graines de carvi, poivrer et saler peu, arroser de vin blanc. Couvrir et faire cuire 5 mn.
- Retirer ensuite du four.
Verser le jus dans un bol en maintenant les escalopes avec une spatule.
Le mélanger en fouettant avec la crème puis en arroser la viande. Recouvrir et cuire encore 1 mn, puis laisser reposer 4 mn.

Vin blanc
Pinot blanc d'Alsace
Vin expressif, plein d'arômes (coing, pomme avec note minérale) avec un très bel équilibre acide/moelleux. Très grande finesse et belle persistance.
Servir à 9-10°

Par personne
615 Calories

ESCALOPES DE DINDE A L'OSEILLE EN PAPILLOTE

Préparation : 10 mn
Cuisson : 7 mn

Pour 4 personnes
- 4 escalopes de dinde
- 1 botte d'oseille
- 40 g de beurre
- Le jus d'1/2 citron
- Sel, poivre
- 4 feuilles de papier sulfurisé

• Laver l'oseille, enlever les tiges, la mettre dans un récipient, couvrir, cuire 3 mn pg cuisson maxi. Poser les escalopes sur les feuilles de papier. Saler, poivrer, arroser de jus de citron et tartiner d'oseille. Poser une tranche de beurre sur chacune, fermer les papillotes, cuire 3 à 4 mn selon l'épaisseur.

Vin
Sancerre
Une belle robe qui séduit l'œil cachant des arômes végétaux, de menthe, de feuilles de cassis, de genêts fleuris… et une élégance en bouche qui grandit le plaisir.
Servir à 9°

Par personne
635 Calories

ESCALOPES DE DINDE AU MIEL

Préparation : 5 mn
Cuisson : 25 mn

Pour 4 personnes
- 4 escalopes de dinde
- 40 g de beurre
- 3 c. à soupe d'amandes effilées
- 2 c. à soupe de miel liquide
- 2 c. à soupe de vinaigre de vin
- Sel, poivre

- Dans une poêle anti-adhésive, faire griller les amandes effilées dans la matière grasse. Les réserver.
- Dans une poêle, faire chauffer le beurre, y faire revenir les escalopes de chaque côté pour les faire colorer. Ajouter le vinaigre et le miel et laisser cuire encore 5 mn sur feu très doux. Saler et poivrer. Poudrer d'amandes effilées, mélanger le tout délicatement et laisser cuire 5 mn.
- Servir bien chaud avec des pommes de terre sautées.

Vin
Montrachet (ou un Meursault)
Je choisis ces vins bourguignons parce que relativement moelleux et possédant des notes miellées, d'amandes grillées...
Belle harmonie d'ensemble.
Servir à 11-12°

Par personne
715 Calories
+ 252 Calories
(150 g de p. de terre + m. grasse)

CREPINETTES DE BLANCS DE VOLAILLE

Préparation : 30 mn
Cuisson : 26 mn

Pour 4 personnes
- 2 blancs de dinde ou de pintadeau
- 100 g de chair à saucisse fine
- 2 foies de volailles nettoyés
- 1 c. à café de graisse d'oie ou de canard
- 1 c. à café d'herbes de Provence
- 1 pincée de muscade râpée
- 1 c. à soupe de Calvados
- 1 grande crépine fraîche
- Sel et poivre, chapelure

• Poser une petit poêle en tôle noire sur la grille chauffée à feu vif. Mettre la graisse à fondre et dès qu'elle «chante», déposer les foies (sans fiel ni parties tachées) et les faire revenir des deux côtés jusqu'à ce qu'ils ne soient plus saignants. Retirer du feu, les égoutter sur du papier. Les laisser tiédir. Eteindre le feu sous la grille. Dans une jatte mélanger les blancs coupés en dés, la chair à saucisse, les herbes, la muscade, le sel et le poivre.
• Hacher grossièrement les foies tiédis et les mélanger au contenu de la jatte. Arroser de Calvados (ou d'une autre eau-de-vie à votre goût), couvrir et laisser reposer 30 mn.
• Si la crépine est en saumure il vous faudra la faire tremper dans de l'eau tiède 20 mn et la rincer. Si elle est fraîche un rinçage suffira. La sécher, l'étaler sur une planche et la couper en 12 carrés.
• Prélever 12 boulettes de farce. Les poser sur chaque morceau de crépine, aplatir un peu avec les doigts, refermer complètement la crépine.
• Verser la chapelure dans une assiette. Vous poserez dedans les crépinettes au moment de les faire griller sur la grille chauffée à feu doux. Compter environ 8 mn sur un côté puis 6 sur l'autre.
• Servir brûlant (mais s'il en reste c'est très bon froid).

* Les crépinettes peuvent être préparées la veille et attendre au réfrigérateur.

Vin
Muscadet
Frais, flatteur en attaque et long en bouche lorsqu'il est très frais. Les arômes sont floraux (fougère, aubépine), le vin est souple et gouleyant. Servir à 8-9°

Par personne
417 Calories

SUPREMES DE DINDE A LA TRUFFE

Préparation : 20 mn
Cuisson : 10 mn

Pour 4 personnes
- 4 blancs de dinde
- 1 petite boîte de pelures de truffe
- 1 petit bouquet de fines herbes
- 1 c. à café rase de poivre de la Jamaïque concassé
- 1 c. à soupe de graisse d'oie ou de canard
- Sel fin

- Mélanger dans une assiette creuse, le poivre de la Jamaïque, le sel, les fines herbes ciselées, les pelures de truffe et leur jus.
- Préparer 8 grandes feuilles de papier sulfurisé, d'une taille permettant de les relever autour des «suprêmes».
- Poser les feuilles 2 par 2. Graisser la feuille intérieure sans toucher au tour.
- Passer chaque suprême dans l'assiette creuse en le retournant puis les poser sur les feuilles. Replier soigneusement le papier sur lui-même et en tortillant les deux extrémités pour éviter que le précieux jus ne s'échappe. Vous avez versé sur chaque suprême ce qui aurait pu rester de pelures de truffe et de fines herbes dans l'assiette.
- Tailler maintenant 4 rectangles de papier aluminium juste assez grands pour soutenir les papillotes.
- Placer les rectangles sur la grille chaude (en position moyenne) et, aussitôt, déposer la papillote sur chaque feuille d'aluminium.
- Faire griller 8 mn en retournant, avec précaution, après 6 mn.
- Fermer le couvercle sans éteindre la flamme. Laisser encore cuire doucement 2 mn puis éteindre et laisser reposer 2 mn avant de servir.

* La même préparation peut être faite avec des blancs de poulet : 6 mn sur la grille puis 1 mn sans couvercle, feu doux et 2 mn sans couvercle, feu éteint suffiront.
Cette cuisson, presque à l'étouffée convient bien aux «blancs», chair de la poitrine toujours un peu sèche.

Vin
Pomerol
Prendre un Pomerol assez léger exhalant des arômes de fruits confits et chauds, des notes viandées, de sous-bois et de truffe avec une structure élégante et ronde, très café/cacao en finale.
Servir à 16-17°

Par personne
574 Calories

ROTI DE DINDE AUX MARRONS ET AU CELERI

Préparation : 20 mn
Cuisson : 45 mn
M.O. : 34 mn

Pour 4 personnes
- 1 rôti de dinde surgelé de 1,2 kg environ
- 4 branches de céleri
- 1 kg de marrons au naturel surgelés
- 60 g de beurre
- 2 c. à soupe d'huile
- 4 c. à soupe de crème fraîche
- 2 c. à soupe d'oignons émincés surgelés
- 1 dl de bouillon de poule
- Sel, poivre

- Faire décongeler le rôti à température ambiante ou 20 mn au micro-ondes.
- Nettoyer le céleri, retirer les filaments et couper les côtes en tronçons.
- Dans une cocotte, faire chauffer le beurre et l'huile. Y faire rissoler le rôti sur toutes les faces. Ajouter les oignons encore surgelés. Mouiller avec le bouillon, saler et poivrer. Couvrir et laisser cuire 20 mn.
- Ajouter les marrons, le céleri et la crème, remettre sur le feu 15 mn. Servir bien chaud.

Micro-ondes :
- Faire décongeler les marrons avec un peu d'eau à couvert pendant 4 mn.
- Faire chauffer un plat brunisseur 3 mn à pleine puissance. Mettre le beurre et l'huile, y faire rissoler le rôti sur toutes les faces. Ajouter les oignons et le bouillon. Couvrir et glisser au four pour 18 mn à pleine puissance.
- Ajouter les marrons et le céleri, couvrir et laisser cuire 10 mn à pleine puissance. Ajouter la crème, bien mélanger.

Vin rosé
Côtes-de-Provence
L'élégance même, avec toute la panoplie de fruité, de notes végétales (pétales de rose, fleurs d'oranger, de menthe…) et son profil à la fois souple, friand et gouleyant.
Servir à 8-9°

Par personne
1976 Calories

DINDE A LA NORMANDE

Préparation : 30 mn
Cuisson : 1 h 30

Pour 14 personnes
• 1 dinde P.A.C.
• 500 g de foies de dindes (volailles)
• 500 g de chair à saucisse
• 500 g d'oignons émincés
• 50 g de beurre
• 500 g de pommes fruits émincées
• Sel, poivre
• 1 verre à liqueur de Calvados
• Au moins une dizaine de légumes différents
• 2 l de cidre brut
• 1 verre à vin de Calvados
• 1 l de crème fraîche

• Cuire rapidement les foies, la chair, les pommes et les oignons émincés et les hacher, ajouter le Calvados, 10 g de sel, une demi-cuillère à café de poivre. Mélanger bien.
• Farcir la dinde et coudre l'entaille.
• S'il reste de la farce, elle pourra cuire en terrine, à côté de la dinde.
• Dorer la dinde après l'avoir enduite d'huile, salée et poivrée, à feu vif quelques minutes, puis la mettre en marmite.
• Verser le cidre, les légumes (champignons, poireaux, radis, tomates, navets, petits pois, chou-fleur, haricots verts, pommes-fruits, pommes de terre, carottes, rutabagas, etc.) et le Calvados, sel, poivre.
• Prévoir environ 1 h 30 pour la cuisson. Retirer la dinde et la découper. Ajouter la crème fraîche dans la marmite et faire bouillir à découvert 1/2 heure.
• Mixer l'ensemble jusqu'à obtenir une sauce très épaisse. Napper la volaille. Servir avec des pommes-fruits cuites au four, avec sel, poivre et Calvados.

Vin
Un excellent cidre sec ou demi-sec pour ceux qui préfèrent : riche d'arômes de fruits blancs et jaunes et son moelleux, son velouté et ses arômes de bouche s'harmoniseront avec ce mets.
Servir à 10°

Par personne
1353 Calories

LAPIN EN PAQUETS

Préparation : 30 mn
Cuisson : 24 mn

Pour 4 personnes
• Le râble et les 2 cuisses d'un lapin
• 1 c. à soupe d'huile d'olive
• 2 c. à soupe d'herbes de Provence
• 1 c. à café d'ail en purée (conserve) *
• 4 fines tranches de lard de poitrine fumé
• 4 c. à soupe de coulis de tomates.

• Désosser le râble, en faire 2 morceaux.
• Rouler les 4 morceaux de lapin dans l'huile d'abord et dans les herbes.
• Les envelopper chacun dans une tranche de lard et fermer avec une pique en bois.
• Faire griller sur la grille très chaude 5 mn de chaque côté, puis baisser le feu au minimum et cuire encore, en badigeonnant d'huile et d'herbes, 2 mn de chaque côté.
• Déposer les paquets de lapin dans un plat huilé allant au four. Les recouvrir de coulis de tomates, verser un filet d'huile et déposer sur la grille.
• Fermer le couvercle et laisser mijoter 8 à 10 mn.
• Servir avec une ratatouille.

* On trouve, dans le commerce, de l'ail en purée en pot ou en tube ou lyophilisé.

Vin
Condrieu
Ce vin des Côtes-du-Rhône conciliera chaque ingrédient et répondra par une grande harmonie. Arômes de coing, d'abricot, de pêche, de noisette… et une structure dense, veloutée et élégante.

Par personne
406 Calories

LAPIN A LA CREME

Préparation : 20 mn
Cuisson : 1 h

Pour 4 personnes
- 1 lapin coupé en morceaux
- 4 pommes
- 2 oignons
- 1 verre de cidre brut
- 4 c. à soupe de crème fraîche
- 40 g de beurre
- Sel, poivre

- Peler et émincer les oignons
- Dans une cocotte, faire chauffer le beurre, y faire revenir les morceaux de lapin sur toutes leur faces. Ajouter les oignons, laisser rissoler encore 5 mn. Mouiller avec le cidre et laisser cuire à couvert pendant 35 mn.
- Peler les pommes, retirer les cœurs et couper la chair en quartiers.
- Les ajouter dans la cocotte ainsi que la crème fraîche. Mélanger délicatement le tout et laisser cuire encore 15 mn
- Servir bien chaud avec quelques tagliatelles.

Vin
Un vin blanc demi-sec conviendrait (Vouvray ou Montlouis) car l'harmonie serait totale pour ce plat à dominante onctueuse.
Mais pourquoi pas un cidre après tout ? Un cidre demi-sec, bien sûr.
Servir à 8-9°

Par personne
749 Calories

POT-AU-FEU DE LAPIN

Préparation : 30 mn
Cuisson : 2 h 30

Pour 4 à 6 personnes
- 1 bon vieux et gros lapin
- 6 beaux poireaux
- 6 carottes
- 3 navets
- 1 oignon moyen
- 1 branche de céleri
- 1 bouquet garni
- 1 gousse d'ail
- 6 baies de genièvre
- 2 clous de girofle
- 2 c. à soupe de gros sel
- 6 grains de poivre

- Enlever le foie du lapin (le conserver pour une autre utilisation), lui lier les pattes et les cuisses. Le déposer dans un grand fait-tout, couvrir d'eau, amener à ébullition et écumer.
- Entre-temps, éplucher et laver les légumes. Ficeler les poireaux en botte. Eplucher l'oignon et le piquer de clous de girofle.
- Ajouter tous ces légumes entiers dans le fait-tout avec le gros sel, les grains de poivre, les baies de genièvre, le bouquet garni et l'oignon. Laisser cuire 2 h à petits bouillons.
- A ce moment-là, sortir le lapin du bouillon et le déposer dans le bocal préparé à cet effet. Répartir ensuite les légumes autour du lapin et recouvrir de bouillon.
- Poser la capsule, fermer le couvercle et traiter 1 h 30 à l'autocuiseur.

* Afin de déguster au mieux le pot-au-feu de lapin, mettre le bocal à réchauffer au bain-marie pendant 1 h. Sortir ensuite le lapin et le déposer entier sur un plat de service bien chaud. Répartir tout autour les légumes et servir accompagné d'une sauce moutarde ainsi que de cornichons.

Vin
Anjou-Villages
Délicieusement tanique mais plein de finesse, de souplesse avec un nez épanoui, nuancé de fruits rouges frais.
Servir à 14-15°

Par personne
765 Calories (4 pers.)
510 Calories (6 pers.)

LAPIN AUX OLIVES

Préparation : 20 mn
Macération : 2 h
Cuisson : 35 mn

Pour 4 personnes
• 1 baron de lapin de 1 kg
• 150 g d'oignons
• 100 g de lard de poitrine fumé
• 100 g d'olives noires à la grecque
• 3 gousses d'ail
• 1/2 c. à soupe de fleurs de thym
• 1 dl de bière blonde de garde
Saint-Eloi
• 2 c. à soupe d'huile
• Sel, poivre

Vin
Bandol
De la puissance,
de l'élégance et de la race
grâce à ses nobles
senteurs de fruits mûrs,
de sous-bois, de venaison
sous une chappe
tanique agréable.
Servir à 16°

Par personne
579 Calories
+ 189 Calories (Polenta)

• Faire couper le lapin en 8 morceaux à votre volailler. Faire des petites entailles dans les morceaux charnus. Mettre les morceaux dans une terrine. Les arroser d'huile. Les poudrer de thym, de sel et de poivre. Les tourner.
• Peler les gousses d'ail, les couper en 2 (ôter le germe) et les émincer. Les ajouter dans la terrine. Bien tourner tous les morceaux et laisser macérer 2 h au frais.
• Ensuite, faire chauffer un plat rond brunisseur de 24 cm, sélecteur 9, 4 mn.
• Mettre les morceaux de lapin dans le plat chaud, les retourner, mettre le plat au four, sélecteur 9 pour 8 mn. Tourner une fois pendant la cuisson.
• Peler alors, et émincer les oignons. Réserver 100 g. Retirer la couenne du lard, le couper en bâtonnets. Couper les olives en 2, les dénoyauter.
• Dès que le four s'arrête, retirer les morceaux de lapin du plat et les réserver dans une terrine. A leur place mettre les oignons, les lardons et la bière. Enfourner pour 4 mn, sélecteur 9.
• Remettre les morceaux de lapin dans le plat. Mélanger, continuer de cuire, sélecteur 9, 8 mn. A mi-cuisson, ajouter les olives, bien mélanger. A la sortie du four, réserver le lapin dans son plat couvert et préparer une polenta : Faire bouillir dans un plat rond, de 18 cm : 2 dl de lait, 1 dl d'eau, 20 g de beurre, sel, poivre, sélecteur 9, 4 mn.
• Verser en pluie 150 g de semoule de maïs en mélangeant. Remettre le plat au four, sélecteur 9, pour 6 mn. Mélanger 2 fois pendant cette cuisson. Démouler la polenta sur un plat, faire réchauffer le lapin 1 mn, sélecteur 9 et servir aussitôt.

TERRINE DE LAPEREAU GRAND-MERE

Préparation : 15 mn
Cuisson : 21 mn

Pour 4 personnes
- 1 râble et les cuisses d'un lapereau (lapin de garenne ou petit lièvre)
- 1 grand morceau de crépine de porc
- 1 tranche de pain de campagne sans croûte
- 10 cl de crème fleurette
- 100 g de chair à saucisse fine
- 1 feuille de laurier, 2 brins de thym
- 1 pincée de quatre-épices
- 1 petit verre d'Armagnac
- Sel et poivre moulu
- 3 feuilles de gélatine
- 20 cl de fumet de gibier

> *Vin*
> Arbois-Corail
> Un vin qui a de la légèreté
> et de la générosité.
> Des arômes très fruités
> avec de l'écorce d'orange
> et de la vanille,
> de la noisette…
> Friand et gouleyant.
> Servir à 14-15°

Par personne
414 Calories

- Désosser le râble et les cuisses, mettre les os et les parures de chair dans la cocotte avec le fumet. Couvrir et faire cuire à th. 9, 15 mn.
- Repos de 5 mn avant de filtrer, puis de laisser tiédir un peu avant d'ajouter la gélatine ramollie à l'eau fraîche.
- Hacher, pendant cette cuisson, la chair du garenne et la mettre dans une jatte avec le thym émietté, le laurier fractionné, le poivre, la chair à saucisse, l'Armagnac (si vous pouvez faire macérer 24 h avant au frais, mais pas au froid, ce serait plus savoureux). Bien mélanger et laisser reposer couvert.
- Prélever une petite louche de fumet tiède et faire tremper la mie de pain quelques minutes.
- Mélanger dans la jatte de macération, les viandes et la mie de pain. Ajouter lorsque le mélange est homogène, la crème fraîche, les jaunes d'œufs mélangés (mais non battus) à part. Saler un peu. Rectifier en poivre après avoir goûté.
- Partager la crépine en 2 morceaux, en tapisser 2 terrines ou les ramequins, en la laissant dépasser.
- Tasser le mélange dans les 2 récipients, rabattre la crépine sur la chair. Les déposer dans un grand plat creux rempli d'eau chaude au premier tiers de la hauteur des moules.
- Mettre à cuire à th. 9 pendant 3 mn dans le four à micro-ondes.
- Faire pivoter les récipients sur eux-mêmes de façon à ce que la partie intérieure soit à présent vers les parois du four. Faire cuire encore à même puissance 3 mn.
- Laisser ensuite reposer 5 mn si vous voulez servir chaud ou totalement refroidir à température ambiante avant de conserver, couvert d'aluminium, au réfrigérateur.

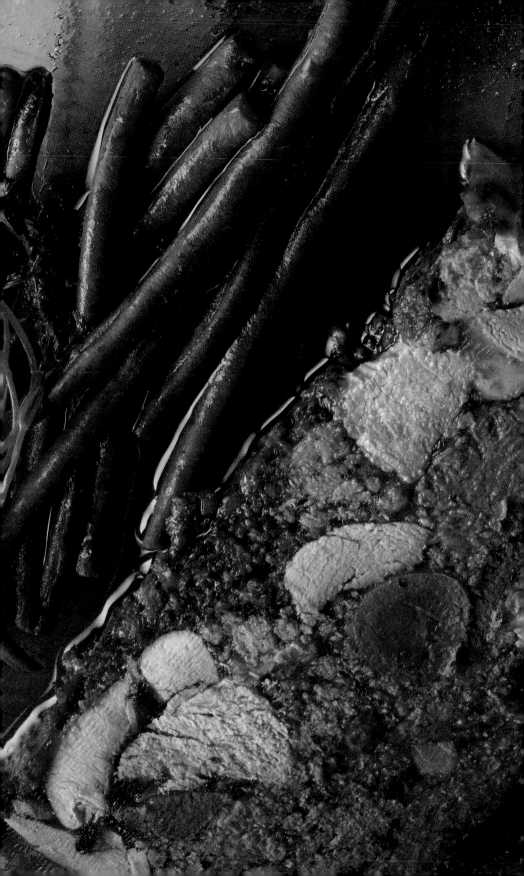

CONFIT DE LAPIN

Préparation : 1 h
Macération : 24 h
Cuisson : 3 h

Pour 3 personnes
• 1 beau et gros vieux lapin
• 1 kg de panne de porc fraîche

Macération
• 1 c. à café de poudre de 4 épices
• 1 c. à café de thym émietté
• 1 feuille de laurier émietté
• 1 c. à café de sucre en poudre
• 45 g de gros sel moulu
• 5 g de poivre en grains moulu

La veille :
• Découper le râble, les cuisses et les pattes du lapin. Avec le reste de l'animal, confectionner des rillettes.
• Dans un plat en terre, mélanger bien tous les ingrédients de la macération et en frotter les morceaux. Les placer dans le même plat, bien serrés les uns contre les autres, couvrir d'un linge et d'un couvercle lourd. Laisser macérer 24 h.

Le lendemain :
• Couper la panne de porc en petits morceaux, la faire fondre, à feu doux, dans une bassine en cuivre (ou une grosse marmite).
• Entre-temps, essuyer les morceaux de lapin. Partager le râble en deux. Déposer tous ces morceaux dans la bassine et les laisser cuire pendant 1 h 30, en les remuant de temps en temps. Vérifier la cuisson à l'aide d'une grosse aiguille : dès qu'elle ressort sèche, ils sont cuits.
• Laisser tiédir un peu, sortir le confit, Déposer ensuite, dans chaque bocal, un morceau de râble, une cuisse et une patte.
• Procéder alors de la même manière que pour le confit de canard. Traiter 1 h 30 à l'autocuiseur.
• Ne pas vous presser pour consommer ces confits, attendre au moins 3 mois : ils se bonifient en vieillissant.

* Réchauffer le bocal au bain-marie 35 à 40 mn, sortir le confit de la graisse fondue et le servir chaud, accompagné, soit de haricots verts, soit d'une purée de maïs, ou encore, suprême accompagnement, sur un lit de poireaux.

Vin
Côtes-du-Roussilon
Dans une belle robe rubis, des arômes de fruits rouges assez fins, de reglisse, de tanins élégants conférant souplesse et équilibre.
Servir à 15°

Par personne
1005 Calories

POTCHEVEESCHL

Préparation : 15 mn
Cuisson : 4 h

**Pour 8 à 10 personnes
ou pour 2 repas**
• 1 jeune lapin
• 1 petit poulet
• 400 g de veau avec os
• 1 tranche de lard de poitrine
fumé
• 3 échalotes
• 1 oignon moyen
• 2 brins de thym
• 1 feuille de laurier
• 6 à 8 baies de genièvre
• 1 clou de girofle
• 1/2 c. à café de poivre en grain
• 1 citron non traité
• 1 bouteille de vin blanc sec
• 10 cl de vinaigre de vin blanc
• Gros sel gris

Vin
Outre la bière proposée,
un Saint-Emilion apportera
de l'onctuosité, des tanins
très nobles et souples dans
ses arômes de sous-bois,
de truffe, de fruits évolués.
Servir à 16-18°

Par personne
528 Calories (8 pers.)
423 Calories (10 pers.)

• Trois écoles s'affrontent pour
la préparation de ce plat ; l'une désosse
complètement les viandes et les fait
mariner avant de les cuire ; la seconde
ne marine pas, ne désosse pas ;
la dernière désosse et ne marine pas.
• Faire couper en gros cubes, par votre
boucher, le veau, le lapin et le poulet
seront découpés chacun en 8 morceaux
en les séparant aux articulations sans
utiliser le tranchoir pour éviter
les esquilles. Hacher gros le lard.
• Choisir une cocotte inoxydable, ou
une marmite en verrerie culinaire à
couvercle fermant bien. Mettre dedans
tous les ingrédients, sauf le lard et le
sel. Arroser avec le jus de citron, le vin
blanc et le vinaigre. Laisser macérer
24 h au frais.
• Au bout de ce temps, sortir
le récipient.
• Préchauffer le four à th. 6/7.
• Ajouter le sel et le lard, remuer le
liquide pour bien le répartir. Luter
hermétiquement le couvercle et
enfourner pour 4 h au moins (les gens
du Nord comptent même 5 h), en
baissant le th. à 5 à mi-cuisson. Laisser
tiédir dans le four éteint.
• Vider le contenu de la cocotte dans
une grande jatte et retirer tous les os,
même les petits. Et, au fur et à mesure,
mettre les chairs dans un moule
rectangulaire en les mélangeant.
• Verser ensuite dessus le jus
de cuisson passé. Couvrir d'aluminium
ménager et mettre au frais jusqu'au
moment de servir avec une salade
de chicons et des petits légumes
au vinaigre, dans le récipient de
cuisson.

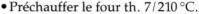

POULET FERMIER A LA CREME

Préparation : 30 mn
Cuisson : 1 h

Pour 6 personnes
- 1 poulet de 2 kg environ
- 1/4 l de fond de volaille
- 1/2 l de crème fraîche liquide
- 1 c. à soupe de paprika
- 1 c. à entremets de maïzena
- 1 trait de Cognac
- Le jus d'1/2 citron
- 150 g de beurre
- 2 c. à soupe d'huile de tournesol
- 2 c. à soupe de persil ciselé
- Sel, poivre

Vin
Champagne rosé
Un poulet avec une crème
riche de flaveurs,
de l'onctuosité,
de la douceur, du
sucré/salé très aromatisé.
Ah ! ce rosé de Pinot,
à la robe claire,
aux arômes fins
de rôti, de fruits,
discret en bouche
au début puis il grandit
et explose de ses fruits
délicats avec des flaveurs
de pain grillé, d'acacia,
de fraise. Une délicatesse
rappelant la dentelle.
Une harmonie
entre poulet et
Champagne rosé
à faire pleurer de joie.
Servir à 6-7°

- Préchauffer le four th. 7/210 °C.
- Saler et poivrer l'intérieur et l'extérieur du poulet.
- Le déposer sur la plaque du four, l'arroser d'huile et le parsemer de 50 g de beurre coupé en morceaux.
- Glisser au four pour 40 mn.
- Découper le poulet en douze morceaux. Réserver les abattis et les parures dans le plat de cuisson, mouiller avec un peu d'eau. Verser le jus dans un bol.
- Dans un sautoir, verser le fond de volaille et le jus de cuisson. Faire réduire de moitié.
- Délayer la maïzena dans un peu de crème fraîche.
- Ajouter à la réduction, la maïzena et la crème fraîche. Laisser épaissir sans cesser de tourner. Goûter et rectifier l'assaisonnement si nécessaire. Ajouter le Cognac, le citron et le paprika. Bien mélanger. Mettre les morceaux de poulet dans la sauteuse. Couvrir et laisser mijoter à petit feu 40 mn.
- Au moment de servir, dresser les morceaux de poulet dans le plat de service préalablement chauffé. Passer la sauce au chinois et en napper la volaille.
- Décorer de persil haché.
- Servir aussitôt avec des tagliatelles.

Par personne
620 Calories
+ 149 Calories (pâtes)

POULET AU RISOTTO

Préparation : 10 mn
Cuisson : 18 mn

Pour 4 personnes
- 1 poulet de 1,2 kg coupé en 4
- 1 c. à soupe d'huile
- 1 gros oignon émincé
- 200 g de riz long étuvé
- 1/2 l de bouillon de volaille ou d'eau (chaud)
- 30 g de beurre
- 100 g de petits pois (frais ou surgelés)
- 2 c. à soupe de parmesan
- Sel, poivre

• Préchauffer le plat brunisseur 8 mn pg cuisson maxi. Y déposer les morceaux de poulet légèrement huilés. Cuire 4 mn, assaisonner, mettre de côté dans un plat.
• Dans le plat brunisseur mettre le beurre, le riz, l'oignon, les petits pois, mélanger le tout, arroser avec l'eau ou le bouillon chaud, cuire 8 mn, assaisonner. Poser les morceaux de poulet parmi le riz, parsemer de parmesan. Cuire 6 mn.

Vin blanc
Mâcon
Du moelleux dans ce vin sec et des arômes de châtaigne chaude, de noisette, de fruits jaunes, avec une structure guillerette, assez nerveuse.
Servir à 10°

Par personne
650 Calories

BROCHETTES DE POULET PANE

Préparation : 15 mn
Cuisson : 12 mn

Pour 4 personnes
- 4 blancs de poulet
- 4 tranches de pains de mie
- 1 cœur de salade feuille de chêne
- 40 g de beurre
- 1 œuf
- 1 pincée de curry
- 1 bol de chapelure
- Quelques tomates cerises rouges et jaunes
- Sel, poivre

- Couper les blancs de poulet en 12 morceaux.
- Dans une assiette, casser l'œuf, le battre en omelette, ajouter le curry, sel et poivre.
- Dans une autre assiette mettre la chapelure.
- Tremper les morceaux de poulet dans l'œuf, puis dans la chapelure.
- Dans une poêle, faire fondre le beurre, y faire revenir les morceaux de poulet pendant 7 mn.
- Couper les tranches de pain de mie en deux, les ajouter dans la poêle pour les faire griller.
- Laver et essorer la salade. Laver les tomates.
- Sur des brochettes en bois, piquer les morceaux de poulet, en les intercalant avec les feuilles de salade, les tranches de pain grillées et les tomates. Servir aussitôt.

Vin
Touraine-Gamay
Beaucoup de jeunesse, de charme et d'allégresse pour une structure faite de légèreté et de nervosité rendant la souplesse guillerette : fruits rouges frais en arômes.
Servir à 13-14°

Par personne
536 Calories

FRICASSEE DE VOLAILLE DE BRESSE

Préparation : 20 mn
Cuisson : 1 h 10

Pour 4 personnes
- 1 poulet de Bresse d'environ 1 kg
- 25 g de beurre
- 20 cl de bouillon de volaille
- 25 cl de vin blanc sec
- 1 petit oignon clouté de girofle
- 20 cl de crème fraîche
- 2 jaunes d'œufs
- Sel fin et poivre blanc moulu

• Couper en 8 morceaux le poulet vidé et flambé (conserver les abattis que vous ferez cuire dans la sauce ou à part ; ils ont leurs amateurs).
• Faire chauffer le beurre dans une cocotte et y blondir de tous côtés les morceaux de poulet sur feu moyen. Lorsqu'ils sont dorés sans excès, saler, poivrer et ajouter le bouillon et le vin, l'oignon et son clou de girofle. Baisser le feu, couvrir et laisser cuire 45 mn en retournant les morceaux à mi-cuisson.
• Retirer ensuite les morceaux de volaille dans un plat chauffé. Couvrir et tenir au chaud.
• Remonter le feu sous la cocotte et laisser réduire à découvert après avoir prélevé une louchette de jus qui servira à délayer les jaunes d'œufs avec la crème fraîche (attention, laisser tiédir un peu avant de travailler les œufs pour ne pas les coaguler).
• Retirer l'oignon et surtout son clou. Eteindre sous le récipient et incorporer, tout en tournant, les œufs crèmés à la sauce. Travailler quelques minutes pour cuire le mélange jusqu'à ce qu'il devienne onctueux.
• Verser sur la volaille et servir avec des croûtons frits et grillés. Offrir à part, des quartiers de citron non traité.

Vin
Chignin-Bergeron
Ce vin de Savoie exprime des arômes subtils de fruits exotiques (pamplemousse) sur un fond de vivacité (belle acidité) et de tempérament.
Servir à 11-12°

Par personne
448 Calories
+ 70 Calories/tranche
de pain de mie grillé

POULET DE GRAIN AUX KUNPOD

Préparation : 30 mn
Cuisson : 45 mn

Pour 4 personnes
- 1 jeune poulet de grain (1,2 kg environ)
- 50 g de beurre breton demi-sel
- 6 échalotes grises
- 20 cl de Muscadet-sur-lie
- 20 cl de crème épaisse
- 2 jaunes d'œuf
- 1 branche d'estragon
- Sel, poivre, Cayenne

- Découper le poulet en 4 parts : 2 cuisses et la carcasse du bas avec le si délicieux «sot-l'y-laisse», les 2 ailes et les poitrines partagées par l'arête du sternum ; les ailerons, la carcasse du dos doreront à part (conserver gésier, cou, foie).
- Faire fondre le beurre sur feu doux dans une sauteuse et déposer les morceaux côté peau pour les faire bien dorer puis les retourner après 5 mn pour les cuire sur la partie coupée (aplatir les rondeurs des carcasses pour permettre un meilleur contact avec l'ustensile). Ajouter les ailerons, la carcasse, le gésier nettoyé, saler, poivrer, «Cayenne» légèrement. Couvrir et faire étuver 25 mn à petit feu. Au bout de ce temps la chair doit se détacher des os sinon prolonger la cuisson.
- Pendant cette cuisson, préparer les kunpod. Retirer les morceaux de poulet avec la spatule et les tenir couverts au chaud.
- A leur place mettre les échalotes épluchées et coupées en 4 ; les laisser s'attendrir et juste blondir ; arroser de Muscadet. Laisser bouillir sans couvrir pendant 5 mn, ajouter la crème, mélanger bien, attendre la reprise de l'ébullition et prélever dans un bol environ 2 cuillères de jus de cuisson. Réserver. Ajouter dans le jus le foie coupé en dés et éteindre sous la sauteuse.
- Incorporer au jus du bol les 2 jaunes en travaillant vivement, puis reverser dans la sauteuse en mélangeant bien. Mêler à la sauce l'estragon ciselé et verser le tout sur les morceaux de poulet dans le plat. Le tenir placé au-dessus d'un faitout d'eau très chaude, bien couvert. Achever de cuire les Kunpods.

Vin
Muscadet sur lie
De la matière dense, du fruité et une certaine nervosité élégante avec une persistance aromatique de fruits jaunes et d'épices, (poivre-menthe)
Servir à 10°

Par personne
548 Calories (4 pers.)

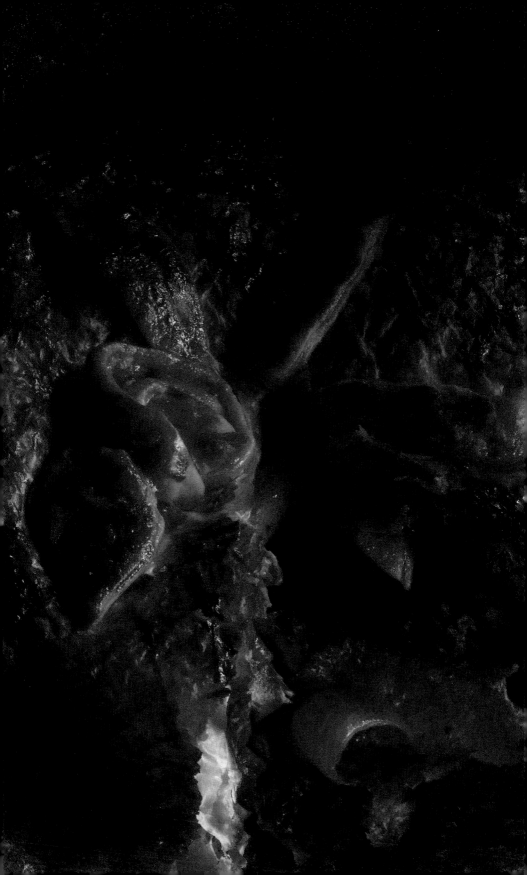

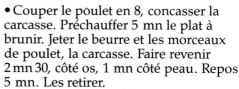

TOURTIERE DE VOLAILLE

Préparation : 18 mn
Cuisson : 30 mn 30

Pour 4 personnes
- 1 beau poulet fermier
- 100 g de parures de jambon cru
- 1 botte (ou 1 boîte) de salsifis
- 5 ou 6 champignons de Paris
- 1 oignon, 1 carotte épluchés et tronçonnés
- 25 cl de bouillon de volaille
- 1 petit verre de muscat sec
- 1 petite boîte de morceaux de truffes
- 1 paquet en lamelles de pâte feuilletée (en rouleau, non surgelée)
- 1 œuf
- 1 citron non traité
- Sel, poivre blanc moulu, muscade râpée

Vin
Vouvray demi-sec
Sous une robe dorée
et une structure
légèrement moelleuse
mais relevée avec
une belle acidité et une
nuance de fruité (fruits
jaunes mûrs), une belle
puissance et une grande
sagesse (velouté).
Servir à 10°

Par personne
750 Calories
+88 Calories (c. à soupe
de crème fraîche)

- Couper le poulet en 8, concasser la carcasse. Préchauffer 5 mn le plat à brunir. Jeter le beurre et les morceaux de poulet, la carcasse. Faire revenir 2 mn 30, côté os, 1 mn côté peau. Repos 5 mn. Les retirer.
- Mettre la carotte et l'oignon. Couper la base des champignons, les laver, les sécher et les partager en 4.
- Réchauffer le plat à brunir 5 mn, th. 9. Y faire cuire les champignons, couvert 2 mn. Repos 2 mn. Réserver tous les légumes.
- Mettre le jambon dans la cocotte, mouiller avec le bouillon, couvrir, faire cuire 12 mn, th. 9. Laisser tiédir.
- Egoutter, rincer, tronçonner les salsifis. Les mettre dans le plat avec du beurre, couvrir et faire suer 1 mn 30, th. 8. Mélanger, couvrir et ré-enfourner 30 secondes, th. 7. Laisser reposer couvert, 3 mn.
- Désosser le poulet, mettre les os avec la carcasse et les légumes dans la cocotte. Enfourner, couvert pour faire réduire de moitié, th. 8. Dans un plat, mélanger la chair de volaille, les salsifis, les champignons et les truffes. Saler, poivrer et muscader. Mélanger. Au-dessus d'un bol, passer le jus réduit, ajouter le jus de truffes et le muscat.
- Etaler la pâte en 2 ronds de 26 cm de diamètre.
- Répartir le mélange, chair-salsifis, dans le fond de la tourtière, arrosé du jus parfumé. Poser le «couvercle» de pâte, mouiller au pinceau et souder avec les doigts. Battre le jaune d'œuf avec un reste de jus. En badigeonner la pâte.
- Faire quelques entailles et enfourner 8 mn à th. 6 puis 4 mn, th. 9. Sortir le plat du four, vérifier la cuisson. Laisser reposer 5 mn au chaud. Servir avec de la crème fraîche.

POULET A LA VAPEUR DE CELERI

Préparation : 15 mn
Cuisson : 20 mn
M.O. : 18 mn

Pour 4 personnes
- 4 blancs de poulet surgelés
- 8 branches de céleri
- 8 pommes de terre nouvelles
- 4 c. à soupe de crème fraîche
- 2 c. à soupe de curry
- 10 brins de ciboulette
- Sel, poivre

- Faire décongeler les blancs de poulet à température ambiante ou 5 mn au micro-ondes en les retournant 1 fois.
- Peler les pommes de terre. Retirer les fils des branches de céleri, les couper en tronçons.
- Dans un cuisson-vapeur, verser un peu d'eau dans la partie inférieure. Ajouter les feuilles de céleri et les côtes, porter à ébullition.
- Saupoudrer les blancs de volaille de curry. Saler et poivrer. Les piquer avec une fourchette. Les ranger dans la partie supérieure, couvrir. Mettre sur le feu et laisser cuire 12 mn.
- Faire cuire les pommes de terre à part dans de l'eau bouillante salée pendant 15 mn. Les égoutter.
- Dans une petite casserole, verser la crème, ajouter un peu de curry, sel et poivre. Porter à ébullition.
- Emincer les blancs de volaille, les déposer sur les assiettes de service, ajouter les branches de céleri et les pommes de terre. Napper de crème. Saupoudrer de ciboulette ciselée.

Micro-ondes :
- Procéder de la même façon dans une cocotte vapeur et glisser au four 7 mn à pleine puissance.
- Faire cuire les pommes de terre dans de l'eau salée pendant 5 mn à pleine puissance.
- Faire chauffer la sauce 2 mn à pleine puissance.

Vin
Saint-Joseph
De la vivacité, de l'harmonie, agrémentées de notes de sous-bois (fougères, violettes, champignons), de la réglisse, du café et beaucoup de fruits rouges sur une palette tanique vanillée.

Par personne
478 Calories

POULET AU CITRON ET AU SAFRAN

Préparation : 15 mn
Macération : 30 mn
Cuisson : 55 mn

Pour 4 personnes
- 1 poulet coupé en morceaux
- Le jus de 3 citrons
- 4 citrons confits
- 1 gousse d'ail
- 4 g de safran en filaments
- 40 g de beurre
- 2 c. à soupe d'huile
- Sel, poivre

- Dans une jatte, verser le jus des citrons, saler et poivrer. Ajouter les morceaux de poulet, bien mélanger et laisser macérer pendant 30 mn.
- Egoutter les morceaux de poulet, les enduire de filament de safran.
- Dans une cocotte, faire chauffer l'huile et le beurre, ajouter les morceaux de poulet et les faire revenir sur feu doux pendant 10 mn. Ajouter les citrons confits coupés en deux, mouiller avec 1/4 de litre d'eau ou de bouillon de volaille, saler et poivrer. Couvrir et laisser cuire pendant 45 mn.
- Servir bien chaud avec des pâtes fraîches.

Vin blanc
Bandol
De la puissance sur des expressions vives (acidité) et charmes avec un soutien de notes odorantes : menthe, bruyère, épices (cannelle).
Servir à 9°

Par personne
657 Calories
+ 149 Calories (pâtes)

BLANCS DE POULET AU CURRY

Préparation : 20 mn
Cuisson : 35 mn

Pour 4 personnes
- 300 g de blanc de poulet
- 150 g d'oignons
- 1 poivron rouge de 200 g
- 1 dl de yaourt
- 2 c. à soupe de pâte de curry
- 25 g à café de gingembre
- 2 c. à soupe de coriandre fraîche ciselée
- 3 c. à soupe d'huile
- Sel

• Couper les blancs de poulet en lamelles d'1 cm de large et 3 cm de long sur 1/2 cm d'épaisseur. Les saler.
• Peler les oignons, les émincer finement, garder 150 g.
• Laver le poivron, le couper en quatre, retirer les grains et les filaments blancs. Détailler chaque partie en lamelles de 1/2 cm de large dans le sens de la largeur.
• Faire chauffer un plat brunisseur de 24 cm de diamètre, sélecteur 9, 3 mn.
• Lorsque le plat est chaud, mettre l'huile et les oignons, mélanger, glisser au four, sélecteur 9, 1 mn.
• Ajouter les lamelles de poivron. Mélanger. Mettre le plat dans le four sélecteur 9, 3 m.
• Déposer tout le poulet, le badigeonner de curry et de gingembre, mélanger délicatement.
• Verser le yaourt lissé à la fourchette avec 1 dl d'eau. Mélanger encore et enfourner pour 8 mn, sélecteur 9.
A mi-cuisson, retourner viandes et légumes.
• Lorsque le poulet est cuit, ajouter la coriandre, mélanger et servir aussitôt.
• Accompagner de 200 g de riz grain long, blanc ou brun, cuit 15 mn, sélecteur 9 dans 1/2 l d'eau très légèrement salée, préalablement chauffée sélecteur 9, 3 mn. Le riz doit cuire à couvert et être retourné 1 fois à mi-cuisson. Le laisser reposer 5 mn avant de le servir. Le riz peut être cuit avant le poulet car il se réchauffe très facilement.

Vin blanc
Bellet-de-Nice
Un vin peu connu qui offre une belle palette d'arômes (abricot, amande, pêche, tabac blond…) dans une structure délicate et vive.
Servir à 8-9°

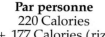

Par personne
220 Calories
+ 177 Calories (riz)

POULET A LA MARJOLAINE

Préparation : 15 mn
Cuisson : 45 mn

Pour 4 personnes
- 1 poulet de 1,4 kg de grain avec ses abats
- 2 poignées de marjolaine
- 1 petit suisse
- 1 petit verre de marc de pays
- 1 c. à soupe d'huile d'olive
- 1 verre de vin blanc sec
- 2 c. à soupe de crème fraîche

- Infuser une poignée de marjolaine.
- Cuire le gésier pendant 15 mn, le passer sous l'eau froide et mixer avec les autres abats, le petit suisse, la moitié du marc.
- Saler, poivrer l'intérieur du poulet, le farcir de ce mélange, ajouter une poignée de marjolaine. Coudre les ouvertures.
- Faire dorer le poulet à l'huile d'olive sur toutes ses faces. Saler, poivrer. Couvrir et laisser cuire à feu doux pendant 30 mn.
- Verser le vin et faire réduire aux 3/4 à découvert, mouiller avec l'infusion filtrée, réduire à moitié.
- Retirer le poulet. Incorporer la crème, porter à ébullition, vérifier l'assaisonnement. Napper le poulet découpé.
- Servir accompagné d'un riz cuit avec de la marjolaine ou du pilpil cuit de la même façon.

Vin blanc
Coteaux-du-Languedoc :
La Clape
Arômes fins et élégants de fleurs d'anis et d'agrumes.
Il allie la vivacité et la rondeur sur des arômes de bouche se terminant sur des fruits secs.
Servir à 9°

Par personne
518 Calories
+ 105 Calories (riz)

BROCHETTE DE POULET A LA CITRONNELLE

Préparation : 40 mn
Marinade : 3 à 4 h
Cuisson : 10 mn

Pour 4 personnes
• 1 poulet de grain
• 1 c. à soupe de citronnelle
• 1 verre de vin blanc sec
• 1 verre de sauce soja
• 2 c. à soupe de citronnelle séchée réhydratée dans 2 verres d'eau
• 2 verres d'huile d'arachide
• 1 petit suisse
• 1 jaune d'œuf

• Mixer le vin blanc, la sauce de soja, l'huile d'arachide, le petit suisse et le jaune d'œuf pour homogénéiser l'ensemble.
• Ajouter la citronnelle réhydratée.
• Dépecer et désosser le poulet, découper la chair en cubes.
• Laisser mariner 3 à 4 heures et embrocher le poulet sur des broches en bois.
• Saler, poivrer, faire cuire 10 mn à feu doux.
• Servir avec un riz parfumé (au beurre aromatisé à la citronnelle) avec des feuilles de menthe hachées.

Vin blanc
Coteaux-d'Aix
Un arôme de pomme verte (Grany-Smith) puis un bouquet de fleurs de prés sur une structure toute en finesse et en tendresse où le fruité domine.
Servir à 8-9°

Par personne
827 Calories
+ 180 Calories
(riz au beurre)

POULET AU VIN JAUNE ET AUX MORILLES

Préparation : 20 mn
Cuisson : 45 mn

Pour 4 personnes
- 1 poulet de Bresse de 1,3 kg à 1,5 kg
- 50 g de beurre
- 400 g de morilles fraîches ou 200 g de morilles séchées
- 30 cl de vin jaune de Château-Châlon
- 40 cl de crème fraîche fleurette
- 1 brindille de thym
- Sel et poivre du moulin

Vin
Château-Chalon
Un vin jaune de haute qualité. Habillé d'or pâle, il est puissant presque orgueilleux avec sa texture pleine de charme : arômes de noix fraîche, de violette sur des notes grillées et empyreumatiques.

Par personne
662 Calories

- Découper le poulet, choisi bien en clair, en quatre morceaux. Assaisonner de sel fin et de poivre. Nettoyer les morilles.
- Dans une sauteuse, faire chauffer le beurre et y déposer les morceaux.
- Dès qu'ils sont un peu colorés, ajouter les morilles, entières si elles sont petites, sinon ouvertes en deux. Les faire suer avec les morceaux de volaille, puis déglacer la cuisson avec le vin jaune. Couvrir et laisser cuire quelques instants. Saler et poivrer ensuite, ajouter la crème et la brindille de thym, recouvrir et laisser cuire à feu doux 25 à 30 mn.
- Retirer les champignons et la volaille dans un plat ébouillanté, couvrir et tenir au chaud. Retirer le thym. Faire réduire la sauce à feu vif, la verser bien nappante sur les morceaux et servir aussitôt.
- Les morilles sont souvent sableuses. Il convient de les laver sous l'eau courante et de nettoyer les alvéoles avec un pinceau ou une brosse... à dents. Ne jamais faire tremper, si ce n'est dans le vin qui servira à la cuisson et que vous filtrerez avant utilisation. Si vous n'avez que des morilles séchées, vérifier que leurs alvéoles ne sont pas un nid à poussières puis les faire tremper dans un vin blanc sec ordinaire. Vous le filtrerez ensuite et réserverez ce vin pour un déglaçage, ou une sauce.

POULE AU RIZ ET AUX VAPEURS DE SAFRAN

Préparation : 20 mn
Cuisson : 1 h 20

Pour 4 personnes
- 1 poule
- 50 g de beurre
- 10 oignons nouveaux
- 1 c. à café de farine
- 10 petites tomates olivettes
- 1 bouquet garni + persil
- 2 verres de vin blanc
(Côtes-de-Provence blanc)
- 2 verres d'eau (ou de bouillon)
- 3 clous de girofle
- 1/2 c. à café de safran
- 2 gousses d'ail
- 4 tasses de riz blanc long
- Sel, poivre

• Préparer dans un sac de tulle le bouquet garni, le persil, les clous de girofle, l'ail et le plonger dans le vin blanc et l'eau (ou mieux, de bouillon de volaille). Porter à ébullition et ajouter alors le safran et le riz en pluie, le sel et le poivre. Faire pocher la poule sur les vapeurs de cette ébullition aux 3/4 couverte.

• Après 20 mn, retirer la poule et récupérer le riz dans une grande écumoire. Conserver le jus de cuisson, sans le sachet d'épices.

• Faire revenir la poule au beurre avec les petits oignons dans une cocotte, ajouter les tomates pelées et épépinées.

• Saupoudrer de farine et mouiller avec le jus de cuisson du riz jusqu'à hauteur de la poule. Faire frémir pendant 45 à 60 mn. Surveiller la cuisson. Retirer la poule et la découper. Réduire la sauce, ajouter le riz. Mélanger bien.

• Servir la poule sur le mélange de légumes qui doit avoir « pompé » à peu près tout le jus de cuisson.

Vin blanc
Palette
Un vin plein de fraîcheur
avec des senteurs
originales et plaisantes
de fleurs blanches
séchées, de genièvre,
d'épices, de tabac blond
avec une structure fine
et élégante.
Servir à 9-10°

Par personne
888 Calories

POULARDE AU SEL

Préparation : 5 mn
Cuisson : 10 mn

Pour 4 personnes
- 2 grosses cuisses de poularde (environ 500 g)
- 1,5 kg de gros sel marin
- 6 blancs d'œufs

● Demander à votre volailler de désosser les cuisses et de les ficeler, reconstituées, comme un rôti de bœuf ou de veau. Couper chaque cuisse en deux, entre 2 liens de ficelle, de façon à obtenir 4 morceaux.

● Mélanger, dans une jatte, le sel et les blancs d'œufs. Répartir la couche (1/3 environ) du mélange, installer dessus les 4 morceaux de cuisse sans qu'ils se touchent et les recouvrir du reste du sel mélangé.

● Faire cuire à th. 7 pendant 10 mn. Compter 5 mn de repos ou post-cuisson.

* Si la préparation a été faite trop à l'avance, savoir que les cuisses se conserveront 20 mn dans leur croûte de sel, non cassée.

Vin
Lalande de Pomerol
Arômes délicatement fruités, boisés, de cuir, de venaison et rôti.
Vin charmeur, gras, soyeux avec une finale fruitée et réglissée.

Par personne
196 Calories

POULARDE NOIRE AU CHOU

Préparation : 20 mn
Cuisson : 2 h 30

Pour 4 à 6 personnes
- 1 poularde noire garonnaise
- 4 poireaux moyens
- 4 carottes
- 1 oignon piqué de 2 clous de girofle
- 1 branche de céleri
- 1 navet
- 1 petit chou vert
- 1 bouquet garni

Farce
2 tranches de mie de pain de campagne rassis
- 1 tranche de 100 g de jambon cru ou 100 g de Ventrèche gras et maigre
- 1 gousse d'ail
- 2 petits oignons
- 1 échalote
- 3 branches de persil simple
- 2 c. à soupe de lait
- 1 œuf
- Sel, poivre, muscade

Vin
Cahors
De la puissance,
des tanins présents plus
ou moins fondus
avec une texture virile,
des arômes de fruits noirs,
des épices et de la
réglisse en finale.
Servir à 15-16°

Par personne
508 Calories (6 pers.)
762 Calories (4 pers.)

- Eplucher, laver les légumes : partager en 2 le navet et carottes, en 4 le chou. Ficeler le vert sombre des poireaux avec le bouquet garni et les tiges du persil (réserver les feuilles).
- Dans un pot-au-feu mettre l'oignon clouté et le bouquet garni avec 3 l d'eau. Lorsque celle-ci frémit, y jeter les légumes pour 30 mn de petite ébullition.
- Préparer alors la farce : hacher très fin la Ventrèche ou le jambon cru, le gésier et le foie de la poule, bien nettoyés. Ecraser l'ail, le hacher fin avec les oignons, l'échalote, les feuilles de persil. Mettre le tout dans une jatte où se trouve déjà la mie émiettée, gonflée au lait.
- Travailler le tout avec sel, poivre noir, un soupçon de muscade. Ajouter le jaune d'œuf et mélanger encore.
- Lorsque les 30 mn se sont écoulées, battre le blanc d'œuf en neige ferme et l'ajouter à la farce. Remplir l'intérieur de la poularde et refermer bien l'ouverture en la cousant ou en la maintenant avec des piques en bois.
- Plonger la volaille en la tenant par les pattes dans le liquide en ébullition et la maintenir ainsi quelques instants afin de saisir la chair et solidifier la farce intérieure.
- Laisser cuire à tout petit feu, couvercle posé aux 3/4, pendant 1 h 30 mn, à 2 h.
- Servir la poularde coupée en 4, la farce tranchée et les légumes autour. Le bouillon sera servi à un autre repas ou avant la volaille.
Dans ce cas, cette recette devient plat unique, à laquelle suffit une salade verte, du fromage et un dessert léger.

COQ A LA BIERE

Préparation : 30 mn
Cuisson : 1h 05

Pour 4 à 6 personnes
- 1 gros coq flambé et vidé
- 250 g de poitrine de porc salée
- 2 carottes
- 2 oignons
- 3 échalotes
- 2 gousses d'ail
- 1 bouquet garni
- 100 g de saindoux
- 1 c. à soupe de farine
- 1 c. à soupe d'alcool de genièvre
- 1 l de Bière blonde
- 25 g de champignons sauvages
- 10 cl de crème fraîche
- 3 branches de persil simple
- Sel, poivre, quelques graines de genièvre

Bière
Bière du Nord
Choisie comme il se doit,
on aura plaisir à goûter
l'onctuosité, le fruité /
malté et l'amertume
agréable d'une bonne
bière artisanale.
Servir à 9-10°

Par personne
508 Calories (6 pers.)
762 Calories (4 pers.)

- Couper le coq. Emincer les oignons. Rincer le lard, le sécher, le couper. Faire chauffer la moitié du saindoux, déposer les morceaux de volaille et faire dorer de tous côtés. Ajouter alors les oignons en rondelles et les lardons. Laisser cuire à feu doux, éplucher et hacher les échalotes, l'ail écrasé et émincer les carottes. Jeter tout cela dans la marmite, mélanger. Après 2 ou 3 mn, saupoudrer de farine, remuer et laisser blondir.
- Verser alors l'alcool de genièvre, flamber et laisser mourir les flammes. Verser la bière, déposer le bouquet garni enrichi de tiges de persil (réserver les feuilles), ajouter les baies de genièvre, pas de sel, le poivre en grains (10) et couvrir. Laisser cuire sur feu doux au moins 1 h : les chairs doivent être fondantes.
- Eplucher alors les champignons. Les nettoyer (supprimer la base des pieds, essuyer le dessus et le dessous du chapeau).
- Faire chauffer à feu moyen, le reste de saindoux. Y jeter les champignons. entiers ou fractionnés s'ils sont trop gros. Les laisser rendre leur eau de végétation, couvercle posé, saler très légèrement et poivrer après 10 mn. Baisser le feu au minimum et cuire encore 5 mn avant d'égoutter et de verser dans la marmite sans remuer.
- Filtrer le jus rendu par les champignons, verser le jus clarifié dans la marmite.
- Retirer les morceaux de coq et les champignons et les disposer dans un plat creux chauffé. Couvrir et tenir au chaud. Remonter le feu sous la sauce. La faire réduire à gros bouillons puis calmer le feu, retirer le bouquet garni, verser la crème et mélanger. Laisser encore mijoter 3 mn avant d'en napper le contenu du plat. Saupoudrer de persil ciselé et servir aussitôt.

LE JAU AU VIN ROUGE

Préparation : 20 mn
Cuisson : 2 h

Pour 6 personnes
- 1 coq d'environ 1,8 kg et son sang
- 1 botte d'oignons nouveaux
- 2 gousses d'ail
- 200 g de poitrine de porc fumée
- 1 noix de beurre
- 1 c. à soupe rase de farine
- 1 bouteille de Bourgogne rouge
- 10 cl de marc de Bourgogne rouge
- 250 g de champignons sauvages
- 1 bouquet garni
- Sel et poivre noir

Vin rouge
Mâcon
Beaux arômes de fruits rouges (mûre, myrtille), riches et complexes (notes de noyau de cerise) et agréable texture avec attaque fruitée et finesse persistante.
Servir à 15°

Par personne
635 Calories (6 pers.)
+45 Calories/par tranche de pain de mie frit
+135 Calories (salsifis)

- Demander au volailler le sang de volaille et le réserver avec 3 cuillères de vin rouge.
- Découper le «jau» en 8 morceaux. Couper en dés la poitrine fumée.
- Dans une cocotte, mettre à fondre le beurre, ajouter les dés de lard. Les faire rissoler puis les retirer dans un plat creux avec une spatule ajourée pour ne pas entraîner trop de matière grasse.
- A leur place mettre les morceaux de coq à revenir des deux côtés. Après 10 mn les chairs sont bien dorées, remettre les dés de lard et attendre 2 à 3 mn avant de saupoudrer de farine. Remuer, laisser cuire 4 à 5 mn à feu assez doux.
- Verser ensuite le marc, flamber et laisser s'éteindre. Mouiller alors avec le Bourgogne rouge. Assaisonner, ajouter le bouquet garni et laisser mijoter 1 h 15 mn, à couvert.
- Pendant ce temps, éplucher les petits oignons en gardant leur tige verte, les faire blanchir 1 mn à l'eau bouillante salée. Les égoutter et les ajouter à la cuisson ainsi que l'ail.
- Nettoyer, laver les champignons, les couper en 4 s'ils ne sont pas tout petits et les ajouter dans le jus de la cocotte. Reposer le couvercle et laisser cuire 15 mn.
- Après ce temps, délayer hors du feu, le sang réservé avec 3 cuillerées de sauce. Retirer le bouquet garni, éteindre sous la cocotte et incorporer en remuant le sang à la sauce. Servir très chaud dans le plat creux (tenu au chaud) avec des petits croûtons frits et des salsifis cuits à la vapeur ou à l'eau.

PIGEONS AU CITRON ET AUX PRUNEAUX

Préparation : 8 à 10 mn
Cuisson : 13 mn

Pour 4 personnes
• 2 pigeons
• 1 citron non traité
• 1 mandarine
• 24 pruneaux d'Agen dénoyautés
• 1 c. à soupe d'Armagnac
• 15 cl de bouillon de volaille tiède
• 1 bouquet d'herbes diverses fraîches
• 4 c. à soupe rases de riz cuit
• 6 échalotes grises
• 45 g de beurre
• Sel, poivre
• Pincée de Cannelle

Vin rouge
Saint-Julien
Ce Médoc
a la particularité
d'un excellent équilibre
entre la finesse
du Margaux et le corps
du Pauillac. Bouquet fin
et typé (fruits rouges,
sous-bois, vanille,
réglisse).
Servir à 16-17°

• Hacher 2 échalotes et les mettre à cuire dans la cocotte avec 15 g de beurre. Ajouter le jus de la mandarine, recouvrir et laisser encore cuire.
• Dans une jatte, mélanger toutes les herbes hachées avec le riz, l'écorce de citron lavée, du sel et du poivre, le hachis d'échalotes cuites et le tiers du beurre. Mélanger soigneusement, arroser d'Armagnac. Mélanger encore.
• En farcir les pigeons et refermer bien l'ouverture en recousant ou avec des piques en bois. Brider les pigeons en serrant les pattes et les ailes contre le corps.
• Mettre le reste de beurre à fondre dans la cocotte avec les 4 échalotes coupées en quatre. Déposer les pigeons sur les dés, bien séparés les uns des autres, arroser d'un peu de beurre fondu et laisser dorer 1 mn de chaque côté, sans couvrir.
• Ajouter la moitié du bouillon tiède, couvrir et faire cuire 4 mn.
• Retourner les oiseaux sur le ventre et les maintenir avec les échalotes et les pruneaux que vous ajoutez.
Verser si cela est nécessaire, encore un peu de bouillon. Assaisonner, couvrir et faire cuire 4 mn.
• Laisser reposer 2 mn. Sortir les pigeons, les couvrir de papier aluminium et les tenir au chaud.
• Ajouter le reste de bouillon, ne pas couvrir et programmer à th. 9 pour 2 mn, afin de réduire le jus qui doit être sirupeux.

Par personne
528 Calories

PIGEONS FARCIS AUX PETITS POIS

Préparation : 20 mn
Cuisson : 40 mn

Pour 4 personnes
- 4 pigeons surgelés
- 4 foies de volaille
- 150 g de farce fine
- 200 g d'oignons grelots surgelés
- 300 g de petites carottes nouvelles surgelées
- 400 g de petits pois fins surgelés
- 200 g de poitrine fumée
- 80 g de beurre
- 2 c. à soupe d'huile
- 1 petit bouquet de ciboulette
- Sel, poivre

- Faire décongeler les pigeons à température ambiante ou 15 mn au micro-ondes.
- Dans la cuve du Magimix, mettre les foies de volailles et la farce fine. Ajouter un peu de ciboulette ciselée, sel et poivre. Mixer le tout, farcir les pigeons avec cette préparation.
- Couper la poitrine fumée en bâtonnets.
- Dans une cocotte, faire chauffer le beurre et l'huile, y faire rissoler les pigeons sur toutes les faces. Réserver.
- Mettre les oignons encore surgelés dans la cocotte, les faire rissoler sur feu moyen pendant 5 mn. Réserver.
- Faire rissoler les lardons. Remettre les pigeons et les oignons. Saler et poivrer. Couvrir et laisser cuire sur feu moyen pendant 15 mn. Ajouter les petits pois encore surgelés et les carottes. Mélanger et laisser cuire encore 15 mn.
- Servir bien chaud.

Vin
Chinon
Ce vin de Touraine a une belle structure à la fois friande, généreuse et vive dans une ganse de légèreté et de puissance.
Il exhale des arômes de fruits rouges, de poivron chaud et de violette.
Servir à 15°

Par personne
1 047 Calories

PIGEONS AUX ECREVISSES

Préparation : 30 mn
Cuisson : 40 mn

Pour 6 personnes
- 3 à 4 pigeons vidés et blanchis
- 2 verres de bouillon de volaille
- 1 verre de vin blanc sec
- Persil, ciboulette
- 1 gousse d'ail
- 2 clous de girofle
- Sel, poivre
- Champignons de Paris
- 50 g de beurre
- 12 écrevisses
- 1 pincée de farine
- 3 jaunes d'œufs
- 20 cl de crème fraîche

- Porter à ébullition le bouillon de volaille, le vin blanc, les épices. Y plonger les écrevisses 3 mn. Les retirer, laisser refroidir et les décortiquer. Ajouter les carapaces au bouillon, maintenir l'ébullition pendant 10 mn.
- Filtrer et remettre à bouillir, déposer les pigeons et laisser cuire à couvert, à petits bouillons, environ 20 mn.
- Pendant ce temps, faire fondre le beurre, incorporer la farine, mouiller avec le jus de cuisson, ajouter les écrevisses. Laisser réduire aux 3/4. Ajouter les jaunes d'œufs mélangés avec la crème fraîche, les pigeons et baisser le feu (th. 3) et conserver 10 mn au chaud. Servir sur un plat préchauffé avec des croûtons et des épinards revenus au beurre.

Vin
Saint-Amour
Le nez développe une belle panoplie de notes fruitées (framboise) mêlées à des nuances poivrées et florales. Belle structure tout en finesse et élégance. Servir à 12-13°

Par personne
441 Calories
+36 Calories/tranche de pain de mie grillé
+44 Calories (épinards)

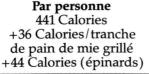

PERDREAUX OU PIGEONS AUX NOIX ET RAISINS SECS

Préparation : 20 mn
Cuisson : 30 mn

Pour 4 personnes
- 2 perdreaux ou pigeons
- Jambon cru
- 80 g cerneaux de noix
- 50 g de raisins secs
- Bardes de lard
- 1 verre de Cognac
- 1 verre d'eau de noix
- 2 verres de vin blanc
- 1 c. à soupe de farine
- Thym, laurier
- 1 c. à soupe d'huile de noix

- Laisser gonfler les raisins dans du thé froid.
- Flamber et barder les volailles, si les perdreaux sont trop gros les fendre en deux, si le gibier semble âgé, le faire mariner dans le vin, l'eau de noix et la moitié de Cognac avec thym et laurier pendant 3 ou 4 h.
- Faire revenir les volailles dans l'huile. Ajouter le thym, le laurier, poivrer et saler. Après 10 mn de cuisson à feu doux ajouter les raisins, la moitié des noix hachées, le jambon coupé en dés, mouiller avec le Cognac. Flamber puis saupoudrer de farine et verser l'eau de noix et le vin blanc.
- Cuire à feu doux 20 mn. Ajouter les cerneaux de noix et laisser reposer 6 à 10 mn au chaud.
- Ranger les volailles sur un plat chauffé. Napper avec la sauce réduite, décorer avec le jambon et les noix.

Vin
Tokay d'Alsace
Vin d'Alsace appelé
maintenant Tokay-
Pinot-Gris.
Joli bouquet fin
d'amandes, de fumé,
de fruits exotiques.
Gouleyant, fin et élégant.
Servir à 9-10°

Par personne
1 181 Calories

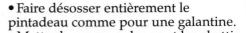

PINTADEAU FARCI A L'ANGOUMOISE

Préparation : 20 mn
Cuisson : 2 heures

Pour 4 personnes
- 1 pintadeau d'environ 1 kg

Farce
- 150 g de veau maigre
- 75 g de lard
- 75 g de marrons cuits
- 1 œuf
- 1 petit verre de Cognac
- 1 pincée de quatre-épices

Jus de cuisson
- La carcasse et les abattis du pintadeau
- 1 gros oignon
- 2 carottes
- 1 bouquet garni
- 50 g de beurre
- 1 verre à Bordeaux de Cognac
- Sel, poivre en grains

Vin rouge
Vin du Haut-Poitou :
Cabernet.
De menus fruits rouges
pleins le nez, notes
de la forêt (violettes,
framboises sauvages…)
avec une finesse de
texture fort séduisante,
de la fraîcheur et une
finale de poivron et
noisette.
Servir à 14-15°

Par personne
764 Calories

- Faire désosser entièrement le pintadeau comme pour une galantine.
- Mettre la carcasse, les os et les abattis à revenir dans une sauteuse, avec les carottes et l'oignon, épluchés et émincés. Ajouter 50 cl d'eau, le bouquet garni, le Cognac, du poivre en grains, très peu de sel. Couvrir et laisser cuire à tout petit feu pendant 2 h.
- Préparer la farce : hacher le veau et le lard. Mettre ce hachis dans une terrine avec les marrons, les épices, sel, poivre moulu et quatre-épices, l'œuf battu légèrement et le Cognac. Pétrir à la fourchette pour homogénéiser le tout. Farcir l'intérieur de la volaille. Rabattre les chairs, recoudre avec soin.
- Faire fondre le beurre dans une casserole et y poser la bestiole sans autre assaisonnement. La tourner fréquemment en vous aidant de 2 cuillères en bois ou de deux spatules sans jamais piquer les chairs et jusqu'à ce qu'elle soit dorée uniformément. Compter environ 40 à 45 mn. Laisser reposer 10 mn, couvert.
- Préparer pendant ce temps, une embeurrée de chou ou une purée de champignons sauvages frais.
- Lorsque le pintadeau est bien cuit, que la sauce est réduite de moitié et passée au chinois, servir sur un plat chauffé nappé de jus. Le reste du jus sera servi à part en saucière chauffée. La découpe se fera comme pour un rôti puisqu'il n'y a pas l'obstacle des os.
- S'il reste du pintadeau, vous le mangerez froid en entrée avec une salade verte arrosée de son jus.

PINTADE AUX POMMES, AUX ENDIVES ET AUX AMANDES

Préparation : 15 à 20 mn
Cuisson : 21 mn

Pour 4 personnes
• 1 petite pintade (pas plus d'1 kg)
• 2 pommes Reine des Reinettes
• 3 endives
• 2 c. à soupe d'amandes effilées
• 2 échalotes grises
• 1 c. à soupe d'huile
et 1 de beurre
• 20 cl de crème fraîche
• Le jus d'1/2 citron
• 1 pincée de sucre roux
• 1 pincée de thym en poudre
• Sel et poivre du moulin

Vin
Côte-de-Buzet
De l'élégance,
de la puissance, de la
rondeur avec des tanins
superbes, ronds,
généreux, racés.
Des arômes très fruités,
réglissés et de sous-bois.
Servir à 16°

Par personne
450 Calories

• Ouvrir la pintade en «crapaudine», c'est-à-dire, par le dos pour pouvoir l'aplatir et la cuire ouverte, à plat.
• Passer un pinceau, trempé dans l'huile et le beurre, sur tout le côté peau.
• Faire chauffer le plat à brunir. Mettre une noisette de beurre. Lorsqu'il est très chaud, appuyer la peau de la volaille sur le fond et laisser dorer sans couvrir 5 mn à th. 9.
• Mélanger le sucre et le thym. En poudrer la volaille et poivrer généreusement. Couvrir et faire cuire encore 4 mn.
• Pendant ce temps, effeuiller les endives, éplucher et émincer la pomme. Hacher les échalotes.
• Sortir le plat du four à micro-ondes. Laisser reposer pendant la cuisson des légumes et des fruits.
• Mettre ensuite les émincés de pommes, les échalotes, les feuilles d'endive dans la cocotte avec le reste d'huile et le beurre. Couvrir de film et faire cuire 3 mn à th. 9.
• Sortir, après ce temps, saupoudrer et déposer la pintade sur les ingrédients, peau au-dessus. Couvrir avec le couvercle et laisser cuire encore 7 mn.
• Laisser reposer 5 mn, toujours couvert, puis sortir la volaille sur un grand plat chauffé et l'entourer des légumes et des fruits.
• Ajouter la crème au jus de la cocotte en grattant les sucs de cuisson avec une cuillère en bois. Goûter l'assaisonnement et rectifier si nécessaire (un peu de sucre si le jus est trop acidulé ou, au contraire, un peu de citron si le sucre est trop présent), couvrir et mettre dans le four à micro-ondes pour 1 mn à th. 9.
• Passer ou non la sauce au chinois et en napper juste la volaille. Servir aussitôt.

PINTADE AUX MARRONS

Préparation : 10 mn
Cuisson : 16 mn

Pour 4 personnes
• 1 pintade coupée en 4 et parée
• 24 marrons frais ou en boîte
• 1,5 dl de crème fraîche
• Huile
• Sel, poivre

• Préchauffer le plat brunisseur 10 mn
pg cuisson maxi.
• Y déposer les morceaux de pintade
huilés côté peau, cuire 4 mn,
retourner, ajouter les marrons,
l'assaisonnement, la crème, couvrir,
cuire 10 à 12 mn.

Vin
Coteaux-du-Lyonnais
Vin guilleret, friand, vif,
très aromatique, autant
au nez qu'en bouche.
Gouleyant à structure fine
et aux arômes
de groseille, fraise
et framboise.
Servir à 12-13°

Par personne
553 Calories

CONFIT DE PINTADE

Préparation (la veille) : 25 mn
Macération : 24 h
Cuisson : 3 h

Pour 4 personnes
• 1 belle pintade
• 1 kg de panne de porc fraîche
Macération
• 1 c. à café de poudre de 4 épices
• 1 c. à café de thym émietté
• 1 feuille de laurier émietté
• 1 c. à café de sucre en poudre
• 30 g de gros sel moulu
• 5 g de poivre en grains moulu

La veille
• Découper la pintade et, à l'aide d'un couteau bien aiguisé, détacher les 4 membres (ailes et cuisses). Conserver le reste de la carcasse pour une autre utilisation.
• Dans un plat en terre, mélanger tous les ingrédients de la macération et en frotter les morceaux de pintade. Serrer ces morceaux les uns contre les autres, couvrir d'un linge et d'un poids et laisser macérer 24 h.

Le lendemain
• Couper en petits dés la panne de porc et la faire fondre doucement dans une marmite épaisse (ou une cocotte).
• Entre-temps, essuyer les morceaux de pintade et les déposer dans la graisse fondue. Les faire cuire, à feu doux, 1 h 30 environ selon leur grosseur.
• Procéder ensuite de la même façon que pour le confit de canard.

Au moment de servir, mettre à réchauffer les bocaux au bain-marie durant 35 mn environ. Sortir ensuite les morceaux de confit et les disposer dans un plat de service chaud, avec en accompagnement, une purée de maïs, de chou ou une terrine verte.

Vin
Premières -
Côtes-de-Bordeaux
Vin sombre avec des arômes fruités, de sous-bois, de champignons… et une structure aux tanins ronds, élégants et un bel équilibre.
Servir à 16°

Par personne
1654 Calories (avec la sauce)

CONFIT DE PINTADE AUX 5 PUREES

Préparation : 1 journée et 2 h
Cuisson : 2 h

Pour 4 personnes
- 2 pintades
- 2 gousses d'ail
- 1 oignon
- 1 bouquet garni
- 200 g de lentilles
- 300 g de petits pois
- 100 g d'épinards
- 200 g de haricots rouges
- 1/2 chou-fleur
- 200 g de carottes nouvelles
- 500 g de crème fraîche
- 1 grosse boîte de graisse d'oie
- 4 épices
- Gros sel, thym, laurier, poivre en grains

- Découper les pintades. Garder la carcasse pour les purées.
- Dans une terrine en grès alterner les morceaux de volaille et une couche de sel (commencer et finir par le sel mélangé avec le poivre et le thym). Laisser reposer 1 journée.
- Préparer un bouillon avec la carcasse des volailles, 1 oignon, 1 bouquet garni, l'ail, les 4 épices.
- Faire cuire chaque légume dans un nouveau bouillon. Egoutter les légumes puis les réduire en purée individuellement. Saler, poivrer. Ajouter un peu de crème et de jus de cuisson.
- Retirer et essuyer le sel déposé sur les morceaux de pintade, et les poser dans une terrine. Ajouter le thym et le poivre. Couvrir avec la graisse d'oie, et mettre à cuire pendant 2 h à four très doux.
- Egoutter les confits et griller 2 mn pour saisir.
- Servir aussitôt avec les purées.

Vin
Graves
Séduisants arômes
de vanille, de baies,
de pain grillé, de cuir,
de gibier, de fruits
rouges mûrs…
Rond, charnu, souple
et puissant.
Servir à 16-17°

Par personne
1223 Calories

OIE AUX BLANCS DE POIREAUX

Préparation : 20 mn
Cuisson : 40 mn

Pour 6 personnes
- 1 oie découpée
- 10 blancs de poireaux
- 1 bouteille de Champagne brut
- 1/4 l de crème fraîche
- 1 poignée de sauge
- Sel, poivre

- Déposer les blancs de poireaux en Julienne, la sauge dans une cocotte, saler, poivrer, arroser avec le Champagne.
- Placer au-dessus le panier contenant les morceaux de viande salés et poivrés.
- Porter à ébullition douce pendant 40 mn à couvert. Sortir l'oie, retirer la peau, désosser et garder au chaud, chinoiser le jus de cuisson, dégraisser si nécessaire et réduire à gros bouillons.
- Mixer les blancs de poireaux et la sauge, mouiller avec le jus réduit, ajouter la crème fraîche, mélanger bien jusqu'à obtenir une mousse.
- Napper l'oie réservée et passer 2 mn au grill chaud.
- Servir aussitôt.

Vin blanc
Saumur
Intensément floral,
avec des notes de genêt,
de raisin mûr, de pomme,
de pêche blanche… et une
structure gouleyante, fine,
vive, fraîche.
Servir à 9°

Par personne
1125 Calories (avec sauce)

ARTICHAUTS DE PRINTEMPS

Préparation : 20 mn
Cuisson : 19 m 30

Pour 4 personnes
- 4 artichauts violets, gros mais tendres, de 380 g chacun
- 12 gros oignons nouveaux, ronds
- 500 g de fèves fraîches
- 50 g de lard maigre fumé
- 1/2 citron
- 1 c. à café de cerfeuil, menthe ciselée ou coriandre en poudre
- 2 pincées de cumin en poudre
- 1 c. à soupe d'huile d'arachide
- 1 c. à soupe d'huile d'olive
- 1 noix de beurre
- Sel, poivre

Vin
Selon la viande

Par personne
340 Calories

- Peler les oignons, les émincer, en réserver 150 g. Ecosser les fèves puis les peler. Retirer la couenne du lard puis la hacher finement, au couteau.
- Couper la tige des artichauts à 1 cm du cœur, éliminer les feuilles dures, couper les plus tendres au ras du cœur avec un petit couteau, parer bien les cœurs afin qu'il ne subsiste aucun élément filandreux autour. Les frotter de citron pour éviter qu'ils noircissent, les couper en quatre, retirer le foin, les frotter encore de citron puis les couper en lamelles de 1 cm d'épaisseur et les arroser du jus du demi-citron.
- Faire chauffer un plat brunisseur de 24 cm de diamètre, sélecteur 9 pendant 3 mn.
- Verser l'huile d'arachide dans le plat chaud, ajouter le lard haché, mélanger, mettre le plat au four, sélecteur 9 pour 1 mn puis, ajouter les oignons émincés, mélanger encore, couvrir le plat et enfourner pour 2 mn 30, sélecteur 9.
- Au bout de ce temps, rincer les artichauts, les éponger rapidement et les mettre dans le plat. Les saler, les poudrer de cumin, mélanger, couvrir et mettre le plat au four, sélecteur 9 pour 12 mn. Tourner les artichauts à mi-cuisson.
- Après 12 mn de cuisson des artichauts, ajouter le cerfeuil et les fèves. Mélanger, couvrir, laisser cuire, sélecteur 9, 2 mn.
- Découvrir le plat, laisser cuire 2 mn de plus afin que les légumes dorent légèrement, toujours à la même allure, sélecteur 9.
- Servir dans le plat de cuisson.

* Ce délicieux ragoût de légumes de printemps accompagne toutes les viandes et les poissons cuits simplement.

BARBOUIADO DE MANOSQUE

Préparation : 20 mn
Cuisson : 25 mn

Pour 4 personnes
- 8 artichauts «mourro de cat» avec leur queue
- 1 kg de jeunes fèves ou de pois mangetout
- 1 bottillon de petits oignons blancs et leur tige verte
- 1 gros oignon
- 1 botte d'asperges vertes
- 100 g de lard frais maigre
- 1 citron non traité
- 2 c. à soupe d'huile d'olive
- Sel, poivre, pèbre d'ase ou sarriette

- Couper en dés le lard avec sa couenne. Eplucher les légumes, écosser les fèves et retirer la tendre peau des grains s'ils sont pas très petits. Conserver la tige verte des oignons auxquels vous n'enlèverez la peau que s'ils sont plus gros qu'une belle noisette. Peler les asperges et les couper assez court. Les tronçonner sur 1 cm en conservant entières les pointes tendres que vous réservez. Couper en quatre les artichauts après avoir retiré les petites feuilles extérieures et rafraîchi la tige. Trancher le bout des feuilles sur 2 cm.
- Peler le gros oignon et le hacher finement.
- Faire chauffer l'huile dans une sauteuse ou une grande poêle sur feu modéré. Ajouter le lard et faire cuire 5 mn de tous côtés. Saupoudrer de hachis d'oignon, remuer et laisser cuire 2 mn. Ajouter les artichauts et les petits oignons puis, 5 mn plus tard, les fèves et les tronçons d'asperges. Remuer sans cesse pendant 5 à 7 mn. Après ce temps, ajouter les pointes d'asperges, le jus de citron, le sel, le poivre et du «pèbre d'ase».
- Mélanger, couvrir et laisser cuire 5 mn à feu doux.
- Servir ce délicat mélange de légumes nouveaux avec le chevreau ou l'agneau printanier, mais aussi avec de la volaille rôtie.

Vin
Selon la viande

Par personne
421 Calories

AUBERGINES GRILLEES EN EVENTAIL

Préparation : 20 mn
Cuisson : 25 mn

Pour 4 personnes
- 8 aubergines pas trop grosses
- 2 c. à soupe d'huile pimentée
- 2 gousses d'ail
- Le jus d'1 citron non traité
- Sel, paprika doux

- Laver, sécher mais ne pas éplucher les aubergines choisies bien fermes et saines (sans taches, ni coups).
- Les poser sur une planche, avec un couteau bien affûté et inoxydable (cela est important, les aubergines noircissant sous l'effet du métal et prenant un goût désagréable de ferraille) les partager en deux jusqu'à approcher la partie blanche et dure d'environ 2 cm qui est sous le pédoncule. Conserver celui-ci. Il va « tenir » l'aubergine. Tourner celle-ci côté chair vers vous et l'arroser de jus de citron. Faire de même avec les autres aubergines. Réserver.
- Piler l'ail avec le sel et mélanger la pâte obtenue avec le paprika puis avec l'huile.
- Préchauffer le gril à maximum.
- Tartiner chaque face interne des aubergines, ouverte en éventail, avec la pâte à l'ail et faire griller 5 mn au maximum, puis 15 mn à feu moyen et encore 5 mn à feu doux (côté peau).
- Eteindre, fermer le couvercle de l'appareil et laisser reposer 5 mn.
- Aussi bon chaud que froid.

Vin
Selon la viande

Par personne
164 Calories

AUBERGINES A L'AIL ET A L'ESTRAGON

Préparation : 15 mn
Cuisson : 18 mn

Pour 4 personnes
- 2 aubergines
- 6 gousses d'ail
- Estragon
- 2 c. à soupe d'eau
- 3 c. à soupe d'huile d'olive
- 100 g d'emmenthal râpé (facultatif)
- Sel, poivre

• Eplucher l'ail, l'écraser ou l'émincer, le mélanger à l'huile. Couvrir, cuire 2 mn pg cuisson maxi. Laver les aubergines, les fendre en deux, les inciser à l'intérieur, saler, poivrer, étendre l'ail cuit sur les aubergines, parsemer d'estragon. Poser sur une assiette, ajouter l'eau, couvrir, mettre à cuire 10 à 12 mn. Découvrir, parsemer de fromage, cuire à nouveau 4 mn.

Vin
Selon la viande

Par personne
88 Calories
+ 100 Calories (gruyère)

MOUSSE D'AUBERGINES AU CUMIN

Préparation : 20 mn
Cuisson : 12 mn 30

Pour 4 personnes
- 3 aubergines de 250 g chacune
- 1 c. à café de cumin en poudre
- 1 c. 1/2 à soupe d'huile d'olive fruitée
- 1/2 c. à soupe de jus de citron
- 1/2 gousse d'ail
- Sel, poivre noir

- Peler les aubergines, les couper en dés de 2 cm, les mettre dans une cocotte. Saler, les poudrer de cumin, mélanger, couvrir la cocotte et la mettre au four, sélecteur 9 pour 12 mn.
- Découvrir la cocotte avec précaution, pour éviter que la vapeur d'eau condensée sous le couvercle coule sur les aubergines.
- Les mettre dans le bol d'un mixeur, ajouter la gousse d'ail passée au presse-ail, le jus de citron, l'huile d'olive et du poivre. Mixer 30 secondes à grande vitesse.
- Verser la mousse d'aubergines dans un plat et la servir aussitôt.

* Cette mousse accompagne les poissons cuits simplement : la « dorade au gros sel et au thym » ou « les filets de rascasse au curry » ou encore des viandes (carré d'agneau ou de porc…) chaudes ou froides.
Elle peut faire partie d'un plat de hors-d'œuvre composé de tomates, anchois, tarama, tapenade, etc. que vous tartinerez sur des tranches de pain de campagne ou de pain noir.
A chaud comme à froid vous pouvez y ajouter des herbes : ciboulette, coriandre, menthe, aneth, à votre goût.

Vin
Selon la viande

Par personne
91 Calories

SOUFFLE DE CAROTTES

Préparation : 15 mn
Cuisson : 18 mn

Pour 4 personnes
- 300 g de carottes
- 3 c. à soupe d'eau
- 2 jaunes d'œufs
- 3 blancs d'œufs
- 1 c. à café de sucre
- 30 g de beurre
- Sel, poivre, muscade

- Eplucher les carottes, les couper en dés, les mettre dans un récipient avec l'eau. Couvrir, cuire 10 à 12 mn pg cuisson maxi. Ajouter le beurre, le sucre, mixer. Assaisonner, chauffer 3 mn sans couvrir. Incorporer les jaunes d'œufs, puis les blancs battus en neige très ferme. Verser le mélange dans un moule à soufflé, cuire 2 mn 30 à 3 mn. Servir aussitôt.

Vin
Selon la viande

Par personne
144 Calories

TROUPEAU DE LEGUMES

Préparation : 15 mn
Cuisson : 20 mn

Pour 4 personnes
- 4 pommes de terre Belle de Fontenay
- 4 navets
- 4 carottes
- 40 g de beurre
- Le jus de 2 citrons
- 10 brins de ciboulette
- Sel, poivre

- Peler les pommes de terre, les carottes, les navets. Les couper en tranches épaisses. Puis à l'aide d'emporte-pièce, les découper en forme d'animaux.
- Porter à ébullition une casserole d'eau salée, y plonger les légumes et laisser cuire pendant 20 mn sur feu moyen. Les égoutter.
- Dans une petite casserole, faire fondre le beurre, ajouter le jus des citrons, la ciboulette ciselée, sel et poivre.
- Dans les assiettes de service, déposer les petits légumes, les arroser de beurre de citron. Servir aussitôt avec des escalopes de veau.

Vin
Selon la viande

Par personne
123 Calories

STORZAPRETI A LA PEBRONATA

Préparation : 30 mn
Cuisson : 35 mn

Pour 4 à 6 personnes
- 1 pied de blettes
- 250 g d'épinards en branches
- 1/2 brocciu frais (250 g environ)
- 2 œufs
- 1 branche de sarriette
- 1 touffe de vert de fenouil
- 1 pincée de noix de muscade râpée
- 75 g de parmesan râpé
- 1 bol de sauce pebronata
- Farine, huile d'olive
- Sel, poivre

- N'utiliser que le vert des tiges des blettes. Faire cuire blettes et épinards à la vapeur. Les égoutter soigneusement, les presser encore pour éliminer l'humidité puis les hacher au couteau sur une planche. Les tapoter avec du papier absorbant pour les sécher encore. Dans une jatte, battre les œufs avec sel, poivre, noix de muscade, 1 cuillère à café d'huile. Emietter le brocciu dessus et mélanger. Ajouter la sarriette émiettée et le « plumet » de fenouil, hacher les verdures.
Bien mélanger.
- Fariner un plan de travail et vos mains. Prélever le mélange et, en le roulant entre vos paumes, faire des quenelles. Les déposer au fur et à mesure sur la planche farinée.
Les rouler dans la farine et réserver.
- Préchauffer le four th. 8.
- Lorsque toutes les quenelles sont prêtes, chauffer de l'eau très salée. Déposer les storzapreti par 3 ou 4 et les faire pocher quelques minutes.
- Huiler un plat à gratin, arroser de « pebronata » ou de jus de viande, saupoudrer de parmesan et gratiner 10 mn.

Vin
Selon la viande

Par personne
297 Calories (6 pers.)
446 Calories (4 pers.)

CHAMPIGNONS DE PARIS
FARCIS AUX ŒUFS

Préparation : 40 mn
Macération : 20 mn
Cuisson : 8 mn

Pour 4 personnes
- 12 gros champignons bien fermes
- 3 œufs entiers
- 5 cl de crème fraîche légère
- 2 branches de persil, 1 d'estragon
- 1 c. à soupe d'huile d'arachide
- Sel et poivre blanc, muscade râpée
- 1 citron non traité

• Séparer les têtes des pieds. Après avoir essuyé les têtes avec un linge humide, les mettre dans un plat, arrosés d'huile, de sel, de poivre et de citron. Laisser macérer 20 mn.
• Hacher fin les pieds nettoyés et lavés.
• Huiler une feuille d'aluminium, y enfermer les pieds salés, poivrés et citronnés, rouler en papillote.
• Poser la papillote sur la grille chauffée à température moyenne. Ranger les têtes de champignons, le côté bombé vers la grille et faire cuire le tout 2 mn.
• Ciseler les herbes. Garder les tiges dépouillées.
• Battre les œufs avec la crème, le sel, le poivre et la muscade.
• Retirer la papillote du feu. Verser en fouettant le contenu dans les œufs, ajouter le jus rendu et les herbes. Battre encore pour mélanger.
• Remplir les chapeaux de ce mélange (jeter les tiges fractionnées sur les pierres de lave, sous les chapeaux)*, fermer le couvercle et cuire les champignons encore 6 mn à feu baissé à doux.
• Servir lorsque la crème d'œufs est prise mais encore moelleuse et la chair des chapeaux pas trop cuite.
• Servir avec des mouillettes de pain grillé.

* Les tiges en séchant vont communiquer un bon parfum aux champignons.

Vin Selon la viande	

Par personne 121 Calories	

PLEUROTES A LA CREME

Préparation : 10 mn
Cuisson : 9 mn 30

Pour 4 personnes
- 500 g de pleurotes
- 10 cl de crème fraîche
- Le jus d'1 citron non traité
- 1 verre de vin blanc sec
- 1 c. à soupe de beurre demi-sel
- 1 pincée d'origan séché
- 1 jaune d'œuf
- Sel et poivre blanc fraîchement moulu

- Nettoyer les champignons (les pleurotes ne se lavent pas, contentez-vous de les essuyer avec un linge humide). S'ils sont trop gros, les coupez en 2 ou 3.
- Faire fondre le beurre dans la cocotte 1 mn à th. 7. Ajouter les champignons et laisser cuire 1 mn à th. 9.
- Remuer et ajouter le jus de citron, le vin blanc, la pincée d'origan. Couvrir et laisser cuire 5 mn.
- Ajouter la crème, remuer, poivrer et sans couvrir faire cuire 2 mn. Laisser reposer 3 mn.
- Prélever un peu de jus et mettre le jaune avec le sel dans un bol et, en battant, le verser sur le jaune d'œuf. Verser sur les champignons et remettre dans le four à micro-ondes à th. 4 pour 30 secondes.

* Servir en accompagnement de poisson poché ou de volaille.

Vin blanc
Chablis
Corton-Charlemagne
Pouilly-Fuissé
de 2 à 3 ans.
Servir à 9-10°

Par personne
110 Calories

CHOU A LA POMME

Préparation : 20 mn
Cuisson : 8 mn

Pour 4 personnes
- 1 cœur de chou frisé de 450 g
- 100 g de lard maigre fumé
- 1 pomme Golden de 150 g
- 1 c. à soupe de baies de genièvre
- 2 c. à soupe d'huile d'arachide
- Sel, quatre épices

- Couper le cœur du chou en quatre, retirer la partie dure, couper chaque quartier en lamelles de 1 cm de large.
- Retirer la couenne du lard et le hacher au couteau.
- Peler la pomme, la couper en quatre, retirer le cœur et détailler la pulpe en tous petits cubes.
- Faire préchauffer un plat brunisseur de 24 cm de diamètre, sélecteur 9, 3 mn.
- Verser l'huile dans un plat chaud, ajouter le lard, mélanger. Mettre au four, sélecteur 9, 2 mn. Sortir le plat puis ajouter les lamelles de chou. Saler et les mouiller avec 1 dl d'eau, ajouter les baies de genièvre, mélanger. Couvrir le plat et le glisser au four, sélecteur 9, 6 mn.
- Retirer le plat du four, ajouter la pomme, mélanger, laisser cuire de la même manière 6 mn.
- Mélanger et saupoudrer des quatre épices. Servir aussitôt.

Vin Selon la viande	

Par personne 165 Calories	

PETITS CHOUX FARCIS

Préparation : 30 mn
Cuisson : 40 mn

Pour 6 personnes
- 1 chou frisé
- 400 g de viande de porc
- 2 oignons
- 2 échalotes
- 2 gousses d'ail
- 4 branches de persil
- 150 g de Roquefort
- 40 g de beurre
- Sel, poivre

- Nettoyer le chou. Retirer les premières feuilles. Faire blanchir les autres 3 mn dans de l'eau bouillante salée. Les égoutter et les essuyer.
- Peler et hacher les oignons, les échalotes et l'ail. Ciseler le persil.
- Hacher finement la viande.
- Dans une jatte, mettre la viande, les oignons, les échalotes, l'ail, le persil, sel et poivre. Bien mélanger le tout.
- Sur le plan de travail, déposer les feuilles de chou. Mettre au centre un peu de la préparation. Refermer les feuilles.
- Dans une cocotte, faire fondre le beurre, y faire rissoler 2 mn les petits choux farcis sur feu doux.
- Ajouter le Roquefort coupé en dés, poivrer.
- Mouiller avec 1 dl d'eau et laisser cuire à couvert pendant 40 mn sur feu très doux.
- Servir bien chaud.

Vin
Selon la viande

Par personne
433 Calories

BUISSONS DE CHOUX AU COULIS DE TOMATES

Préparation : 20 mn
Cuisson : 20 mn

Pour 4 personnes
- 1 petit chou-fleur
- 500 g de brocoli
- 500 g de tomates
- 2 gousses d'ail
- 1 g de safran en filaments
- 6 feuilles de basilic
- 1 pincée de poivre de Cayenne
- 1 oignon
- 3 c. à soupe d'huile d'olive
- Sel, poivre

- Peler les tomates après les avoir plongées 1 mn dans de l'eau bouillante, les épépiner et les concasser. Peler et hacher l'ail et l'oignon. Dans une casserole à fond épais, faire chauffer l'huile d'olive. Y faire rissoler l'oignon et l'ail. Ajouter les tomates, le basilic ciselé, le safran, sel et poivre. Bien mélanger et laisser cuire sur feu moyen pendant 20 mn.
- Nettoyer le chou-fleur et les brocoli.
- Dans deux casseroles porter à ébullition de l'eau salée. Y plonger le chou-fleur et les brocoli. Laisser cuire 15 mn sur feu doux. Les égoutter. Dès que les tomates sont cuites, les verser dans le bol d'un mixeur et les réduire en purée.
- Sur les assiettes de service, déposer joliment les bouquets de chou-fleur et de brocoli, ajouter le coulis de tomates.
- Servir aussitôt.

Vin
Selon la viande

Par personne
203 Calories

COURGETTES GLACEES

Préparation : 6 mn
Cuisson : 12 mn

Pour 4 personnes
- 8 courgettes assez petites
- 1 citron
- 1 oignon moyen, 1 gousse d'ail
- 1 c. à café de miel liquide ou de cassonnade
- 30 g de beurre demi-sel
- 1 c. à soupe d'huile d'arachide
- 1 c. à soupe d'herbes de Provence
- Sel, poivre blanc moulu

• Couper le pédoncule des courgettes, les laver (si elles sont tendres, laisser la peau), retirer une lanière de peau sur trois et découper les légumes en rondelles d'1 cm d'épaisseur.
• Disposer un «lit» d'oignons et d'ail hachés très fin dans le fond du plat huilé. Couvrir de film et faire fondre 1 mn 30 à pleine puissance.
• Ajouter alors les herbes de Provence, remuer et refaire une couche uniforme. Verser 1 cuillère à soupe de jus de citron et couvrir. Remettre pour 30 secondes à th. 7.
• Ranger les rondelles de courgettes en une couche régulière et disposer le reste des rondelles en alternant : une rondelle sur l'intervalle laissé entre 3 ou 4 rondelles (ainsi, la cuisson sera régulière).
• Arroser de miel, du jus de citron, parsemer de flocons de beurre, poivrer et saler peu. Couvrir de film et laisser cuire 8 mn à pleine puissance et 2 mn à th. 7.
• Laisser reposer sans découvrir, jusqu'au tiédissement.
• Servir en entrée (froid*, c'est délicieux) avec un coulis de tomates, ou chaud, en accompagnement d'un poisson ou d'une volaille cuits au naturel. L'aigre-doux relèvera le goût simple du plat.

* On entend par «glacé», la brillance que donne, en cuisant, la matière grasse mêlée au sucre.

Vin rosé
Bourgogne de Marsannay
Côtes-de-Provence
Côtes-du-Roussillon
Costières-du-Gard
de 1 à 2 ans.
Servir à 8-9°

Par personne
159 Calories

GRATIN A LA MONEGASQUE

Préparation : 25 mn
Cuisson : 1 h

Pour 4 personnes
- 1 kg de courgettes
- 500 g de tomates
- 200 g de gruyère râpé
- 8 cl d'huile d'olive
- Sel, poivre

- Peler les tomates après les avoir plongées dans de l'eau bouillante. Laver les courgettes. Couper en rondelles les légumes.
- Dans un plat à gratin beurré, mettre une couche de courgettes, une couche de gruyère, couvrir avec les tomates. Recommencer jusqu'à épuisement des ingrédients. Assaisonner à chaque couche.
- Arroser d'huile. Saupoudrer de fromage et cuire à four chaud (th. 7) pendant 20 mn.
- Gratiner les 10 dernières minutes.
- Servir chaud ou très frais.

Vin
Selon la viande

Par personne
481 Calories

GRATIN DE COURGETTES, AUBERGINES, TOMATES

Préparation : 30 mn
Cuisson : 30 mn

Pour 8 personnes
- 1 kg de courgettes
- 1 kg d'aubergines
- 1 kg de tomates
- 10 cl d'huile d'olive
- 2 oignons
- 1 gousse d'ail
- Chapelure
- Poivre, gros sel

- Couper assez finement séparément les courgettes, les aubergines dans deux saladiers.
- Faire dégorger pendant 30 mn en les saupoudrant de gros sel.
- Au bout de ce temps, égoutter. Couper en petits dés les tomates pelées.
- Tapisser alternativement le fond d'un plat beurré, allant au four, d'une couche de courgettes, aubergines et tomates.
- Saupoudrer d'oignons émincés et d'ail. Saler et poivrer.
- Arroser d'huile d'olive et couvrir de chapelure.
- Faire gratiner pendant 30 mn à four chaud (th. 8).
- Laisser refroidir et servir.

* Ce plat peut également être servi chaud, en accompagnement d'une viande rouge.

Vin
Selon la viande

Par personne
220 Calories

COURGETTES DE L'ESTEREL

Préparation : 15 mn
Cuisson : 15 mn

Pour 4 personnes
- 500 g de courgettes moyennes
- 500 g de tomates
- 1 gousse d'ail
- Persil
- 1 c. à soupe de sucre

- Eplucher les courgettes. Les couper grossièrement. Saler, poivrer. Les rouler dans la farine.
- Dans une poêle, faire sauter les courgettes à l'huile et au beurre. Egoutter sur un papier absorbant et réserver au chaud. Y faire revenir également les tomates coupées en 2. Sucrer légèrement les 2 côtés. Réserver lorsqu'elles sont cuites.
- Récupérer le suc des tomates dans un bol. Beurrer à nouveau la poêle pour faire dorer l'ail et le persil hachés. Ajouter le suc. Mélanger bien et arroser les courgettes et tomates chaudes.
- Servir aussitôt.

| *Vin* |
| Selon la viande |

| **Par personne** |
| 99 Calories |

BEIGNETS DE FLEURS DE COURGETTES

Préparation : 25 mn
Cuisson : 30 mn

Pour 4 personnes
- 500 g de fleurs de courgettes
- 2 c. à soupe de fines herbes
- 150 g de farine
- 1 c. à soupe d'huile
- 2 blancs d'œufs battus
- Eau, sel, poivre

- Nettoyer les fleurs de courgettes.
- Les plonger dans la pâte à beignets, puis dans la friteuse, jusqu'à ce qu'elles prennent une teinte dorée.
- Egoutter sur un papier absorbant.
- Saupoudrer de fines herbes hachées et servir aussitôt.

Par personne
000 Calories/0000 Kjoules

CHICON A LA FLAMANDE

Préparation : 30 mn
Cuisson : 25 mn

Pour 4 personnes
- 6 endives
- 1 noix de beurre
- 1 échalote rose
- 25 cl de bouillon ou de bière du Nord
- 1 c. à café de miel
- 1 citron non traité
- 1 bouquet de persil simple
- 2 c. à soupe de crème fraîche
- Sel et poivre
- 4 œufs durs ou mollets

- Eplucher les endives en creusant, avec un couteau pointu, dans le «trognon» pour retirer toute amertume. Bien les laver, les égoutter têtes en bas.
- Faire tiédir la bière.
- Emincer l'échalote. La jeter dans un faitout inoxydable (verre, fonte émaillée, etc.) avec le beurre. Poser sur feu moyen et faire blondir à peine.
- Couper en deux les endives. Les déposer côté bombé dans le récipient, et ajouter le miel et l'écorce de citron. Laisser revenir à feu doux environ 5 mn. Mouiller avec la bière, la crème ou le bouillon. Ajouter les tiges du persil ciselées. Saler et poivrer, couvrir aux trois quarts, laisser compoter 10 mn.
- Pendant ce temps, écaler et hacher les œufs durs. Si vous les choisissez mollets les écraser à la fourchette. Ciseler le persil. Mettre tout ceci dans une coupelle avec un peu de sel et beaucoup de poivre. Verser dessus le jus de citron et mélanger.
- Ranger les endives dans un plat chauffé, le côté coupé vers l'extérieur. Saupoudrer du mélange œufs et persil, jus compris.
- Arroser avec le jus crémé de la cuisson et servir aussitôt sur des assiettes chaudes, avec une bière blonde.

Vin
Selon la viande

Par personne
244 Calories

GRATIN D'ENDIVES

Préparation : 15 mn
Cuisson : 20 mn

Pour 4 personnes
- 1 kg d'endives
- 50 g de beurre
- 1/2 l de sauce béchamel
- 100 g de fromage râpé
- 100 g de chapelure
- Sel, poivre

- Faire cuire les endives 5 mn à l'eau bouillante salée. Bien les égoutter.
- Dans un plat allant au four, beurré, les ranger. Napper de sauce béchamel et saupoudrer de fromage râpé mélangé à la chapelure.
- Faire gratiner à four chaud (th. 8-9) pendant 15 mn.
- Servir aussitôt.

| *Vin* |
| Selon la viande |

| **Par personne** |
| 482 Calories |

SOUFFLE AUX EPINARDS

Préparation : 15 mn
Cuisson : 20 mn

Pour 4 personnes
- 1 kg d'épinards frais
- 80 g de farine
- 80 g de beurre
- 4 dl de lait
- 100 g de crème fraîche
- 50 g de gruyère râpé
- 4 œufs
- Sel, poivre

- Enlever les queues des feuilles, les laver dans plusieurs eaux. Les cuire 10 mn dans le beurre fondu. Les couper grossièrement. Ajouter les jaunes d'œufs (réserver les blancs) Assaisonner et réserver.
- Dans une casserole, faire un roux blond.
- Mélanger les épinards, et la sauce. Ajouter la crème fraîche et le gruyère râpé. Assaisonner.
- Battre les blancs d'œufs en neige très ferme et les incorporer délicatement à la sauce.
- Remplir aux 3/4 un moule beurré.
- Faire cuire 20 mn et servir aussitôt.

Vin
Selon la viande

Par personne
531 Calories

PETITS POIS FERMIERE

Préparation : 10 mn
Cuisson : 17 mn

Pour 4 personnes
- 6 petits oignons
- 250 g de petits pois (frais ou surgelés)
- 3 carottes
- 40 g de beurre
- 1/2 laitue
- Persil
- 1 morceau de sucre
- 4 c. à soupe d'eau
- Sel, poivre

- Eplucher les carottes et les oignons, les couper en rondelles, les mettre dans un récipient avec la moitié d'eau, couvrir.
- Cuire 5 mn pg cuisson maxi.
- Ajouter le sucre, le beurre, la laitue et les petits pois.
- Mélanger, couvrir, cuire le tout 10 à 12 mn.
- Assaisonner et ajouter le reste d'eau à mi-cuisson.
- Servir parsemé de persil haché.

| *Vin* |
| Selon la viande |

| **Par personne** |
| 158 Calories |

HARICOTS VERTS AU CURRY

Préparation : 10 mn
Cuisson : 20 mn

Pour 4 personnes
• 300 g de haricots verts extra-fins
• 2 échalotes
• 1 yaourt nature
• 2 c. à soupe de crème fraîche
• 1 c. à café de curry fort
• 2 c. à soupe de noix de coco râpée
• 30 g de beurre
• Sel, poivre

• Equeuter et effiler les haricots verts.
• Les faire cuire à la vapeur pendant 10 mn.
• Peler et hacher les échalotes.
• Dans une sauteuse, faire fondre le beurre. Y faire revenir les échalotes pendant 2 mn.
• Ajouter les haricots verts, le yaourt, la crème et le curry.
• Saler et poivrer.
• Bien mélanger le tout et laisser cuire pendant 5 mn. Poudrer de noix de coco et servir aussitôt avec un rôti de porc.

Vin
Selon la viande

Par personne
171 Calories (4 pers.)
342 Calories (2 pers.)

LENTILLES A LA TOMATE

Préparation : 15 mn
Macération : 2 h
Cuisson : 22 mn

Pour 4 personnes
• 250 g de lentilles
• 5 dl d'eau chaude
• 2 échalotes
• 2 gousses d'ail
• 2 belles tomates
• 1/2 feuille de laurier
• 30 g de beurre ou 2 c. à soupe d'huile d'olive
• Sel, poivre

• Faire tremper les lentilles 2 h, les égoutter, les mettre dans l'eau chaude avec les échalotes, le laurier et les tomates épluchées et coupées en gros dés.
• Couvrir, cuire 8 mn pg cuisson maxi. Découvrir, ajouter le sel, le beurre, terminer la cuisson en pg décongélation 14 mn. Poivrer.

Vin
Selon la viande

Par personne
268 Calories

EPIS DE MAIS GRILLES DANS LEURS FEUILLES

Préparation : 15 mn
Cuisson : 30 mn

- 4 épis de maïs bien frais dans leurs feuilles
- 2 c. à soupe de beurre composé*

• Retirer la gaine extérieure (les feuilles les plus dures), écarter les dernières feuilles tendres que vous conservez. Arracher les filaments. Badigeonner les épis de beurre composé.
• Rabattre les feuilles sur les épis et les envelopper séparément dans un papier d'aluminium.
• Faire cuire en retournant souvent, sur la grille très chaude. Compter 30 mn de cuisson en baissant le feu après 20 mn. Laisser reposer 5 mn avant de retirer le papier d'aluminium.
• Variantes : Vous pouvez griller le maïs directement dans toutes ses feuilles. Après 15 mn, vous retirerez les épis du feu, les badigeonner d'huile parfumée ou de beurre, les cuire encore 10 mn à température moyenne puis 5 mn à feu très doux. Et vous attendrez que la grille ait perdu de sa chaleur pour servir les épis. Cette façon de faire ainsi que la précédente, donne des grains plus moelleux que ceux des épis grillés directement sans feuilles protectrices.

* Les beurres seront aux anchois, aux piments, aux herbes, au cari, au citron.

Vin
Selon la viande

Par personne
757 Calories / épis

BEIGNETS DE POIREAUX

Préparation : 25 mn
Cuisson : 30 mn

Pour 4 personnes
• 1,5 kg de poireaux
• 2 c. à soupe de fines herbes

Pâte à frire
• 150 g de farine
• 1 c. à soupe d'huile
• 2 blancs d'œufs battus
• Eau, sel, poivre

• Laver les poireaux. Garder que les blancs. Les couper en tronçons de 5 cm de long.
• Les faire cuire dans l'eau bouillante salée.
• Entre-temps préparer la pâte à frire.
• Faire chauffer l'huile. Y plonger les poireaux enrobés de la pâte. Les laisser jusqu'à ce qu'ils prennent une teinte dorée.
• Bien les égoutter sur du papier absorbant. Saupoudrer de fines herbes hachées.

Vin
Selon la viande

Par personne
324 Calories

POMMES DE TERRE EN HABIT DE BACON

Préparation : 10 mn
Cuisson : 30 mn

Pour 4 personnes
- 8 grosses pommes de terre Belle de Fontenay
- 16 tranches de bacon
- 2 tomates
- 3 oignons
- 1 gousse d'ail
- 1 dl de vin blanc sec
- 40 g de beurre
- Sel, poivre

- Peler les pommes de terre, les laver.
- Peler et couper les oignons en quartiers.
- Peler les tomates après les avoir plongées 1 mn dans de l'eau bouillante. Les épépiner et les couper en morceaux.
- Peler et hacher l'ail.
- Entourer chaque pomme de terre avec 2 tranches de bacon, les maintenir avec une petite ficelle de cuisine.
- Dans une cocotte, faire fondre le beurre, y faire revenir les oignons, ajouter les pommes de terre et les faire rissoler pendant 2 à 3 mn. Ajouter l'ail, les tomates et le vin blanc. Saler modérément et poivrer. Couvrir et laisser cuire pendant 30 mn sur feu doux en remuant de temps en temps.
- Servir bien chaud avec un rôti de lotte ou une salade verte.

Vin
Selon la viande

Par personne
364 Calories

POMMES DE TERRE BERRICHONNES

Préparation : 20 mn
Cuisson : 16 mn

Pour 4 personnes
- 700 g de pommes de terre
- 100 g de poitrine fumée
- 1 gros oignon
- 3 dl de bouillon de bœuf
- Sel, poivre

- Eplucher et émincer l'oignon, couper la poitrine en petits cubes.
- Eplucher les pommes de terre, les couper en gros cubes.
- Mettre le tout dans un récipient assez large, assaisonner, mélanger, couvrir, cuire en pg cuisson maxi 12 mn.
- Mouiller avec le bouillon très chaud.
- Cuire à nouveau 4 mn.

Vin
Selon la viande

Par personne
234 Calories

POMMES DE TERRE A LA BIGOUDEN

Préparation : 20 mn
Cuisson : 1 h

Pour 4 personnes
- 800 g de pommes de terre à peau fine ou nouvelles
- 35 à 40 cl de cidre brut fermier
- 2 c. à soupe de beurre demi-sel
- 1 feuille fraîche de laurier
- Gros sel gris de Guérande
- Poivre noir concassé
- 1 litre de lait ribot ou un «caillé»

- Laver et brosser les pommes de terre, les sécher, les couper en rondelles.
- Choisir une cocotte à fond épais munie d'un couvercle fermant bien. Beurrer le fond, ranger les pommes de terre en salant très peu entre chaque mais en poivrant bien. Cisailler la feuille de laurier et la répartir entre toutes les rondelles. Verser un verre de cidre.
- Parsemer de beurre en flocons, couvrir et enfourner pour 1 h de douce cuisson.
- A mi-cuisson, retirer le couvercle, poser un plat creux, rond ou ovale selon la forme de la cocotte et renverser les pommes de terre en recueillant le jus beurré.
- Faire glisser les légumes de façon à ce que le dessus se retrouve dessous. Parsemer de flocons de beurre, remouiller avec le cidre, reposer le couvercle et remettre au four jusqu'à la fin de la cuisson.
- Servir dans le plat creux chaud avec du caillé ou du lait ribot, du gros sel gris et du poivre concassé.
- Ce plat simple, mais pas pauvre, est d'une rare délicatesse. Choisir simplement les meilleurs ingrédients.

Vin
Selon la viande

Par personne
434 Calories

GALETTE DE POMMES DE TERRE

Préparation : 20 mn
Cuisson : 30 mn

Pour 4 personnes
- 700 g de pommes de terre Belle de Fontenay
- 4 échalotes
- 150 g de lard fumé
- 80 g de beurre
- Sel, poivre

- Peler et râper les pommes de terre. Les essorer dans un linge propre pour retirer un peu de jus.
- Peler et hacher les échalotes.
- Dans une jatte, mettre les pommes de terre, les échalotes et le lard coupé en tous petits dés.
Saler et poivrer. Bien mélanger le tout.
- Dans une poêle anti-adhésive, faire fondre la moitié du beurre, ajouter les pommes de terre et bien tasser le tout pour former une galette, laisser cuire 15 mn sur feu doux.
- Poser un plat sur le dessus de la poêle, retourner le tout pour récupérer la galette sur le plat.
- Faire fondre le reste de beurre dans la poêle y faire glisser la galette (côté non cuit) et laisser cuire encore 15 mn.
- Servir bien chaud avec un rôti de bœuf ou une épaule de mouton.

Vin
Selon la viande

Par personne
309 Calories
+ 115 Calories
(30 g de Cantal)

CRIQUES A L'ANCIENNE

Préparation : 10 mn
Cuisson : 15 mn

Pour 4 personnes
- 6 œufs
- 4 pommes de terre nouvelles
- 30 g de beurre
- 5 cl de lait ou d'eau
- Sel, poivre

- Faire fondre le beurre dans une poêle à feu doux.
- Eplucher et râper les pommes de terre.
- Dans un saladier, casser les œufs, ajouter le lait, battre vivement, ajouter les pommes de terre.
- Saler, poivrer.
- Verser dans la poêle très chaude.
- Laisser cuire 10 mn à feu moyen en couvrant.
- Retourner l'omelette, pour faire dorer l'autre côté pendant 5 mn à couvert.
- Glisser dans un plat de service chaud.

Vin
Selon la viande

Par personne
250 Calories

QUENELLES DE POMMES DE TERRE

Préparation : 15 mn
Cuisson : 15 mn

Pour 4 personnes
- 300 g de purée
- 2 œufs entiers
- 2 jaunes
- 8 chipolatas ou merguez
- Chapelure
- Fines herbes hachées

- Faire des tronçons de 3 cm avec les chipolatas.
- Faire cuire les chipolatas, les retirer et les égoutter sur un papier absorbant. Les laisser refroidir.
- Prendre la purée refroidie, mélanger avec un œuf entier et un jaune dans un plat creux, assaisonner.
- Piquer la chipolata avec une fourchette, l'enrober de purée, la passer dans l'œuf battu et dans la chapelure. Jeter dans l'huile bouillante.
- Dès qu'elles sont dorées, les retirer avec l'écumoire.
- Servir aussitôt.

Vin
Selon la viande

Par personne
548 Calories

POMMES DE TERRE EN PAPILLOTES
ET A LA MUSCADE

Préparation : 10 mn
Cuisson : 40 mn

- 4 ou 8 belles pommes de terre
- 100 g de beurre en pommade
- 1 pincée de muscade
- Sel, poivre

• Mélanger le beurre ramolli, le sel, le poivre et la muscade, badigeonner les pommes bien propres et les enfermer dans du papier sulfurisé d'abord, replier bien l'ouverture en haut. Les entortiller dans une feuille d'aluminium et faire cuire. Retirer la feuille d'aluminium pour servir.
• Les offrir dans leur enveloppe de papier sulfurisé, et chacun entr'ouvrira « sa papillote », y glissera des herbes ciselées et un peu de crème fraîche, refermera pour quelques secondes afin de laisser fondre la crème. Et dégustera avec une volaille, une viande blanche ou des œufs.

* De la même façon, faire cuire des topinambours (méconnus et au si bon goût d'artichaut), des patates douces (bien plus suaves que la pomme de terre) ou des ignames (en épicerie exotique).

Vin
Selon la viande

Par personne
230 Calories / p. de terre

FARCON SAVOYARD

Préparation : 30 mn
Cuisson : 45 mn

Pour 4 à 6 personnes
• 1 kg de pommes de terre
moyennes
• 50 cl de lait bouilli chaud
• 4 œufs
• 1 gros bouquet d'herbes
odorantes :
cerfeuil, persil simple,
citronnelle, sauge
• Une pincée de muscade râpée
• 3 ou 4 (pas plus) pistils de safran
• 40 g de beurre
• Sel, poivre blanc

• Le bouquet doit comporter beaucoup de persil et de cerfeuil, une seule branchette de citronnelle (appelée aussi verveine) et une feuille de sauge. Ces deux dernières herbes étant très puissantes dominent facilement tout autre parfum. Ciseler tout cela à la dernière minute. Faire cuire les pommes de terre à l'eau, dans leur robe des champs, 20 à 30 mn, selon grosseur.
• Faire bouillir le lait pendant ce temps (ou réchauffer s'il est déjà bouilli et froid). Battre les œufs avec les épices. Beurrer un plat allant au four.
• Préchauffer le four à th. 6.
• Eplucher les pommes de terre brûlantes et les passer aussitôt au moulin à légumes grille fine, posé sur une jatte chauffée. Incorporer à la purée plus ou moins de lait chaud jusqu'à formation d'une purée légère.
• Ajouter en battant les œufs, goûter et rectifier l'assaisonnement en sel et poivre.
• Parsemer de flocons de beurre et faire gratiner 15 mn.
• Servir en accompagnement d'un filet de bœuf grillé, sauce crémée ou de truites de torrent cuites à la vapeur d'herbes.

Vin
Selon la viande

Par personne
447 Calories (4 pers.)
298 Calories (6 pers.)

TARTOUFFLES A LA VENTRESCA

Préparation : 30 mn
Cuisson : 25 mn

Pour 4 à 6 personnes
- 1 kg de pommes de terre à chair jaune
- 200 g de lard maigre ou ventresca
- 1 c. à soupe de saindoux
- 1 oignon, 1 gousse d'ail
- 1 c. à soupe de purée de tomates ou 4 tomates mûres
- 1 bouquet garni
- 25 cl de bouillon corsé
- 1 verre de vin blanc sec
- 1 pincée de quatre épices
- Sel, poivre du moulin

- Couper la « ventresca » en petits dés. Les mettre dans une grande cocotte avec le saindoux. Poser sur feu doux, faire fondre et à peine blondir le lard.
- Emincer l'oignon, l'ajouter, recouvrir. Pendant que tout ceci cuit lentement, éplucher, laver et sécher les pommes de terre. Les couper en quartiers.
- Ajouter à présent les tomates coupées en quatre, l'ail écrasé, le bouquet garni, remuer et après 5 mn, mouiller avec le vin blanc et le bouillon. Ajouter les pommes de terre sans les remuer. Assaisonner, couvrir et laisser frémir 20 mn.
- Les quartiers de pomme vont peu à peu s'enfoncer dans le jus et l'absorber. Ce qui en restera deviendra onctueux. Cette « rondeur » dépend de la qualité des pommes de terre. Lorsqu'elles ne sont pas assez farineuses, les cuisinières auvergnates saupoudrent les ingrédients d'une cuillère à café de semoule de maïs et laissent encore cuire 5 mn.
- Vérifier la cuisson des légumes de la pointe d'un couteau et, s'il y a encore du jus, le laisser s'évaporer en retirant le couvercle et en continuant la cuisson.
- Servir brûlant après avoir retiré le bouquet garni. Parsemer de persil ciselé ou d'une autre « herbe » à votre convenance et manger avec un plat de porc, une volaille, un poisson grillé ou braisé.

Vin
Selon la viande

Par personne
467 Calories (4 pers.)
311 Calories (6 pers.)

POMMES DENTELLE AU LAIT

Préparation : 20 mn
Cuisson : 18 mn

Pour 2/3 personnes
- 400 g de petites pommes de terre pelées à chair ferme : Roseval, BF15, Rattes...
- 2 dl de lait
- 1/2 gousse d'ail
- 4 pincées de noix de muscade
- Sel, poivre

- Couper les pommes de terre en très fines lamelles et les mettre dans un moule à soufflé en porcelaine à feu de 15 cm de diamètre.
- Verser le lait dans une petite casserole Ajouter l'ail passé au presse-ail, saler, poivrer et muscader. Le faire chauffer sélecteur 9, 3 mn puis le verser sur les pommes de terre.
- Enfourner le moule à soufflé, sélecteur 6 pour 15 mn.
- Retirer du four, laisser reposer 5 mn avant de servir avec toutes sortes de viandes et de poissons.

Vin
Selon la viande

Par personne
149 Calories (3 pers.)
223 Calories (2 pers.)

SOUFFLE AU POTIRON

Préparation : 20 mn
Cuisson : 50 mn

Pour 4 personnes
- 1 potiron de 400 g
- 1 béchamel
- 6 œufs
- Fromage râpé
- Sel, poivre

- Peler, couper, épépiner le potiron en morceaux. Cuire dans un peu d'eau bouillante salée pendant 30 mn. Egoutter. Mixer. Réserver.
- Préparer une béchamel. Incorporer la purée de potiron. Assaisonner à votre goût, ajouter les jaunes d'œufs. Mélanger bien.
- Battre les blancs en neige très ferme. Mélanger délicatement à la préparation. Ajouter le fromage râpé, obtenir une crème très souple. Remplir aux 3/4 un moule beurré. Cuire 20 mn à four chaud (th. 7/8).

Vin
Selon la viande

Par personne
317 Calories

TOMATES FARCIES

Préparation : 10 mn
Cuisson : 5 mn

Pour 4 personnes
- 4 grosses tomates de même taille
- 80 g de gésiers confits (conserves)
- 2 gousses d'ail
- 4 c. à soupe d'huile d'olive
- 3 c. à soupe de chapelure
- 1 bouquet de persil et 1 de basilic
- Sel, poivre blanc moulu frais

- Hacher les gésiers en petits dés, écraser et ciseler l'ail, hacher les herbes et mélanger le tout avec la chapelure, du sel et du poivre. Ajouter 2 cuillères d'huile, mélanger encore. Réserver.
- Laver et sécher les tomates. Couper le chapeau et évider chaque légume-fruit avec une petite cuillère. Faire cela délicatement, il s'agit d'enlever les graines sans retirer la chair intérieure. Assaisonner le dessous des chapeaux et la cavité des tomates. Les remplir de farce. La tasser un peu.
- Huiler une petite assiette ou un plat creux avec 2 cuillères d'huile.
- Disposer les tomates farcies sans chapeau en cercle en laissant un espace vide au centre et en les espaçant régulièrement.
- Enfourner à th. 9 pour 4 mn 30, puis poser le chapeau sur chaque tomate et achever de cuire 30 secondes. Laisser reposer 5 mn. Servir immédiatement.

Vin rouge
Châteauneuf-du-Pape,
Gigondas
Bandol
de 3 à 6 ans.
Servir à 15-16°

Par personne
159 Calories

TOMATES GRILLEES EN PERSILLADE

Préparation : 30 mn
Cuisson : 15 mn

Pour 4 personnes
- 4 tomates moyennes, mûres sans excès
- 1 c. à soupe de chapelure blonde
- 2 oignons moyens et 3 gousses d'ail
- 4 branches de persil plat haché
- 1/2 c. à café de cumin en poudre
- Le jus d'un demi-citron
- 1 c. à soupe d'huile d'olive
- Sel, poivre noir moulu

- Couper les tomates en deux. Les retourner après les avoir doucement pressées pour retirer les grains, sur du papier absorbant.
- Hacher les oignons et l'ail. Dans une jatte, mettre la chapelure, le persil, le hachis, le cumin, le sel et le poivre. Bien mélanger.
- Avec une spatule souple, ou une lame souple de couteau, couvrir la face coupée des tomates de hachis en le faisant bien pénétrer dans les trous laissés par le départ des grains et de l'eau.
- Poser les moitiés de tomates sur la grille très chaude la farce vers l'extérieur et laisser cuire 10 mn en arrosant d'huile à mi-cuisson.
- Les arroser d'un peu de jus de citron puis d'huile. Fermer le couvercle de l'appareil et baisser le feu à moyen.
- Laisser cuire encore 4 à 5 mn.
- Ce légume appétissant et parfumé accompagnera des viandes, des poissons ou des œufs.

* Une astuce gourmande, avec le dos d'une cuillère appuyer sur le dessus de la tomate pour enfoncer la farce et y déposer un petit œuf (55 g) ou un œuf de caille. Cuire à feu doux environ 4 mn.

Vin
Selon la viande

Par personne
66 Calories (4 pers.)
+ 70 Calories / petit œuf

TOMATES FARCIES AU RIZ AU BASILIC

Préparation : 30 mn
Cuisson : 19 mn 20

Pour 4 personnes
- 8 tomates rondes, mûres mais fermes, de 100 g chacune
- 60 g de riz prétraité
- 120 g d'oignons
- 80 g d'emmenthal
- 3 c. à soupe de basilic ciselé
- 1 gousse d'ail
- 3 c. à soupe d'huile d'olive
- Sel, poivre

- Laver les tomates, découper autour de leur pédoncule une petite calotte de 3 cm de diamètre. Presser légèrement les tomates pour enlever les graines à l'aide d'une petite cuillère, les jeter, retirer la pulpe, la réserver dans une assiette : l'écraser à la fourchette. Saler légèrement l'intérieur des tomates.
- Peler les oignons, les hacher menu, réserver 100 g.
- Râper finement l'emmenthal.
- Peler la gousse d'ail, la couper en deux, retirer le germe si l'ail n'est pas nouveau.
- Faire chauffer un plat brunisseur de 24 cm de diamètre, sélecteur 9, 3 mn.
- Verser 2 cuillères à soupe d'huile dans le plat, ajouter les oignons, mélanger 10 secondes, les faire suer au four, sélecteur 9, 1 mn. Jeter le riz en pluie, mélanger 10 secondes, ajouter la pulpe des tomates. Couvrir le plat et le mettre au four, sélecteur 9, 3 mn.
- Retirer le plat du four, incorporer, en mélangeant avec une spatule en bois : l'ail passé au presse-ail, le basilic et l'emmenthal. Saler et poivrer.
- Garnir également toutes les tomates de cette préparation. Les coiffer de leur chapeau.
- Les ranger en couronne dans le plat. Les arroser avec l'huile restante, couvrir le plat et mettre à cuire au four sélecteur 5 pendant 15 mn.
- Laisser reposer 5 mn, avant de les servir dans le plat de cuisson.

Vin
Selon la viande

Par personne
258 Calories

PIPERADE

Préparation : 15 mn
Cuisson : 12 mn

- 2 poivrons rouge et vert
- 2 c. à soupe d'huile d'olive
- 2 oignons
- 1 gousse d'ail
- 2 tomates fraîches
- 1 feuille de laurier
- Sel, poivre

• Dans un saladier, mettre l'huile, les oignons et l'ail émincés, les poivrons coupés en petits cubes. Cuire 6 mn pg cuisson maxi.
• Ajouter les tomates pelées, épépinées et coupées en dés, le laurier. Assaisonner, couvrir, cuire 6 mn (incorporer des œufs battus selon l'utilisation finale).

Vin
Selon la viande

Par personne
96 Calories

PIPERADE BASQUAISE

Préparation : 15 mn
Cuisson : 23 mn

Pour 4 personnes
- 1 kg de tomates
- 3 piments verts doux
- 3 poivrons verts
- 4 œufs
- 2 tranches de jambon de Bayonne
- 2 c. à soupe d'huile
- 2 oignons
- 1 gousse d'ail
- Sel, poivre

- Peler les tomates après les avoir plongées dans l'eau bouillante.
- Epépiner et couper en gros morceaux. Hacher les oignons et l'ail. Laver et couper les poivrons en lamelles. Dans une grande sauteuse faire chauffer l'huile et dorer les oignons et les tomates pendant 10 mn en remuant de temps en temps.
- Ajouter les piments coupés finement et l'ail.
- Laisser mijoter 5 mn. Puis, battre les œufs, couper le jambon en dés et hors du feu les incorporer. Assaisonner. Mélanger et cuire encore 8 mn à feu doux. Servir chaud.

Vin
Selon la viande

Par personne
354 Calories

634

RATATOUILLE A L'ANCIENNE

Préparation : 40 mn
Cuisson : 14 mn

Pour 8 personnes ou pour 2 fois
• 500 g d'aubergines, autant
de courgettes, autant de poivrons
rouges et verts, autant de tomates
mûres
• 2 gros oignons
• 3 «grains» d'ail
• 1 bouquet garni
• 1 bouquet de persil simple
• 1 pointe de couteau de sucre
en poudre
• 1 branche de basilic
• 6 cuillères à soupe d'huile bien
fruitée
• Gros sel et poivre noir

Vin
Selon la viande

Par personne
144 Calories

• Couper les aubergines en rondelles,
les faire dégorger 20 mn avec du sel.
Les mettre dans une passoire.
• Blanchir les oignons, les rafraîchir et
les couper en rondelles sur du papier
absorbant.
• Ne pas peler les courgettes, les
couper en rondelles, et les réserver.
Retirer le pédoncule des poivrons,
les graines, la partie intérieure blanche,
couper la chair en lanières de 1,5 cm.
Réserver.
• Peler, épépiner et couper en larges
quartiers les tomates. Réserver.
• Peler, écraser et hacher l'ail.
• Effeuiller le persil, réserver
les feuilles et ficeler les tiges avec
les herbes du bouquet.
• Dans une poêle faire chauffer
2 cuillères d'huile. Y mettre les oignons
à blondir (à peine). Saler et poivrer.
Les retirer avec une spatule perforée.
Les mettre dans un plat. Remettre
1 cuillère d'huile à chauffer, sécher les
aubergines, les jeter dans l'huile et
lorsqu'elles sont dorées des 2 côtés,
poivrer. Les retirer dans le plat avec la
spatule ajourée. Remettre 1 cuillère
d'huile à chauffer, faire cuire les
courgettes (leur liquide doit être
évaporé). Retirer de la même manière.
Faire de même avec les poivrons et
retirer, lorsqu'ils sont tendres, bien
affaissés mais pas dorés. Ajouter la
dernière cuillère d'huile y mettre les
tomates avec ail, sucre, bouquet garni.
Couvrir et laisser compoter 25 mn
à petit feu.
• Ciseler les feuilles de persil.
• Remettre dans la poêle les légumes
cuits, les réchauffer 10 mn. A mi-
temps, ajouter les feuilles de basilic,
rectifier l'assaisonnement.
• Servir chaud après 24 h de repos au
réfrigérateur.

PATES FRAICHES AU CITRON

Préparation : 5 mn
Cuisson : 15 mn

Pour 4 personnes
- 250 g de tagliatelles fraîches
- Le jus de 2 citrons
- 1 c. à soupe d'huile d'olive
- 6 olives noires dénoyautées
- 4 c. à soupe de crème fraîche
- 1 jaune d'œuf
- Sel, poivre

- Porter à ébullition une casserole d'eau salée. Ajouter l'huile d'olive puis y plonger les pâtes, laisser cuire 10 mn. Les égoutter et les passer sous l'eau très chaude.
- Concasser les olives noires.
- Dans un saladier préalablement chauffé, mettre les pâtes, ajouter les olives concassées, le jus des citrons, le jaune d'œuf et la crème. Saler et poivrer. Bien mélanger le tout et servir aussitôt.

Vin
Selon la viande

Par personne
658 Calories

LES SPATZELES

Préparation : 30 mn
Repos : 1 h
Cuisson : 15 mn

Pour 4 personnes
- 250 g de farine
- 1 c. à soupe
de semoule de blé
- 4 œufs
- Gros sel

- Casser les œufs un par un et
les déposer dans une grande jatte avec
1 verre d'eau (12 cl) et le gros sel
moulu.
- Verser peu à peu la farine
en pétrissant à la main pour obtenir
une pâte assez molle.
- Ajouter la semoule en saupoudrant
et en continuant de travailler la pâte.
- Ramasser la pâte en boule, la mettre
dans un torchon propre et sec
et la laisser reposer une bonne heure
à température ambiante.
- Porter dans un large faitout, l'eau
à bouillir avec une cuillerée à soupe
d'huile d'arachide et une petite feuille
fraîche de laurier. Compter beaucoup
d'eau (3 l à peu près) comme pour
toutes les pâtes.
- Choisir une passoire à gros trous
(si vous n'avez pas l'ustensile spécial
à spätzeles), la tenir au-dessus
du faitout et de l'eau bouillante. Verser
la pâte dedans et presser avec un pilon
ou le poing fermé. La pâte va
descendre en lacets. Lorsque
les spätzeles remontent à la surface
c'est qu'ils sont cuits. Les égoutter
aussitôt dans une passoire et les rincer
à l'eau froide. Egoutter encore.
- Chauffer de la graisse d'oie ou
du beurre dans une vaste poêle posée
sur le feu vif et faire dorer les
spätzeles.
- Servir très chaud avec un gibier,
une volaille, une viande et, même,
un poisson poché.

Vin
Selon la viande

Par personne
406 Calories

KUNPOD DE BELLE-ILE

Préparation : 30 mn
Cuisson : 15 mn

- 175 g de farine de froment
- 2 œufs
- 1 verre de lait bouilli froid
- 1 pincée de sel
- 1/2 c. à café de sucre en poudre
- 1 bonne c. à soupe de raisins secs
(Malaga ou Smyrne)

• Verser la farine dans une jatte. Creuser au centre un « puits » pour les œufs. Ajouter sel et sucre. Mélanger en commençant à travailler au centre et en incorporant peu à peu la farine pour obtenir une pâte assez ferme. Vous lui incorporez, tout en travaillant, un peu de lait froid pour la rendre malléable.
• Former des boulettes de la taille d'un œuf de caille en travaillant dans le creux de la main avec quelques grains de raisin.
• Rouler dans la farine et jeter dans de l'eau en ébullition (pour les kunpod servis en accompagnement) ou directement dans la soupe bouillante.
• Lorsque les kunpod remontent à la surface après environ 12 à 15 mn, les égoutter.

* Si vous détachez à la cuillère des petits fragments de pâte, vous obtenez les « poulouds ».

Vin
Selon la viande

Par personne
205 Calories (4 pers.)

GRATIN DE MACARONIS

Préparation : 10 mn
Cuisson : 23 mn 40

Pour 4 personnes
- 150 g de macaronis courts
- 1/2 l de lait
- 100 g de jambon cuit
- 100 g d'emmenthal râpé
- 2 œufs
- 30 g de beurre
- 4 pincées de noix de muscade râpée
- Sel, poivre.

- Faire bouillir 4 dl de lait dans une casserole, sélecteur 9, 4 mn.
- Mettre le beurre dans un plat rond de 20 cm de diamètre. Le faire fondre dans le four à micro-ondes, sélecteur 9, 30 secondes. Jeter les macaronis dans le beurre chaud, les tourner plusieurs fois, mélanger 10 secondes pour les enrober de beurre.
- Poudrer de muscade, de sel et de poivre, mouiller avec le lait chaud et glisser le plat dans le four, sélecteur 9, 12 mn. Tourner les pâtes à mi-cuisson.
- Pendant que les macaroni cuisent, hacher le jambon dans une moulinette électrique. Casser les œufs dans une terrine, les battre à la fourchette, ajouter le lait restant, le jambon, un peu de sel et de poivre puis incorporer le fromage.
- Après 12 mn de cuisson, verser la préparation sur les macaroni. Mélanger avec une spatule et remettre le plat dans le four pour 7 mn, sélecteur 7.
- Servir le gratin dans son plat de cuisson.

Vin
Selon la viande

Par personne
463 Calories

MACARONI A LA MACHA

Préparation : 2 mn
Cuisson : 11 mn

Pour 4 personnes
- 250 g de macaroni
- 1 c. à café d'huile d'olive
- 1 branche de thym
- 2 «poignées» de coquillages nature
- 100 g de crevettes décortiquées ou 8 bouquets
- 1 c. à soupe de coulis de tomates et 2 c. à soupe de poivrons à l'huile
- 12 olives noires dénoyautées
- 1 bouquet de persil simple

- Porter 1 l 1/2 d'eau à ébullition et le verser dans la cocotte avec l'huile d'olive. Faire repartir à pleine puissance, dans le four à micro-ondes, puis jeter les pâtes dans l'eau bouillante.
- Couvrir de film ou du couvercle. Laisser cuire 6 mn à pleine puissance puis laisser reposer couvert environ 5 mn.
- Pendant ce temps, ciseler le persil. Réchauffer le coulis de tomate avec les dés de poivron dans la jatte, sous couvercle pendant 5 mn à th. 6. Ajouter les fruits de mer, recouvrir et laisser reposer le temps d'égoutter les macaroni.
- Mélanger le tout, saupoudrer de persil et servir avec les olives en décoration et, à part, le parmesan râpé.

Vin blanc ou rosé
Côtes-de-Provence
Côte-du-rhône
de 1 à 2 ans.
Servir à 8°

Par personne
339 Calories
+ 39 Calories/
c. à soupe parmesan

RIZ DE GIANNINA

Préparation : 10 mn
Cuisson : 20 mn

Pour 4 personnes
- 250 g de riz long étuvé
- 1 l d'eau
- 2 tranches de jambon épaisses
- 150 g de petits pois surgelés
- 2 échalotes
- 1 gousse d'ail
- 20 g de beurre
- Quelques pluches de cerfeuil
- Sel, poivres mélangés moulus

• Dans une casserole, faire chauffer l'eau salée, ajouter le riz 'et faire cuire à couvert pendant 18 mn.
• Peler et hacher l'ail et les échalotes.
• Couper le jambon en dés.
• Dans une sauteuse, faire chauffer le beurre, y faire revenir les échalotes et l'ail pendant 2 mn sur feu moyen. Ajouter les petits pois, les dés de jambon et le riz égoutté. Saler et poivrer. Parsemer de pluches de cerfeuil, servir bien chaud avec une salade.

| *Vin* |
| Selon la viande |

Par personne
696 Calories

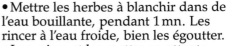

SAUCE VERTE AU BASILIC

Préparation : 15 mn
Pas de cuisson

- 4 c. à soupe de persil
- 2 c. à soupe d'estragon
- 2 c. à soupe de cerfeuil
- 1 c. à café de basilic
- 1 jaune d'œuf à température ambiante
- 25 cl d'huile
- 1 c. à soupe de vinaigre
- 2 c. à café de moutarde
- 1 petite c. à café de sel
- 1 petite c. à café de poivre en grains moulu

Par cuillère à café
70 Calories

- Mettre les herbes à blanchir dans de l'eau bouillante, pendant 1 mn. Les rincer à l'eau froide, bien les égoutter.
- Les mixer et les mettre en attente, le temps de préparer la mayonnaise.
- Dans un bol, mélanger la moutarde, le jaune d'œuf, le vinaigre, le sel et le poivre. Bien remuer le tout avant d'incorporer l'huile petit à petit, en fouettant jusqu'à épaississement.
- Ajouter alors la purée verte, fouetter à nouveau afin d'obtenir un mélange homogène.
- Garder au frais et non au réfrigérateur.

* Cette sauce verte accompagne particulièrement bien les terrines de poissons, et notamment la terrine de mousse de lieu au saumon.

SAUCE VERTE AU CRESSON

Préparation : 15 mn
Pas de cuisson

- 2 bottes de cresson
- 1 yaourt
- 10 cl de crème fraîche
- 1 bonne pincée de muscade
- 1 petite c. à café de sel
- 1 petite c. à café de poivre

Par cuillère à café
10 Calories

- Eplucher (retirer les queues), laver le cresson.
- Le blanchir 1 mn dans une casserole d'eau bouillante salée, l'égoutter et le passer immédiatement sous l'eau froide. Le presser fortement et le mixer.
- Ajouter alors le yaourt, la crème fraîche, le sel, le poivre, la muscade et remixer quelques instants. Vérifier l'assaisonnement qui doit être bien poivré.
- Verser dans une jatte et mettre au réfrigérateur quelques heures.

* Servir cette sauce avec une terrine de légumes ou de poissons.

SAUCE MOUTARDE

Préparation : 15 mn
Cuisson : 15 mn

- 2 c. à soupe de moutarde forte de Dijon
- 250 g de crème fraîche
- 1 jaune d'œuf
- 60 g de beurre
- 1 petit verre de vin blanc sec
- 30 g de farine
- 3 échalotes grises
- Le jus d'1/2 citron
- 1 petite c. à café de sel
- 3 bons tours de moulin à poivre

Par cuillère à café
100 Calories

- Eplucher les échalotes, les hacher finement.
- Dans une casserole, faire fondre la moitié du beurre. Ajouter les échalotes et les faire revenir doucement, sans les colorer. Mettre le reste du beurre, verser la farine en pluie fine et faire cuire doucement pendant 1 à 2 mn avant d'ajouter la crème en remuant jusqu'à ce que la sauce épaississe.
- Verser alors la moutarde, le sel, le poivre et mélanger bien. Vérifier l'assaisonnement.
- Au moment de servir, ajouter le jaune d'œuf délayé avec le jus de citron et 1 cuillère à soupe de la sauce. Fouetter bien et verser dans la sauce moutarde (si elle épaissit, ajouter du vin blanc). Verser immédiatement en saucière.

* Cette sauce accompagne parfaitement les différentes terrines en pot, et tout particulièrement, les terrines de lapin.

SAUCE NORMANDE

Préparation : 15 mn
Cuisson : 20 mn

- 70 g de beurre
- 1 oignon émincé
- 30 g de farine
- 1/4 l de cidre ou vin blanc
- 1/4 l de crème fraîche
- 1 jus de citron
- Sel, poivre
- Muscade

Par cuillère à café
80 Calories

- Faire blondir l'oignon dans la moitié du beurre fondu. Ajouter le reste du beurre et mélanger avec la spatule la farine. Mouiller avec le cidre. Fouetter doucement jusqu'à obtenir une sauce fluide. Assaisonner à votre goût.
- Hors du feu, incorporer la crème et le citron.

SAUCE VIN ROUGE

Préparation : 5 mn
Cuisson : 11 mn 30

- 2 dl de vin rouge
- 2 c. à soupe d'eau
- 2 échalotes finement hachées
- 1 fragment de feuille de laurier
- 1 c. à café rase de maïzena
- 50 g de beurre
- Sel, poivre
- 1 pointe de Cayenne

• Mettre les échalotes finement hachées avec l'eau dans un grand bol. Cuire 2 mn 30 pg cuisson maxi. Ajouter le vin, le laurier, faire réduire 8 mn.
• Incorporer le beurre et la maïzena délayée dans une cuillerée d'eau.
• Assaisonner, fouetter, remettre à cuire 40 secondes à 1 mn.

Par cuillère à café
45 Calories

SAUCE CREME ANISEE

Préparation : 5 mn
Cuisson : 3 mn 40

- 1 jaune d'œuf
- 2 dl de crème fraîche
- 1 c. à soupe d'anis
- 2 c. à soupe d'eau
- Pousses de fenouil émincées
- Sel, poivre

• Dans un bol, mettre le jaune d'œuf avec l'eau, l'anis, le sel et le poivre.
• Dans un autre bol, faire chauffer la crème jusqu'à ébullition, soit 2 à 3 mn pg cuisson maxi.
• Verser le mélange œufs-anis en fouettant.
• Remettre à cuire 30 à 40 secondes. Fouetter et ajouter le fenouil émincé.

Par cuillère à café
25 Calories

SAUCE BECHAMEL

Préparation : 10 mn
Cuisson : 20 mn

- 30 g de beurre
- 40 g de farine
- 1/2 l de lait
- 1 bouquet garni

Par cuillère à soupe
48 Calories

- Faire fondre le beurre dans une casserole, ajouter la farine en délayant et laisser cuire 2 à 3 mn.
- Verser le lait bouillant, ajouter du sel, du poivre, le bouquet. Remuer constamment et régulièrement afin d'éviter la formation de grumeaux.
- Bien délayer, couvrir et laisser mijoter encore une dizaine de minutes.

SAUCE MORNAY

Préparation : 15 mn
Cuisson : 25 mn

- 2 verres de sauce Béchamel
- 1 demi-quart de gruyère sec et de parmesan pas trop fort, râpés, par moitié
- 1 grosse noix de beurre

Par cuillère à soupe
66 Calories

- Préparer une sauce Béchamel, la laisser bouillir pendant quelques secondes. Lorsqu'elle a bouilli, ajouter le fromage, remuer sur le feu jusqu'à ce que le fromage ait bien fondu.
- Compléter hors du feu avec le beurre divisé en parcelles.

MOUSSE DE CHAMPIGNONS A LA CREME DE PERSIL

Préparation : 15 mn
Pas de cuisson

• 250 g de champignons en boîte
• 1 gros bouquet de persil haché
• 1 œuf
• 20 cl de crème fleurette
• 1 petite c. à café de sel
• 6 tours de moulin à poivre

Par cuillère à café
34 Calories

• Laisser égoutter les champignons pendant un bon moment, les passer au mixer afin d'en faire une mousse fine.
• Dans une jatte, battre l'œuf auquel vous ajoutez la crème fleurette, le persil haché, le sel et le poivre. Fouetter bien puis incorporer petit à petit la mousse de champignons.
• Mélanger intimement cette préparation avant de mettre au frais.

* Cette mousse peut se servir de deux manières : froide, elle accompagnera les terrines de poissons et de légumes ; chaude, les compotes de lapin, de pintade, de poulets…, il suffira de la faire tiédir quelques minutes avant de servir.

MOUSSE DE CRESSON A LA CREME FLEURETTE

Préparation : 10 mn
Pas de cuisson

• 2 bottes de cresson
• 20 cl de crème fleurette
• 1 petite c. à café de sel
• 5 à 6 tours de moulin à poivre

Par cuillère à café
22 Calories

• Débarrasser le cresson de ses tiges pour ne conserver que les feuilles, les laver, bien les essorer.
• Les passer ensuite au mixer afin d'obtenir une belle mousse. Ajouter la crème fleurette, le sel et le poivre, mixer à nouveau quelques secondes.
• Servir en saucière.

* Cette mousse peut être réalisée à l'avance mais doit être conservée au frais.
C'est l'accompagnement subtil des terrines de poissons.

S a u c e s

MAYONNAISE A L'AVOCAT

Préparation : 15 mn
Pas de cuisson

- 1 avocat assez mûr
- 1 citron
- 1 œuf
- 1 c. à soupe de moutarde forte
- 2 c. à soupe d'huile d'olive
- Quelques gouttes de Tabasco
- 1 petite c. à café de sel
- 6 tours de moulin à poivre

Par cuillère à café
57 Calories

- Eplucher l'avocat, le couper en deux, enlever le noyau. Citronner la chair soigneusement, la couper en petits morceaux et la mixer.
- Dans une petite jatte, verser la moutarde, le sel, le poivre, l'huile et monter l'ensemble en mayonnaise au fouet.
- Incorporer petit à petit la mousse d'avocat, toujours en travaillant au fouet. Ajouter le jus d'1 citron et le tabasco.

LA ROUILLE BONNE FEMME

Préparation : 15 mn
Pas de cuisson

- 3 gousses d'ail
- 2 piments rouges frais
- 1 œuf de mie de pain ou 1 petite pomme de terre farineuse cuite au four ou à l'eau
- Gros sel
- 2 c. à soupe de bouillon de poisson
- Huile d'olive

Par cuillère à café
51 Calories

- Equeuter et égrener les piments. Les piler au mortier avec un peu de gros sel, l'ail pelé et haché. Ajouter la mie de pain humectée de bouillon ou la pomme de terre pelée.
- Lorsque le mélange est homogène, monter à l'huile comme une mayonnaise.

* Cette formule plus économique que la rouille classique est aussi très savoureuse.

CREME D'AIL

Préparation : 15 mn
Cuisson : 15 mn

- 19 gousses d'ail
- 250 g de crème fraîche
- Huile d'olive
- Sel, poivre

Par cuillère à café
83 Calories

- Eplucher les gousses d'ail. Chauffer deux cuillerées à soupe d'huile dans une casserole. Verser les gousses dans l'huile chaude mais non fumante. Les faire fondre doucement pendant 10 mn. Mouiller alors avec 2 dl d'eau, saler, poivrer et laisser cuire 5 mn à couvert.
- Passer l'ail et son jus au mixer, ajouter la crème puis donner un tour de mixer pour bien lier.
- Goûter, rectifier, l'assaisonnement.
- Remettre le mélange dans une casserole et chauffer doucement.

CREME DE CERFEUIL

Préparation : 10 mn
Pas de cuisson

- 1 gros bouquet de cerfeuil
- 1 yaourt
- 5 dl de crème fraîche
- 1 petite c. à café de sel
- 5 tours de moulin à poivre

Par cuillère à café
56 Calories

- Eplucher le cerfeuil, le hacher très fin.
- Dans une petite jatte, fouetter ensemble le yaourt et la crème. Ajouter le cerfeuil, le sel, le poivre. Vérifier l'assaisonnement qui doit être bien relevé.
- Mettre au réfrigérateur quelques heures.
- Server bien frais, en saucière.

* Cette crème accompagne les terrines de poissons et, tout particulièrement, la terrine de saumon ou de lotte.

COULIS DE BETTERAVES AU CERFEUIL

Préparation : 15 mn
Pas de cuisson

- 2 betteraves moyennes
- 1 gros bouquet de cerfeuil
- 2 yaourts
- 10 cl de crème fraîche
- 1 petite c. à café de sel
- 1 petite c. à café de poivre en grains moulu

Par cuillère à café
33 Calories

- Eplucher et couper les betteraves en morceaux. Les mixer, ajouter les yaourts, la crème, le sel, le poivre et mixer à nouveau quelques secondes.
- Dans une jatte, verser la mousse et ajouter le cerfeuil finement haché, en mélangeant soigneusement. Goûter et rectifier l'assaisonnement en sel, au cas où les betteraves seraient très sucrées.
- Mettre 1 ou 2 h au réfrigérateur avant de servir.

COULIS DE CONCOMBRE

Préparation : 15 mn
Pas de cuisson

- 1 concombre moyen
- 1 yaourt
- 1 bouquet d'estragon
- 1 petite c. à café de sel
- 5 à 6 tours de moulin à poivre

Par cuillère à café
7 Calories

- Eplucher le concombre, le couper en grosses tranches puis le mixer afin d'obtenir une mousse légère.
- Verser cette mousse dans une jatte. Ajouter le yaourt, l'estragon haché fin, le sel et le poivre. Fouetter bien ce mélange et vérifier l'assaisonnement qui doit être assez relevé.
- Mettre au réfrigérateur avant de servir.

* Servir le coulis de concombre en accompagnement d'une terrine de poissons.

COULIS DE CREME FRAICHE AU VINAIGRE

Préparation : 5 mn
Pas de cuisson

- 20 cl de crème fraîche liquide
- 1 c. à soupe de vinaigre de vin blanc
- 1 c. à café de moutarde forte blanche
- Le jus d'1 citron
- 1 petite c. à café de sel
- 5 à 6 tours de moulin à poivre

Par cuillère à café
20 Calories

- Dans un bol, verser la moutarde, le jus de citron, le vinaigre, le sel et le poivre. Travailler bien ce mélange.
- Ajouter la crème et battre le tout au fouet électrique afin d'obtenir un coulis parfaitement homogène.
- Servir en saucière.

COULIS DE TOMATES

Préparation : 15 mn
Cuisson : 50 mn

- 500 g de tomates
- 50 g d'oignons
- 1 feuille de laurier
- 4 branches de thym
- Sel, poivre

Par cuillère à café
6 Calories

- Laver les tomates, les couper en 4 puis les faire cuire dans une casserole découverte sur feu moyen pendant 30 mn avec la moitié d'une cuillerée à café de sel fin, 4 tours de moulin à poivre, le laurier, le thym effeuillé, l'oignon haché.
- Passer au moulin à légumes grille fine et faire cuire à nouveau ce coulis 20 mn.
- Servir chaud.

FUMET DE POISSON NATURE

Préparation : 10 mn
Cuisson : 20 mn

• 3/4 de litre d'eau
• 1/4 de litre de vin blanc
• 1 tête de colin
• 3 belles arêtes de sole avec la tête
(ou autres poissons)

• Porter à ébullition et laisser bouillir au moins 20 mn. Passer ensuite au chinois avant d'utiliser le jus de cuisson.

Par cuillère à café
Sans Calories

FUMET DE POISSON AUX LEGUMES

Préparation : 20 mn
Cuisson : 20 mn

• 3 arêtes de sole avec la tête
• 1 tête de colin
• 1 oignon
• 3 carottes coupées en rondelles
• 4 branches de persil
• 1 branche de céleri
• 1 noix de beurre
• 3 c. à soupe d'huile
• 30 cl de vin blanc sec
• 60 cl d'eau claire
(allonger l'eau et le vin blanc selon le concentré de fumet désiré)

• Faire chauffer l'huile et le beurre dans une casserole.
• Ajouter les légumes découpés grossièrement, les faire dorer sur toutes leurs faces.
• Mettre dans la casserole les arêtes, la tête et ajouter le vin blanc et l'eau. Laisser cuire à feu doux 15 mn, filtrer et réserver la quantité dont on aura besoin. Laisser le reste macérer.

Par cuillère à café
Sans Calories

CREME PATISSIERE

Préparation : 10 mn
Cuisson : 3 mn 40

Pour 4 personnes
- 1/4 l de lait
- 20 g de farine
- 70 g de sucre
- 2 œufs entiers
- 10 g de beurre
- 1/2 sachet de sucre vanillé
- 1 pincée de sel

- Faire bouillir le lait avec le sucre vanillé et le sel 3 mn 30 pg cuisson maxi.
- Battre ensemble les œufs, le sucre, le beurre et la farine. Verser doucement le lait bouillant sur le mélange en fouettant.
- Cuire 30 à 40 secondes, laisser refroidir en fouettant de temps en temps.
- Parfumer avec de l'alcool, Kirsch ou autres, ou de l'extrait de café selon l'utilisation finale.

Vin
Champagne
Servir à 8-9°

Par personne
181 Calories
(sans alcool)

CREME AUX PRUNEAUX ET A L'ARMAGNAC

Préparation : 10 mn
Macération : 30 mn
Cuisson : 5 mn

Pour 4 personnes
- 50 cl de lait
- 100 g de sucre en poudre
- 5 jaunes d'œufs
- 200 g de pruneaux d'Agen
- 1 petit verre d'Armagnac
- 20 cl de crème fraîche

- Dénoyauter les pruneaux rincés à l'eau chaude et égouttés.
- Les mettre à macérer dans l'Armagnac pendant 30 mn.
- Faire bouillir le lait puis éteindre et laisser un peu tiédir. Préparer un récipient plus grand que la casserole avec de l'eau et des glaçons.
- Travailler les jaunes au fouet avec le sucre jusqu'à ce que le mélange blanchisse. Verser le lait, tout en fouettant vivement pour éviter la coagulation des jaunes d'œufs. Reverser dans la casserole et, sur feu doux, porter à frémissement, sans cesser de tourner au fouet. Eteindre, poser la casserole dans l'eau glacée et tourner encore pour faire baisser la température.
- Egoutter les pruneaux en conservant l'Armagnac. Réserver les quatre plus beaux pour la décoration et mixer le reste avec la crème. A la fin, ajouter, tout en mixant, l'Armagnac de macération.
- Mélanger les deux préparations et conserver au frais mais pas au froid (sauf si vous voulez une crème glacée) jusqu'au moment de déguster.
- Les cruchades très rustiques s'allient très bien à cette crème riche.

Vin rouge
Pineau-des-Charentes
Ça fleure bon le grain de raisin mûr, le pruneau, et c'est moelleux, onctueux et puissant.
Servir à 10°

Par personne
433 Calories

667

CREME A LA PASSION

Préparation : 10 mn
Cuisson : 44 mn

Pour 4 personnes
- 10 fruits de la passion
- 35 cl de lait bouilli refroidi
- 10 cl de crème double
- 1/2 gousse de vanille
- 70 g de sucre en poudre
- 5 jaunes d'œufs

- Couper les fruits en deux au-dessous d'une jatte, et avec une petite cuillère, recueillir le jus et les graines.
- Séparer dans 2 bols les jaunes d'œufs et les blancs.
- Dans un grand saladier, mettre le lait froid, la crème, la vanille, les graines et le jus des fruits de la passion. Faire cuire, couvert, 4 mn à th. 9.
- Sortir ensuite le saladier. Prélever 1 louche du mélange cuit et chaud et le mélanger rapidement avec les jaunes en fouettant avec fermeté.
- Reverser dans le saladier. Mélanger et retirer la vanille.
- Remplir les 4 ramequins et faire cuire, à th. 1, 40 mn. Laisser reposer 12 mn.
- Servir tiède ou froid.

Vin
Muscat-de-St-Jean-de-Minervois
Aux notes florales « miellées » s'ajoutent des arômes de raisins secs et frais, d'agrumes (citron, orange confite). C'est élégant et fin.
Servir à 8-9°

Par personne
437 Calories

FLAN A L'ANCIENNE

Préparation : 5 mn
Cuisson : 10 mn

Pour 4 personnes
• 1/2 l de lait
• 4 œufs entiers
• 1 c. à soupe de maïzena
• 1/2 sachet de sucre vanillé
• Sucre

• Faire bouillir le lait dans un moule à soufflé avec le sucre vanillé, 5 mn pg cuisson maxi. Dès qu'il bout, verser en fouettant le mélange œufs-maïzena-sucre bien battu. Couvrir de papier sulfurisé. Cuire 5 mn. Napper éventuellement de caramel.

Vin
Champagne
Un bon Champagne bien frais, floral, gouleyant et souple fera l'affaire.
Servir à 8°

Par personne
197 Calories

FONDANT CHOCOLAT-MENTHE

Préparation : 30 mn
Cuisson : 15 mn

Pour 10 personnes
• 1 l 1/2 de glace à la menthe

Fondant
• 400 g de chocolat noir
• 200 g de beurre
• 12 jaunes d'œufs
• 8 blancs
• 80 g d'amandes effilées
• 1 pincée de sel

• Faire fondre le chocolat au bain-marie non bouillant puis ajouter, hors du feu, le beurre, les jaunes d'œufs un à un et les amandes.
• Battre les blancs en neige ferme. Les incorporer délicatement au chocolat.
• Chemiser un moule à cake de papier d'aluminium, puis verser la préparation. Mettre au froid.
• Démouler, retirer le papier.
• Couper le fondant en tranches, les déposer sur les assiettes de service, puis ajouter les boules de glace à la menthe.
• Servir aussitôt.

Vin rouge
Rivesaltes
Vin plein de générosité
aux arômes de fruits
chauds, confits
(pruneaux, abricots,
coings...),
de cacao et des notes
moka.
Servir à 8°

Par personne
565 Calories

MOUSSE AU CITRON

Préparation : 10 mn
Cuisson : 3 mn

Pour 4 personnes
• 3 œufs
• 8 c. de jus de citron
• 1 c. à soupe rase de fécule
• 100 g de sucre
• 8 cl de crème
• 2 c. à soupe de lait froid

• Battre les jaunes d'œufs au fouet avec 75 g de sucre. Ajouter le jus de citron.
• Délayer la fécule avec le lait et l'incorporer au mélange précédent. Cuire 2 à 3 mn pg cuisson maxi. Laisser refroidir.
• Monter la crème en chantilly et les blancs d'œufs en neige ferme, y incorporer le reste du sucre. Ajouter délicatement crème et blancs à la préparation refroidie. Servir très frais.

Vin
Champagne
Un blanc de blanc bien
jeune et d'un style très vif
(Piper - Heidsick par ex.)
Servir à 7-8°

Par personne
189 Calories

SABAYON AU CHOCOLAT BLANC

Préparation et cuisson : 30 mn

Pour 8 personnes
- 100 g de chocolat blanc
- 1 boîte (4/4) d'abricots au sirop
- 4 c. à soupe de Grand Marnier
- 8 jaunes d'œufs
- 150 g de sucre en poudre
- 25 cl d'eau tiède

- Faire fondre le chocolat au bain-marie.
- Travailler au fouet électrique les jaunes d'œufs et le sucre jusqu'à ce que le mélange blanchisse et fasse «ruban» lorsque vous relevez le fouet. Ajouter l'eau en continuant de fouetter. Faire cuire le mélange au bain-marie sur feu doux en remuant sans arrêt avec une cuillère en bois. Dès qu'il épaissit, retirer du feu. Verser le Grand Marnier en fouettant vivement, puis le chocolat.
- Couler dans des coupelles préchauffées.
- Egoutter et mixer les abricots. Présenter cette purée en même temps que le sabayon.

* Vous pouvez faire également un excellent sabayon en remplaçant le chocolat blanc par du chocolat au lait.

> *Vin*
> Clairette de Die (brut blanc de blanc)
> Mousseux au charme exotique.
> Belle turbulence des bulles, aux arômes vifs et friands.
> Servir à 8°

> **Par personne**
> 301 Calories

CREPES AUX BANANES

Préparation : 20 mn
Cuisson : 20 mn

Pour 4 personnes
• 100 g de farine
• 60 g de beurre fondu
• 40 g de beurre
• 2 œufs
• 4 dl de lait
• 50 g de sucre en poudre et 1 c. à soupe
• Le jus de 3 oranges
• 2 bananes
• 5 cl de Rhum
• 1 pincée de sel

• Dans la cuve d'un mixeur, mettre la farine, les œufs, le beurre fondu, le lait, 1 cuillère à soupe de sucre et une pincée de sel. Bien mixer le tout pendant 2 mn.
• Faire cuire les crêpes au beurre dans une poêle anti-adhésive.
• Peler et couper les bananes en rondelles.
• Déposer sur chaque crêpe 1/4 des bananes. Refermer les crêpes, les déposer dans une sauteuse.
• Ajouter le jus d'oranges et le sucre, faire chauffer le tout pendant 15 mn sur feu très doux. Ajouter le Rhum et flamber. Servir aussitôt.

Vin
Champagne blanc de blancs
Vif, nerveux, friand, avec des notes florales et légèrement épicées se dégageant d'une charpente en dentelles.
Servir à 8°

Par personne
522 Calories

CROQUANTS AU CHOCOLAT NOIR

Préparation et cuisson : 30 mn

Pour 20 croquants environ
- 100 g de chocolat noir
- 120 g de noisettes mondées
- 125 g de sucre en poudre
- 80 g de beurre
- 1 c. à soupe d'huile

- Concasser grossièrement les noisettes. Faire fondre le chocolat au bain-marie. Huiler la tôle du four.
- Dans une petite casserole, mettre le sucre, 3 cuillères à soupe d'eau et le beurre. Chauffer doucement en remuant souvent la casserole. Laisser cuire à petits bouillons jusqu'à ce qu'une goutte de sirop en tombant dans un bol d'eau froide forme une boule molle. Retirer du feu, ajouter la moitié des noisettes et mélanger avec une cuillère en bois.
- Verser sur la plaque huilée et laisser ce sirop s'étaler en une couche mince. Quand elle est encore tiède, la napper de chocolat fondu. Répartir dessus le reste des noisettes. Laisser complètement refroidir et durcir (compter 2 h environ).
- Casser des morceaux irréguliers et les stocker dans une boîte métallique si vous ne les offrez pas immédiatement.

Vin
Mauruy
Des arômes somptueux
de pruneau, de café,
de moka, de chocolat,
de cacao, de noix…
Tout y est fondu dans une
structure moelleuse,
onctueuse et souple.
Servir à 8°

Par personne
124 Calories / croquant

PUDDING AU CHOCOLAT

Préparation : 45 mn
Cuisson : 35 mn

Pour 6 personnes
- 100 g de chocolat noir
- 150 g de biscuits à la cuillère
- 150 g de raisins secs
- 100 g d'écorces d'oranges confites
- 1 dl de rhum
- 3 œufs
- 2,5 dl de lait
- 30 g de beurre
- 100 g de sucre en poudre

• 2 h à l'avance, mettre les raisins à gonfler dans le rhum avec les écorces d'oranges coupées en petits dés.
• Casser le chocolat en morceaux, le mettre dans une casserole avec le lait. Le faire fondre sur feu très doux en remuant souvent, amener le mélange à frémissement.
• Pendant ce temps, battre les œufs en omelette dans une terrine. Ajouter le sucre et travailler 3 mn au fouet puis verser en filet le lait chocolaté tout en fouettant vivement.
• Préchauffer le four (th. 6, 180°).
• Beurrer généreusement le moule. Tapisser le fond avec des morceaux de biscuits, arroser de 4 à 5 cuillerées à soupe de la préparation au chocolat, parsemer d'écorces d'oranges, recouvrir avec une couche de biscuits, arroser… et ainsi de suite en terminant par des morceaux de biscuits arrosés. Poser le moule dans la lèchefrite du four remplie à moitié d'eau chaude. Laisser cuire 25 mn.
• Ramener le thermostat à zéro, ouvrir la porte du four et laisser reposer le pudding pendant 10 mn. Démouler froid.
• Servir en garnissant le centre du pudding de crème chantilly.

Vin
Coteaux-de-Layon
Senteurs intenses de fruits exotiques, de fruits jaunes, de menthe, d'acacia, de miel, avec une belle nervosité et vivacité, offrant une belle texture de bouche.
Servir à 8-9°

Par personne
522 Calories
+ 325 Cal. / 100 g de chantilly

TARTELETTES AU CHOCOLAT ET A LA MANDARINE

Préparation : 40 mn
Cuisson : 30 mn

Pour 4 personnes
- 1/2 l de sorbet de mandarine
- 2 mandarines
- 200 g de chocolat noir
- 1/2 c. à café de café instantané
- 4 œufs
- 1 c. à soupe de Rhum
- 20 cl de crème liquide
- 1 sachet de sucre vanillé

Pâte
- 125 g de farine
- 70 g de beurre
- 1 pincée de sel

• Préparer la pâte : dans une jatte mettre la farine, le sel et le beurre coupé en petits morceaux. Travailler le tout du bout des doigts puis ajouter un peu d'eau. Former une boule, la fariner, puis étaler la pâte. En garnir 4 moules à tartelettes.
• Piquer la pâte puis faire cuire les tartelettes à blanc, avec une charge, 20 mn à four chaud th. 6/180°.
• Les sortir du four, retirer la charge et laisser refroidir.
• Dans une casserole mettre un tout petit peu d'eau et le café instantané. Ajouter le chocolat coupé en morceaux et faire fondre sur feu doux jusqu'à ce qu'il soit bien lisse. Le maintenir très chaud, presque bouillant. Dans une jatte battre les jaunes d'œufs en omelette, ajouter le Rhum. Verser le chocolat et bien mélanger le tout.
• Battre vigoureusement la crème liquide au fouet, elle doit presque doubler de volume. L'incorporer au chocolat.
• Verser la préparation sur les fonds de tarte, mettre au réfrigérateur 1 h.
• A l'aide d'une cuillère à glace former des boules de sorbet mandarine et les garder au congélateur.
• Au moment de servir, peler à vif les mandarines, dégager les quartiers, les déposer sur la tarte et ajouter les boules de sorbet mandarine.

Vin
Liqueur de mandarine
Grand-Marnier
Choisir l'un ou l'autre mais un petit verre de liqueur apportera plus qu'un vin liquoreux.
Servir à 10°

Par personne
621 Calories

GATEAU DE RIZ

Préparation : 5 mn
Cuisson : 26 mn

Pour 4 personnes
- 180 g de riz rond
- 1 l de lait
- 20 g de sucre semoule
- 1 gousse de vanille
- 1 zeste d'orange
- 2 jaunes d'œufs
- 2 blancs en neige
- 1 pincée de sel
- 2 c. à soupe d'eau froide
- 1/4 l d'eau chaude

- Faire bouillir l'eau 3 mn pg cuisson maxi. Verser le riz, le laisser gonfler 5 mn, le rincer à l'eau chaude. Egoutter.
- Faire bouillir le lait 10 à 12 mn avec la vanille et le sel. Ajouter le riz, le zeste d'orange et le sucre, cuire 3 à 4 mn. Dès l'ébullition, mélanger, poursuivre la cuisson 15 mn pg mijotage.
- Délayer les jaunes d'œufs avec l'eau froide, les mélanger au riz cuit. Battre les blancs en neige, les incorporer. Cuire l'ensemble 2 mn pg cuisson douce.

Vin
Terminer avec le vin que vous avez choisi pour le repas. Difficile d'ouvrir une bouteille spéciale sur ce mets qui peut s'harmoniser quand même avec un doigt de Porto ou de Champagne, que vous aurez dans le réfrigérateur.

Par personne
329 Calories

CHARLOTTE AU CHOCOLAT

Préparation et cuisson : 45 mn
Repos : 12 h au moins

Pour 8 personnes
- 220 g de chocolat noir
- 30 biscuits à la cuillère
- 6 œufs
- 30 g de beurre ramolli
- 3 c. à soupe de Kirsch
- 130 g de sucre en poudre
- 2 dl d'eau

- Préparer la charlotte au chocolat la veille.
- Mettre 100 g de sucre et l'eau dans une casserole. Chauffer en remuant souvent la casserole pour le faire fondre. Laisser refroidir et ajouter le Kirsch. Réserver.
- Casser les œufs en séparant les blancs des jaunes. Fouetter les jaunes avec le reste du sucre jusqu'à ce que le mélange blanchisse.
- Faire fondre le chocolat au bain-marie, travailler avec une cuillère en bois pour le lisser. Ajouter en remuant vivement, les jaunes d'œufs puis le beurre.
- Battre les blancs d'œufs en neige, incorporer à la préparation, d'abord 1 cuillerée en fouettant, puis le reste en soulevant délicatement à l'aide d'une cuillère en bois.
- Verser le Kirsch dans une assiette creuse. Tremper très rapidement les biscuits un à un. Commencer à tapisser le fond du moule en appuyant le côté bombé des biscuits contre la paroi. Serrer chaque biscuit (en les cassant, si nécessaire) puis continuer en les disposant verticalement et toujours bien serrés.
- Verser la mousse au chocolat à l'intérieur. Tasser en heurtant le fond du moule contre la table. Couvrir avec les derniers biscuits imprégnés de Kirsch, côté plat vers le haut. Poser dessus une petite assiette chargée d'un poids et mettre au réfrigérateur pour 12 h au moins.
- Le lendemain, démouler la charlotte : la coiffer d'un plat de service et retourner.
- Servir accompagné d'une crème anglaise.

Vin
Banyuls
Des fruits rouges mûrs en arômes principalement de mûres avec des pruneaux, de la figue, de la noix, du moka entourant cette belle structure onctueuse et charpentée.

Par personne
396 Calories

GATEAU AU CHOCOLAT AUX FRUITS SECS

Préparation : 10 mn
Cuisson : 16 mn

Pour 4 personnes
- 100 g de chocolat noir
- 60 g de beurre
- 80 g de sucre semoule
- 3 œufs
- 80 g de cerneaux de noix
- 100 g de figues
- 70 g d'abricots secs
- 30 g de raisins de Smyrne
- 2 c. à soupe de rhum ambré

- Couper les abricots et les figues en dés de 1 cm de côté, les mettre dans une assiette creuse avec les raisins. Les arroser de Rhum. Glisser l'assiette dans le four, sélecteur 9, 2 mn.
- Râper grossièrement les cerneaux de noix.
- Casser le chocolat en morceaux dans une assiette creuse.
- Le faire fondre au four, sélecteur 9, pendant 1 mn 30. Ajouter le beurre. Continuer la cuisson 30 secondes encore. Mélanger beurre et chocolat à l'aide d'une spatule pour les lisser, ajouter les fruits gonflés dans le Rhum, mélanger.
- Casser les œufs dans une terrine, les battre à la fourchette sans les faire mousser. Incorporer le sucre et les noix en tournant. Ajouter le chocolat aux fruits secs. Mélanger.
- Verser cette préparation dans un moule à soufflé à bords hauts de 16 cm de diamètre. Glisser le moule dans le four, sélecteur 4, 12 mn.
- Laisser le gâteau reposer 5 mn avant de le démouler sur un plat.
- Servir le gâteau froid, 8 h au moins après sa cuisson.

Vin
Maury
Un vin avec des parfums somptueux : pruneau, café, moka, cacao, noix... Charpentée, sa structure n'en est pas moins onctueuse et souple.
Servir à 8°

Par personne
657 Calories

GATEAU AU CAFE

Préparation : 10 mn
Cuisson : 11 mn 40

Pour 4 à 6 personnes
- 6 c. à café de café soluble ou 3 c. à café d'extrait
- 4 œufs entiers
- 150 g de sucre
- 100 g de beurre
- 200 g de farine
- 1 sachet de levure
- 250 g de fondant blanc
- 2 c. à soupe de Rhum

Sirop
- 50 g de sucre
- 4 c. à soupe de Rhum
- 1 dl d'eau

- Délayer le café avec le Rhum. Battre ensemble les œufs et le sucre jusqu'à ce que le mélange soit mousseux. Ajouter le beurre tiède fondu, 40 secondes pg cuisson maxi, la farine, la levure et le mélange Rhum-café.
- Fouetter et verser dans un grand moule à soufflé garni d'un disque de papier sulfurisé huilé ou beurré. Cuire 6 mn. Démouler, laisser refroidir, ouvrir par la moitié.
- Arroser les deux faces avec le sirop. Napper le dessus avec du fondant dans lequel on ajoute quelques gouttes d'extrait de café. Le faire fondre 3 mn pg décongélation avec une cuillerée à soupe d'eau.
- Sirop : faire bouillir sucre et eau, 2 mn pg cuisson maxi. Ajouter le Rhum.

Vin blanc
Rivesaltes
De l'or liquide d'où s'échappe du citron, du pamplemousse, des fruits jaunes : abricot, pêche, des fruits secs... dans une charpente moelleuse, toute en rondeur et puissance.
Servir à 8°

Par personne
683 Calories (6 pers.)
1024 Calories (4 pers.)

LE RIGODON

Préparation : 30 mn
Cuisson : 45 mn

Pour 4 à 6 personnes
- 60 cl de lait
- 1 pincée de cannelle en poudre
- 1 pincée de sel fin
- 200 g de brioche rassie
- 6 œufs
- 2 c. à soupe de crème de riz
- 1 dz de noisettes et autant de noix
- 50 g de beurre
- Sucre
- Marmelades de poires (ou de fruits de saison)

- Faire bouillir le lait et hors du feu, lui ajouter le sucre, le sel et la cannelle. Mélanger bien et laisser tiédir.
- Hacher ou concasser finement les noisettes et les noix.
- Beurrer un moule à manqué avec les 2/3 du beurre. Casser la brioche en petits morceaux dans une jatte. Arroser avec les 2/3 de lait (réserver le reste) et laisser gonfler.
- Sortir la plaque du four, préchauffer celui-ci à th. 6/7.
- Délayer dans une autre jatte, la crème de riz avec le restant de lait tiédi. Verser les œufs un par un en battant bien au fouet ou à la fourchette.
- Ajouter ensuite la brioche émiettée et son lait. Remuer en tournant pour bien lier les ingrédients.
- Eparpiller dans le moule la moitié des noix et noisettes concassées. Verser la préparation dessus. Eparpiller en surface le reste des fruits secs et le beurre réservé, fractionné en copeaux. Mettre au four pour 40 à 45 mn de cuisson à th. 6.
- Démouler tiède et napper le rigodon d'une épaisse couche de marmelade de poires (c'est la tradition) mais c'est aussi bon avec un coulis de pêches ou de cassis.

Vin
Crémant-de-Bourgogne
Un beau vin mousseux, charpenté, charnu, friand, vif et très aromatique.
Servir à 8°

Par personne
446 Calories (6 pers.)
669 Calories (4 pers.)

GATEAU MOLLET

Préparation : 30 mn
Cuisson : 45 mn

Pour 4 personnes
- 250 g de farine tamisée
- 4 œufs
- 15 g de sucre en poudre
- 15 g de levure de boulanger
- 2 c. à soupe de lait bouilli tiède
- 150 g de beurre mou
- 1 pincée de sel
- Sucre glace

- Prendre un moule à savarin de préférence en terre. Beurrer les parois et le mettre au frais. Mélanger dans une jatte, le sucre et le sel puis ajouter la farine et mélanger encore.
- Verser le lait dans une coupelle, vérifier la température (34° environ). Pas assez chaud la levure ne développe pas, trop elle est «cuite» par la chaleur. Emietter dedans la levure achetée fraîche. Laisser à température ambiante.
- Préchauffer le four à th. 7. Sortir la plaque.
- Faire un trou dans la farine et y casser les œufs. Mélanger à la cuillère en incorporant peu à peu la farine.
- Refaire un trou, mettre la levure et son lait, travailler pour bien homogénéiser jusqu'à ce que la pâte se détache facilement de la cuillère ou de la main.
- Sortir le moule. Le remplir avec la pâte à 1 cm du bord. Poser sur la plaque et enfourner sans trop bousculer. Laisser cuire 20 mn puis baisser le thermostat à 5 pour encore 25 mn. Démouler avec précaution et saupoudrer de sucre glace.
- Servir tiède ou frais.

Vin
Champagne
Un champagne plutôt friand, guilleret, fin, délicat avec des arômes très floraux.
Servir à 8°

Par personne
631 Calories

GATEAU AUX NOIX DU PERIGORD VERT

Préparation : 30 mn
Cuisson : 30 mn

Pour 4 à 6 personnes
- 6 œufs
- 250 g de sucre en poudre
- 125 g de cerneaux de noix
- 125 g d'amandes mondées
- 150 g de beurre
- Chocolat noir, cerneaux de noix, farine
- Sel fin

Vin
Bonnezeaux
On a dit qu'il était
l'inévitable
vin de desserts.
Arômes des fruits
exotiques (pamplemousse,
ananas), d'abricot, de
coing... onctueux et
équilibré.
Servir à 8°

Par personne
1105 Calories (4 pers.)
736 Calories (6 pers.)

- Hacher les noix et les amandes à la moulinette plutôt qu'au mixeur (qui dégage l'huile qu'elles contiennent).
- Mettre le beurre à fondre sans chauffer (ce qui cuit les jaunes) dans un bain-marie.
- Avec une noix de beurre réservée, beurrer un moule, le fariner puis le renverser en tapotant pour éliminer l'excès de farine.
- Préchauffer le four à th. 7/8.
- Séparer les blancs des jaunes d'œufs dans deux jattes.
- Ajouter le sucre dans la jatte des jaunes et travailler le mélange jusqu'à ce qu'il blanchisse. Mélanger le hachis de noix et amandes à la mousse des jaunes et sucre.
- Battre les blancs en neige ferme avec une pointe de sel pour aider à la montée. Les incorporer délicatement au mélange noix, amandes, jaunes, en travaillant du fond de la jatte vers l'extérieur.
- Verser dans le moule et enfourner pour 30 mn en surveillant la cuisson. Baisser le thermostat à 6/7 si nécessaire.
- Retirer du four, laisser un peu tiédir avant de le poser sur une grille pour achever le refroidissement.
- Démouler le gâteau dans un compotier.
- Faire fondre du chocolat de couverture ou du chocolat noir et en napper le gâteau. Le décorer de quelques cerneaux de noix réservés.

RABOTE PICARDE

Préparation : 30 mn
Cuisson : 30 mn

Pour 4 personnes
- 4 pommes Reinettes du Canada
- 250 g de pâte feuilletée
- 75 g de cassonade
- 1 c. à soupe de cannelle râpée
- 50 g de beurre
- 1 œuf
- 1 c. à soupe de lait bouilli froid

- Abaisser la pâte en un grand rectangle de 2 mm, pas plus, d'épaisseur. Couper une bande de 3 cm de large environ dans le petit côté pour obtenir un carré que vous partagez en quatre. Réserver bande et carrés.
- Séparer le blanc du jaune de l'œuf. Battre légèrement le blanc à la fourchette et allonger le jaune avec le lait. Préparer deux pinceaux à cuisine.
- Sortir la plaque du four et allumer celui-ci à th. 7.
- Peler les pommes, les évider au vide-pomme.
- Mélanger, dans une assiette, la cassonade et la cannelle.
- Découper dans la bande de pâte des feuilles que vous nervurez au couteau.
- Rouler les pommes dans le sucre à la cannelle et les poser sur chaque carré de pâte. Remplir le creux des fruits avec le reste de sucre et une noix de beurre. Replier la pâte et maintenir les extrémités collées par un peu de blanc battu et deux « feuilles » de pâte par rabote (pomme en pâte). Dorer la pâte au jaune d'œuf en évitant de passer le pinceau sur le tranchant du feuillage afin qu'il puisse se développer librement. Enfourner 10 mn puis baisser le thermostat à 6 pour encore 10 mn et à 5 pour encore 10 mn.
- Servir tiède ou froid – c'est tout aussi bon – avec de la crème fraîche et de la confiture de coings.

Vin
Muscat-de-Rivesaltes
Toutes les subtilités
« miellées » de fleurs, des
notes de cire, de citron,
d'écorce d'orange… pour
une charpente onctueuse,
tendre et soyeuse.
Servir à 8°

Par personne
510 Calories

MERINGUE D'AUTOMNE

Préparation : 30 mn
Cuisson : 15 mn
Repos : 1 h

Pour 8 personnes
Meringue
• 5 blancs d'œufs
• 20 g de sucre semoule
• 125 g de sucre en poudre
• 125 g de sucre glace

Mousse
• 125 g de chocolat amer
• 2 jaunes d'œufs + 3 blancs
• 20 g de sucre
• 75 g de beurre
• 50 g de sucre glace

Décor
• 200 g de chocolat amer

Préparer la meringue :
• Préchauffer le four (th. 5, 150°).
• Monter les blancs d'œufs en neige très ferme. Ajouter à mi-parcours 20 g de sucre, le sucre semoule, le sucre glace.
• Beurrer et fariner la plaque du four. A l'aide d'une poche à douille, dessiner 3 cercles de 18 cm de diamètre et les remplir avec la préparation en formant un colimaçon. Enfourner et laisser cuire 15 mn.
• Laisser reposer quelques heures.
Faire la mousse au chocolat :
• Mettre le chocolat à fondre au bain-marie. Hors du feu, ajouter le beurre puis les jaunes d'œufs.
• Monter les blancs d'œufs en neige ferme en ajoutant 20 g de sucre à mi-parcours.
• Verser la préparation au chocolat sur les blancs en neige, mélanger délicatement avec une cuillère en bois.
Monter et décorer le gâteau :
• Recouvrir un fond de meringue de mousse. Poser le 2e fond, une 2e couche de mousse (réserver 100 g). Recouvrir avec le dernier fond. Masquer avec la mousse restante.
• Etaler le chocolat fondu au bain-marie sur la plaque du four. Mettre 1 h au froid.
• Dès sa sortie du réfrigérateur, décoller le chocolat, le triangle posé presque horizontalement contre la plaque. Si le chocolat est à bonne température, vous aurez des bandes plissées de 4 à 5 cm de large.
• Pour obtenir des bandes en forme d'éventail, pousser en posant un index sur une extrémité du triangle.
• Décorer le tout avec les bandes moins plissées. Déposer les autres sur le dessus pour former une rosace.

Vin
Champagne
Choisir la fraîcheur, la texture aérienne, légère et voluptueuse qu'offre le Champagne.
Servir à 9°

Par personne
438 Calories

GATEAU DE COURGE

Préparation : 30 mn
Cuisson : 30 mn

Pour 4 à 6 personnes
- 750 g de potiron
- 50 cl de lait bouilli
- 20 cl de crème épaisse
- 3 œufs et 1 jaune
- 1 bâton de cannelle
- 50 g de beurre
- 125 g de sucre roux
- 1 c. à soupe de sucre blanc en poudre

- Peler le potiron, retirer les graines et les «fibres». Couper la chair en cubes et faire cuire à la vapeur jusqu'à ce que la chair soit tendre.
- Verser dans une passoire et laisser s'égoutter.
- Râper la cannelle.
- Porter le lait déjà bouilli à ébullition avec la cannelle râpée. Laisser un peu tiédir.
- Battre dans une grande jatte les œufs entiers et le jaune avec le sucre jusqu'à ce que le mélange mousse et devienne léger. Ajouter la crème et mélanger bien.
- Préchauffer le four à th. 6.
- Beurrer un plat à gratin.
- Presser encore légèrement les cubes de potiron pour extraire l'humidité et les passer au moulin à légumes, grille fine, au-dessus de la jatte.
- Bien battre le tout avec le lait puis ajouter le mélange œufs, crème et verser dans le plat. Parsemer de flocons de beurre et saupoudrer de sucre en poudre.
- Enfourner pour 25 à 30 mn. Laisser refroidir dans le four éteint et un peu entrouvert.
- Servir froid avec une sauce caramel ou une crème anglaise.

Vin
Clairette de Die
Méthode traditionnelle.
Un vin mousseux très musqué avec des nuances de raisins mûrs, de fruits jaunes confits et de l'onctuosité.
Servir très très frais à 6-7°

Par personne
464 Calories (4 pers.)
309 Calories (6 pers.)

GATEAU A L'ANANAS

Préparation : 20 mn
Cuisson : 9 mn

Pour 4 personnes
- 3 œufs entiers
- 1/2 boîte d'ananas
- 75 g de beurre
- 50 g de sucre
- 125 g de farine
- 1/2 sachet de levure
- Caramel
- 1 pincée de sel

- Egoutter les ananas en conservant le sirop.
- Garnir le fond d'un plat à manqué avec le caramel. Poser dessus la moitié des tranches d'ananas.
- Mettre le beurre à fondre dans un bol, 1 mn pg cuisson maxi.
- Dans un saladier, mettre la farine, la levure, les œufs entiers, le sel, le sucre et le beurre fondu.
- Battre le tout vivement afin d'obtenir une pâte homogène.
- Incorporer le reste des ananas coupés en petits morceaux.
- Verser dans le plat, couvrir avec une feuille de papier sulfurisé. Cuire 8 mn. Démouler et arroser avec le sirop.

Vin
Muscat-d'Alsace
Rechercher l'élégance, la subtilité, la finesse d'un tel Muscat aux accents bien sûr musqués et exotiques avec beaucoup d'épices.

Par personne
550 Calories
+ 56 Calories/c. à soupe de sirop

ANANAS CREOLE

Préparation : 30 mn
Pas de cuisson

Pour 4 personnes
- 1/2 litre de sorbet fruits de la passion ou ananas
- 1/2 litre de sorbet mangue
- 1/2 litre de sorbet citron vert
- Quelques copeaux de noix de coco
- 1 mangue
- 2 ananas

- Peler la mangue, couper la chair en petits dés.
- Couper les ananas en deux dans le sens de la longueur.
- Retirer le cœur (la partie dure) puis dégager délicatement la chair et la couper en dés.
- A l'aide d'une cuillère à glace, former des boules de sorbets et les garder au congélateur.
- Remplir les écorces d'ananas avec la moitié des dés d'ananas et de mangue.
- Déposer les boules de sorbets, ajouter le reste des fruits.
- Servir aussitôt.

Vin
Muscat (de Lunel, de Mireval par exemple)
Les arômes exotiques s'harmoniseront avec cette finale (dessert) pour charmer votre palais tout en unissant chaque note exotique, dans une onctuosité totale.
Servir à 8-9°

Par personne
245 Calories (3 boules - mangue/ananas)

BANANES AU BEURRE DE CARAMEL

Pour 4 personnes
- 4 bananes
- 30 g de beurre
- 100 g de sucre
- 2 c. à soupe d'eau
- Le jus d'un citron
- 6 feuilles de menthe

- Eplucher les bananes, les couper en deux dans la longueur, les disposer sur un plat, les arroser avec la moitié du jus de citron. Couvrir, cuire 1 mn pg cuisson maxi puis 1 mn 30 pg mijotage.
- Dans un bol, mettre le sucre, le beurre et l'eau, cuire 4 à 5 mn pg cuisson maxi. Surveiller la coloration. Verser dessus avec précaution le jus de citron restant.
- Chauffer 30 secondes, arroser les bananes.
- Servir chaud après avoir décoré de quelques feuilles de menthe ciselées.

Vin
Vin de Paille du Jura
Dans sa robe vieil or
patiné on découvre une
puissance aromatique
rare : noix, truffe,
pruneau, amande
grillée... et une densité de
matière éblouissante.
Servir à 9-10°

Par personne
242 Calories

MOUSSE DE CASSIS

Préparation : 30 mn
Cuisson : 5 mn

Pour 4 personnes
• 400 g de cassis surgelés
• 6 feuilles de gélatine
• 1 dl de crème fraîche
• 60 g de sucre
• 1 génoise
• Nappage
• 100 g de sucre

• Laisser décongeler le cassis à température ambiante.
• Faire tremper les feuilles de gélatine dans un peu d'eau froide.
• Prélever 2 cuillères à soupe de cassis, les écraser grossièrement.
• Dans une petite casserole, mettre les cassis écrasés et les feuilles de gélatine, faire fondre sur feu doux. Laisser refroidir.
• Dans une jatte, mettre la crème fraîche et le sucre, battre en chantilly.
• Incorporer délicatement tous les cassis.
• Couper la génoise en fines tranches dans le sens de l'épaisseur.
• Dans un plat carré, tapissé de papier sulfurisé, déposer une couche de génoise, une couche de mousse de cassis, à nouveau la génoise et la mousse. Mettre au froid.
• Dans une petite casserole, faire fondre le sucre avec 3 cuillères à soupe d'eau, porter à ébullition et laisser cuire sur feu doux jusqu'à obtention d'un sirop.
• Laisser tiédir et napper la mousse. Servir frais.

Vin rouge
Beaujolais-Villages
Ce vin rouge gouleyant aux accents de fruits rouges et aux tanins adoucis s'harmonisera avec ce dessert.
Servir à 12°

Par personne
430 Calories

TERRINE DE FRUITS EN GELEE

Préparation : 30 mn
Pas de cuisson

Pour 4 personnes
• 3 pêches
• 1/2 l de jus d'orange frais
• 200 g de fraises
• 100 g de fraises des bois
• 1 petit melon vert
• 8 feuilles de gélatine
• 40 g de sucre
• 1 gousse de vanille
• 2 clous de girofle

• Faire tremper les feuilles de gélatine dans un peu d'eau froide.
• Couper la chair des pêches en quartiers. Laver et équeuter les fraises, les couper en deux.
• Couper le melon en deux, retirer les graines et émincer la chair en fines tranches.
• Faire chauffer le jus d'orange sur feu doux avec le sucre, la vanille fendue et les clous de girofle. Ajouter les feuilles de gélatine égouttées pour les faire fondre, laisser tiédir.
• Dans un moule à cake, verser un peu de jus d'orange, faire prendre au réfrigérateur. Puis déposer en couches les fruits en les mélangeant. Recouvrir le jus d'orange et mettre au froid pendant 4 h. Servir bien frais.

Vin
Champagne
Terminer le repas par cette union. Le champagne frais, vif, pétillant fera valser toutes ces notes fruitées comme des petits lutins.
Servir à 8°

Par personne
193 Calories

COMPOTE DE FRUITS SECS AUX POMMES

Préparation : 10 mn
Macération : 8 h
Cuisson : 30 mn

Pour 4 personnes
- 30 abricots secs
- 4 pommes acidulées
- 2 c. à soupe de raisin de Smyrne
- Le jus d'1 citron
- 1 gousse de vanille
- 2 pincées de cannelle
- 2 c. à soupe de sucre en poudre

- Dans une jatte, mettre les abricots coupés en morceaux, les raisins, la vanille fendue, la cannelle, couvrir d'eau et laisser macérer pendant 8 h.
- Le lendemain, peler les pommes, retirer les cœurs et couper la chair en quartiers. Egoutter les fruits.
- Dans une casserole à fond épais, mettre les fruits secs, les pommes, le jus de citron et le sucre en poudre. Ajouter 1 verre d'eau de macération et laisser cuire à couvert sur feu doux pendant 30 mn.
- Au bout de ce temps, verser le tout dans la cuve d'un mixeur et réduire le tout en purée. Laisser refroidir et servir avec une brioche.

Vin
Muscat-de-Beaumes-en-Venise
Des arômes subtils de citrons confits, de fruits exotiques, de fleurs miellées dans une texture délicate et onctueuse.
Servir à 9°

Par personne
173 Calories

CHARLOTTE AUX FRAMBOISES

Préparation : 30 mn
Cuisson : 10 mn

Pour 4 personnes
• 1 paquet de biscuits à la cuillère
• 500 g de framboises entières
surgelées
• 4 feuilles de gélatine

• *Crème anglaise*
• 3/4 litre de lait
• 5 jaunes d'œuf
• 120 g de sucre
• 1 gousse de vanille

• Laisser décongeler les framboises
à température ambiante. Les faire
égoutter.
• Tapisser les parois d'un moule
à charlotte avec les biscuits.
• Ecraser à la fourchette 1/3 des
framboises.
• Faire tremper les feuilles de gélatine
dans un peu d'eau froide. Les égoutter.
• Dans une petite casserole,
faire chauffer les framboises écrasées,
ajouter les feuilles de gélatine pour les
faire fondre 1 à 2 mn. Laisser refroidir.
• Mettre la moitié des framboises
entières dans le moule à charlotte,
verser la moitié des framboises
concassées. Recommencer l'opération.
Bien tasser et recouvrir de biscuits
à la cuillère.
• Poser une assiette sur le dessus de la
charlotte et mettre un poids. Glisser au
réfrigérateur au moins 4 h.
• Faire chauffer le lait avec la gousse de
vanille.
• Dans une jatte, mettre le sucre et les
jaunes d'œufs. Bien fouetter jusqu'à ce
que le mélange devienne mousseux et
jaune paille. Verser le lait petit à petit
sur ce mélange puis mettre le tout dans
une casserole à fond épais. Faire cuire
sur feu doux sans cesser de tourner.
La crème est cuite lorsque la mousse
qui se trouve à la surface disparaît.
• Verser la crème dans une jatte et
laisser refroidir.
• Démouler la charlotte sur un plat
de service et accompagner de crème
anglaise.

Vin
Champagne
Fruits rouges et crème
anglaise se marieront bien
avec un Champagne issu
de Pinot Noir (Noir de
Blanc), puissant et très
fruité.
Servir à 8°

Par personne
500 Calories

712

FEUILLETES DE FRAMBOISES

Préparation : 20 mn
Cuisson : 15 mn

Pour 4 personnes
- 200 g de pâte feuilletée surgelée
- 400 g de framboises surgelées
- 2 c. à soupe de sucre glace
- 1 jaune d'œuf
- Chantilly
- 2 dl de crème fleurette
- 40 g de sucre glace

- Décongeler les framboises à température ambiante.
- Faire décongeler la pâte feuilletée à température ambiante ou 2 mn au micro-ondes.
- Etaler la pâte sur un plan de travail fariné.
- Découper 8 triangles de pâte à l'aide d'un petit couteau.
- Dans un bol, mélanger le jaune d'œuf et 1 cuillère à soupe d'eau. Badigeonner la pâte de ce mélange.
- Enfourner pour 15 mn th. 6/180°.
- Pendant ce temps, préparer la Chantilly. Dans un saladier très froid, mettre la crème liquide très froide également et le sucre, battre au mixeur jusqu'à ce que la crème épaississe.
- Sortir les feuilletés du four, les couper en deux, les garnir de framboises. Les déposer dans les assiettes de service, décorer de Chantilly.
- On peut ajouter à la Chantilly un peu de framboises écrasées.

Vin
Champagne
Encore un mets avec lequel la vivacité, la fraîcheur et l'élégance du Champagne feront bon ménage.
Servir à 8°

Par personne
377 Calories
+ 328 Calories/100 g
de Chantilly

TARTELETTES AUX FRUITS ROUGES

Préparation : 15 mn
Cuisson : 20 mn

Pour 4 personnes
- 200 g de pâte brisée surgelée
- 200 g de fraises surgelées
- 200 g de framboises surgelées
- 100 g de groseilles surgelées
- 100 g de cassis surgelés
- 100 g de sucre en morceaux
- Le jus d'un citron
- 1 dl de crème pâtissière

- Faire décongeler la pâte à température ambiante ou 2 mn au micro-ondes. Laisser reposer.
- Laisser décongeler tous les fruits à température ambiante sur du papier absorbant.
- Etaler la pâte sur un plan de travail fariné, en garnir 4 moules à tartelette. Piquer la pâte à l'aide d'une fourchette. Recouvrir de papier sulfurisé et de grains de riz ou de grenaille. Enfourner pour 20 mn th. 7/210°. Laisser tiédir.
- Garnir les fonds des tartelettes avec la crème pâtissière, déposer joliment les fruits.
- Dans une casserole, mettre le sucre et le jus de citron, ajouter 1/2 verre d'eau et faire épaissir pour obtenir un sirop, laisser tiédir.
- A l'aide d'un pinceau badigeonner les fruits de ce sirop.
- Décorer avec des lamelles de zestes de citron. Servir frais.

Vin
Champagne rosé
La palette aromatique de fruits rouges de ce Champagne très frais, vif, taquin s'harmonisera avec ce mets pour parachever un bon repas.
Servir à 8°

Par personne
452 Calories

NAGE DE MELON AUX FRAISES

Préparation : 20 mn
Pas de cuisson

Pour 4 personnes
- 400 g de billes de melon surgelé
- 400 g de fraises
- 6 oranges
- 6 feuilles de menthe
- 4 grains de poivre
- 3 gouttes d'amande amère

- Laisser décongeler à température ambiante les billes de melon.
- Presser les oranges.
Ciseler les feuilles de menthe.
- Dans un saladier, verser le jus d'orange, ajouter la menthe, les grains de poivre et l'amande amère.
Bien mélanger.
- Ajouter les billes de melon.
- Laver et équeuter les fraises, les émincer et les ajouter délicatement à la préparation.
- Servir bien frais.

Vin blanc
Rasteau
Un vin à texture veloutée, tendre, légèrement onctueuse avec des notes exotiques (pamplemousse, ananas…) et de fruits secs (noisette) légèrement épicées.
Servir à 8°

Par personne
149 Calories

COMPOTE DE RHUBARBE AUX FRAISES

Préparation : 5 mn
Cuisson : 20 mn
M. O. : 11 mn

Pour 4 personnes
• 1 kg de rhubarbe surgelée
• 400 g de fraises
• 125 g de sucre
• 1 gousse de vanille
• Le jus de 2 citrons
• 40 g de beurre

• Dans une casserole à fond épais, faire fondre le beurre, ajouter la rhubarbe encore surgelée, le jus de citron, le sucre et la gousse de vanille. Faire cuire sur feu doux pendant 20 mn en remuant régulièrement.
• Pendant ce temps, laver et équeuter les fraises, les émincer.
• Verser la compote dans un saladier, ajouter les fraises, mélanger, laisser tiédir puis mettre au froid.

Micro-ondes :
• Faire chauffer une cocotte avec le beurre 2 mn à pleine puissance.
• Ajouter la rhubarbe, le sucre, la gousse de vanille et le jus de citron. Couvrir et glisser au four pour 10 mn à pleine puissance. Laisser reposer 3 mn.
• Puis ajouter les fraises coupées en lamelles. Laisser refroidir avant de réserver au réfrigérateur.

Vin
Terminer le repas, sur ce dessert, avec le vin rouge que vous avez pris sur vos fromages ou sur le dernier plat.

Par personne
283 Calories

BAVAROIS AUX MANGUES

Préparation : 20 mn
Cuisson : 2 mn

Pour 4 personnes
• 500 g de mangues surgelées
• 100 g de sucre
• 5 feuilles de gélatine
• 10 feuilles de menthe
• 2 c. à soupe de crème fraîche

Coulis
• 400 g de framboises brisées
surgelées
• Le jus d'un citron
• 100 g de sucre

• Laisser décongeler les mangues à température ambiante ainsi que les framboises.
• Faire tremper les feuilles de gélatine dans un peu d'eau froide.
• Dans la cuve du Magimix, mettre la pulpe de mangue et le sucre. Bien mixer le tout.
• Dans une petite casserole, faire chauffer 4 cuillères à soupe de pulpe de mangues, ajouter les feuilles de gélatine égouttées, les faire fondre 1 à 2 mn. Laisser tiédir. Puis, les mélanger au reste de pulpe. Ajouter la crème et la menthe ciselée, bien mélanger.
• Verser dans un moule à bavarois et mettre au réfrigérateur au moins 4 h.
• Préparer le coulis : dans le bol du mixeur, mettre les framboises, le sucre et le jus de citron. Mixer le tout.
• Au moment de servir, démouler le bavarois avec le coulis à part.

Vin rosé
Crémant-d'Alsace
Un mousseux de grande qualité, élégant, subtil avec des arômes de fruits rouges, tendres, dissipés dans une superbe fraîcheur d'une acidité séduisante.
Servir à 8°

Par personne
362 Calories

CLAFOUTIS LIMOUSIN

Préparation : 10 mn
Cuisson : 15 mn

Pour 4 personnes
• 400 g de petites cerises noires
• 4 œufs entiers
• 125 g de sucre en poudre
• 80 g de farine extra-fluide
• 1 c. à moka de levure chimique
• 12 cl de lait bouilli tiède
• 1 c. à soupe de beurre demi-sel

• Laver, égoutter, sécher les cerises, retirer ensuite la queue mais ne pas les dénoyauter.
• Casser les œufs dans une jatte avec le sucre en poudre. Fouetter jusqu'à ce que le mélange soit bien homogène, mousseux et léger.
• Ajouter la farine mélangée soigneusement avec la levure. Travailler à la cuillère et, lorsque tout est bien homogénéisé, verser peu à peu le lait en tournant avec la cuillère. Laisser en attente.
• Beurrer le plat à tarte et répartir les cerises sur le fond. Verser la pâte sur les fruits.
• Enfourner pour 9 mn sur th. 5 puis 6 mn à th. 9.
• Laisser reposer 5 mn puis arroser de caramel liquide que vous avez en réserve ou que vous préparerez pendant le repos.

* Prévenir vos convives que les cerises ont encore leur noyau.

Vin
Vouvray moelleux
Beaucoup d'onctuosité, de souplesse et d'élégance avec des arômes tendres de fruits jaunes, de notes minérales, du miel, des fruits secs…
Servir à 8-9°

Par personne
395 Calories

POIRES AU GINGEMBRE ET AU SABAYON

Préparation : 15 mn
Cuisson : 7 mn 40

Pour 4 personnes
• 4 belles poires
• 1 noisette de gingembre
• 80 g de sucre
• 80 cl de vin blanc (doux ou sec)
• 2 jaunes d'œufs
• Quelques feuilles de menthe

• Eplucher les poires, les couper en 4, les évider, les émincer en éventail sans les détacher et les disposer sur un plat avec le gingembre émincé.
• Couvrir, cuire 5 à 6 mn pg cuisson maxi, selon la maturité des fruits. Les égoutter, réserver le jus.
• Sabayon : dans un récipient, mettre les jaunes d'œufs et le sucre, fouetter vivement, ajouter le jus des poires et le vin. Cuire 1 mn, fouetter, cuire à nouveau 40 secondes.
• Disposer joliment les poires sur un plat de service ou dans des coupes, les arroser de sabayon. Décorer de feuilles de menthe.

Vin
Muscat-de-Rivesaltes
Beaucoup d'exotisme dans ce vin méditerranéen, une palette de senteurs avec du miel, de la cire, du citron, de l'écorce d'orange confite, beaucoup de tendresse...
Servir à 8°

Par personne
349 Calories

POIRES AU COULIS DE CHOCOLAT
OU AU CARAMEL

Préparation : 10 mn
Cuisson : 5 mn 30

Pour 4 personnes
• 4 belles poires mûres

Sirop de cuisson
• 100 g de sucre en poudre
• Le jus d'1/2 citron

Accompagnement
• 8 c. à soupe de coulis de chocolat
ou 8 c. à soupe de caramel liquide

Préparer le sirop de cuisson :
• Mélanger dans une petite cocotte le sucre, le jus d'1/2 citron et 16 cl d'eau froide. Couvrir et enfourner pour 3 mn 30 à th. 9.
• Eplucher les poires. Les couper en deux, les évider pour retirer les pépins et la partie dure (vous pouvez aussi les laisser entières : vous les mangerez alors en laissant le cœur dur).
Les citronner et les laisser en attente.
• Sortir le sirop bouillant et y déposer les poires. Couvrir et remettre dans le four à micro-ondes pour 2 mn à th. 9. Sortir la cocotte, laisser reposer, couvert, 2 mn.
• Attendre le complet refroidissement, à température ambiante, pour mettre au réfrigérateur.
• Servir sur de jolies assiettes à desserts ou, si les poires sont entières, dans des coupelles nappées de coulis de chocolat ou de caramel liquide.

Vin
Banyuls
De la noix, de la figue, du pruneau bien confit, de la mûre… arômes parfaits qui s'exhalent d'une structure onctueuse, légèrement tanique et puissante.
Servir à 8-9°

Par personne
194 Calories
508 Calories (chocolat)
359 Calories (caramel)

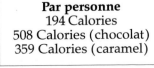

POMMES BONNE FEMME

Préparation : 7 mn
Cuisson : 10 mn

Pour 4 personnes
- 4 pommes reine de reinettes de même taille
- 4 c. à soupe de sucre roux
- 4 c. à soupe de beurre
- 100 g de raisins secs de Smyrne
- 1 c. à soupe d'amandes en poudre
- 1 pincée de chaque épice suivante : muscade, cardamome et cannelle
- 4 c. à soupe de jus d'orange
- 1 c. à soupe de rhum

- Mélanger le sucre, les amandes en poudre et les épices.
- Laver les pommes (choisir dans une variété ne se défaisant pas à la cuisson) et les évider avec un vide-pommes. Tailler un morceau dans la partie retirée pour boucher la base de chaque fruit.
- Mettre d'abord les raisins au fond de chaque creux (vous pouvez les ébouillanter puis les faire gonfler dans le Rhum 10 mn à l'avance) puis le quart du sucre mélangé, combler avec le quart de beurre.
- Déposer les pommes en rond sans qu'elles se touchent. Les arroser de jus d'orange. Couvrir (film ou couvercle) et enfourner pour 8 à 10 mn à pleine puissance.
- Laisser reposer 10 à 15 mn avant de servir.

* Le temps de cuisson varie beaucoup en fonction de la qualité et de la maturité des fruits. Surveiller à travers la vitre l'état des pommes qui doivent être très légèrement affaissées mais pas effondrées.
Si vous devez cuire plus de 4 fruits, ne le faire que quatre par quatre, sinon la cuisson serait imparfaite.

Vin
Sauternes
Dans un bouquet rôti et confit, riche et complexe, on relève des notes de miel, de pomme bien mûre, de noisette, d'orange confite, enrobées d'onctuosité et de moelleux.
Servir à 8°

Par personne
297 Calories

TARTE TATIN FLAMBEEE AU CALVADOS

Préparation : 30 mn
Cuisson : 30 mn

Pour 8 personnes
- 200 g de pâte feuilletée ou brisée
- 2 kg de pommes
- 200 g de sucre en poudre
- 100 g de beurre
- 15 cl de Calvados
- 1 pincée de cannelle

- Peler les pommes, les évider et les couper en quartiers.
- Préchauffer le four th. 6 / 180 °C.
- Dans un moule à tarte de 30 cm de diamètre, faire caraméliser sur feu moyen le sucre et le beurre.
- Disposer les quartiers de pomme sur le moule. Etaler la pâte en une abaisse de 4 mm d'épaisseur. Découper le surplus de pâte.
- Glisser le moule au four et laisser cuire 30 mn. Laisser tiédir.
- Démouler la tarte. Faire chauffer dans une louche le Calvados, le verser sur les pommes et flamber. Servir aussitôt avec de la crème fraîche.

Vin
En guise de vin…
Un petit verre de Vieux Calvados
Ce n'est pas la quantité mais la qualité qui compte. La force et les arômes évolués du Calvados s'harmoniseront totalement avec ce dessert.
Servir à température normale.

Par personne
437 Calories

COMPOTE D'HIVER A LA CANNELLE

Préparation : 15 mn
Cuisson : 7 mn

Pour 2 personnes
- 1 banane de 180 g
- 1 poire de 250 g
- 3 c. à soupe de raisins blonds de Californie
- 4 pruneaux
- 4 abricots secs
- 2 c. à soupe de miel mille-fleurs
- 25 g de beurre
- 5 cl de rhum ambré
- 3 c. à soupe de jus de citron
- 1 c. à café de cannelle en poudre

- Couper les pruneaux en deux en éliminant le noyau, couper les abricots en quatre. Mettre ces fruits dans un plat rond de 20 cm de diamètre. Ajouter les raisins, le Rhum et le jus de citron. Couvrir le plat, le mettre au four, sélecteur 9 pour 2 mn.
- Couper la poire en quatre, la peler, retirer le cœur. Couper sa pulpe en petits cubes de 1,5 cm de côté. Eplucher la banane, la couper en rondelles de 3 mm d'épaisseur.
- Ajouter le beurre dans le plat, mélanger, ajouter ensuite le miel, la cannelle, les cubes de poire et les rondelles de banane. Mélanger, glisser le plat dans le four, sélecteur 9. Laisser 2 mn à découvert.
- Servir la compote chaude, dans des coupelles ou des cassolettes.

* Vous pouvez ajouter à la compote : 4 pincées de gingembre en poudre et 2 pincées de zeste de citron râpé. L'accompagner de crème fraîche froide ou placer au centre des coupelles, une boule de glace à la vanille.

Vin
Champagne
Face à cette diversité de goûts, c'est l'union qu'il faut rechercher dans un vin.
Le champagne fera l'affaire.
Servir à 8°

Par personne
553 Calories

SORBET AUX FRAISES DES BOIS

Préparation : 30 mn
Pas de cuisson

Pour 8 personnes
- 1 kg de pulpe de fraises des bois
- 1 l de sucre de canne liquide St-James
- Le jus d'1 citron non traité
- 10 cl d'alcool de fraises des bois

• Mélanger le sucre et la pulpe, ajouter le jus de citron. Mixer l'ensemble et chinoiser.
• Verser la préparation dans une sorbetière et faire prendre pendant 20 mn.
• Au moment de servir arroser d'alcool de fraises des bois.

Vin
Champagne rosé
L'idéal sur un sorbet
comme celui-ci, le
Champagne rosé fédérera
les goûts.
Servir à 8°

Par personne
514 Calories (8 pers.)

SORBET AU MELON

Préparation : 10 mn
Cuisson : 11 mn

Pour 4 personnes
- 500 g de billes de melon surgelé
- 1/4 litre d'eau
- 25 cl de sucre de canne liquide
- 2 c. à soupe de jus de citron

- Dans une casserole, mettre les billes de melon avec le sucre. Porter à ébullition et laisser cuire 6 mn.
- Laisser totalement refroidir. Ajouter ensuite le jus de citron et verser la préparation dans une sorbetière et la glisser au freezer.
- Au moment de servir, former des boules et décorer de fruits rouges et de menthe.

Vin
Muscat de Lunel
Aux arômes floraux,
le raisin mûr, avec,
en bouche, du moelleux,
de la tendresse, de la
finesse…
Servir à 8°

Par personne
264 Calories

SORBET A LA PASTEQUE

Préparation : 40 mn
Pas de cuisson

Pour 4 à 6 personnes
• 1 kg de pulpe de pastèque
• 55 cl de sucre de canne liquide St-James
• 30 g de stabilisateur (facultatif)
• 75 cl d'eau pure
• 10 cl de jus de citron

• Peler et épépiner la pastèque, couper la chair en petits morceaux et mixer après l'avoir arrosée du jus de citron.
• Mélanger ensemble le sucre, la pulpe de pastèque, le stabilisateur et l'eau pure.
• Verser dans la sorbetière et faire prendre 20 à 25 mn environ.

Vin
Champagne
Servir à 8°

Par personne
570 Calories (4 pers.)
380 Calories (6 pers.)

SORBET AUX PECHES

Préparation : 30 mn
Pas de cuisson

Pour 4 personnes
• 1,6 kg de pulpe de pêches
• 15 cl de sucre de canne liquide St-James
• Le jus de 2 citrons
• 10 cl d'eau pure

• Bien mélanger tous les ingrédients. Chinoiser.
• Verser la préparation dans une sorbetière et faire prendre pendant 15 mn environ.

Vin
Sauternes
Bouquet élégant et frais avec des notes de miel, de genêts fleuris, d'orange confite, de fruits secs… avec une belle puissance, vivacité et onctuosité.
Servir à 8-9°

Par personne
343 Calories

SORBET DE POIRES AU VIN ROUGE
ET AU POIVRE VERT

Préparation : 30 mn
Cuisson : 40 mn

Pour 4 personnes
- 1 kg de poires (Passe-Crassane)
- 1/2 l de vin rouge
- 1 pincée de sel
- 10 g de poivre mignonnette
- Une vingtaine de grains de poivre vert

- Eplucher les poires et les cuire dans le vin rouge avec le sel jusqu'à ce qu'elles soient transparentes et fondantes environ 40 mn.
- Passer poires, jus et poivre mignonnette (c'est du poivre concassé assez gros) au mixer puis tamiser.
- Faire prendre en sorbetière en ajoutant la moitié des grains de poivre vert dans la purée.
- Au moment de servir, déposer 2 cuillères de sorbet dans chaque coupe et parsemer de grains de poivre.
- La même recette peut être faite avec des pistaches fraîches épluchées.

Vin
Beaujolais
Cela favorisera les harmonies de bouches grâce aux arômes de fruits rouges et à la tonicité relative rehaussée de fraîcheur et de vivacité pour relever les nuances fruitées.
Servir à 12-13°

Par personne
228 Calories

SORBET DE POMMES AU MIEL

Préparation : 30 mn
Pas de cuisson

Pour 4 personnes
• 1 kg de pommes acidulées
(Granny Smith)
• 45 cl de miel liquide
• 1/2 l d'eau pure
• 5 g de cannelle

• Peler et épépiner les pommes, en réserver 1/2, mixer le reste avec l'eau.
• Ajouter le miel et la moitié de la cannelle.
• Verser la préparation dans une sorbetière et faire prendre pendant 20 mn.
• Servir en boules décorées de lamelles de pomme, saupoudrées de cannelle et arrosées de miel.

Vin
Sauternes
Nez de rôti, de confit dans ses nuances fruitées et florales. L'acacia, le miel, l'écorce d'orange confite, s'unissent à une texture onctueuse et tendre.
Servir à 8°

Par personne
517 Calories (4 pers.)

SORBET AU RAISIN ET AU COGNAC

Préparation : 15 mn
Cuisson : 10 mn

Pour 4 personnes
- 500 g de pulpe de raisin tamisée
- 20 cl de sucre de canne liquide St-James
- 5 cl de Cognac
- 1 jus de citron

- Dans une casserole, mélanger tous les ingrédients, sauf la pulpe, et cuire jusqu'à ébullition.
- Laisser refroidir. Ajouter la pulpe et chinoiser.
- Verser la préparation dans une sorbetière et faire prendre pendant 15 à 20 mn.

Vin
En guise de vin…
Servir un petit verre de Cognac
On imbibe davantage ses lèvres que ce que l'on boit car on recherche plus les parfums que les liquides. Un bon Cognac (VSOP) fera plaisir aux gens.

Vin rouge
Pineau des Charentes
Une autre solution : ce vin de liqueur qui sent bon le raisin mûr imprime puissance et fruité remarquables.
Servir à 8-9°

Par personne
290 Calories

CONFITURE DE BANANES

Préparation : 20 mn
Cuisson : 14 mn

Pour 5 à 6 pots
- 1,3 kg de bananes
- Le jus de 2 citrons
- Le jus d'1 pamplemousse
- 1 sachet de Vitpris
- 1,5 kg de sucre
- 1 noix de beurre

- Ecraser les bananes épluchées, les arroser aussitôt de jus de citron et de pamplemousse.
- Dans une bassine à confiture, mélanger la purée de fruits à 1/2 l d'eau, couvrir et laisser mijoter 10 mn à petite ébullition.
- Mélanger dans un bol, 1 sachet de Vitpris à 3 cuillères à soupe de sucre. Saupoudrer les fruits en remuant.
- Porter et maintenir à forte ébullition 2 mn en tournant.
- Ajouter le sucre et le beurre, faire bouillir 2 mn encore sans cesser de remuer.
- Mettre en pots.

Vin
Difficile d'accompagner ce mets si sucré d'un vin.

Par pot
203 Calories

CONFITURE DE FIGUES

Préparation : 20 mn
Macération : 1 nuit
Cuisson : 24 mn

Pour 7 pots
- 500 g de figues
- 650 g de sucre cristallisé
- 1 sachet de Vitpris
- 0,8 l d'eau
- 1 noix de beurre

- Couper en très petits morceaux les figues et les faire macérer une nuit dans l'eau.
- Le lendemain, mettre l'eau et les morceaux de figues dans une bassine à confiture. Faire mijoter à couvert pendant 20 mn.
- Mélanger dans un bol, 1 sachet de Vitpris à 3 cuillères à soupe de sucre. Saupoudrer les fruits en remuant.
- Porter à ébullition, la maintenir à gros bouillons durant 2 bonnes mn sans cesser de remuer.
- Ajouter peu à peu le sucre et le beurre s'il y a de l'écume.
- Ramener à grosse ébullition, en remuant régulièrement pendant 2 mn.
- Mettre en pots. Couvrir.

Vin
Difficile d'accompagner un mets aussi sucré d'un vin.

Par pot
404 Calories

CONFITURE DE VIEUX GARÇON

Préparation : 15 mn
Macération : 2 h
Cuisson : 11 mn

Pour environ 1,500 kg de confiture
- 1 kg de fruits divers :
abricots, quetsches, pêches, cerises
(dénoyautées), framboises, fraises
(mûres sans excès), groseilles,
2 oranges (non traitées)
- 750 g de sucre en poudre
- 1 gousse de vanille

- Mettre tous les fruits dénoyautés dans la cocotte avec le sucre et laisser reposer 2 h.
- Équeuter les fraises lavées et égouttées. Egrapper les groseilles et réserver ces deux fruits avec les framboises.
- Presser le jus d'une orange et peler l'autre à vif puis la couper en fines rondelles.
- Blanchir 1 mn la julienne de zestes d'orange dans de l'eau à pleine puissance. Laisser reposer.
- Ajouter les rondelles d'orange aux fruits de la cocotte, arroser de jus d'orange, enfouir le bâton de vanille, fendu aux 3/4, dans les fruits. Mouiller avec 1 verre d'eau minérale (12 cl environ). Faire cuire 3 mn à pleine puissance.
- Égoutter les zestes pendant ce temps. Les ajouter à la confiture en cuisson. Remettre à cuire 5 mn.
- Ajouter alors les fruits réservés : framboises, fraises et groseilles. Faire cuire 2 mn à pleine puissance.
- Laisser reposer 2 mn avant de verser dans des pots stérilisés et séchés. Couvrir de papier spécial confiture.

* Cette confiture ne se conservera pas aussi longtemps qu'une confiture classique à cause de la différence de chair des différents fruits. Il s'agit en réalité d'une gourmandise à servir en dessert. Et tiédie, après la cuisson, cette «confiture» accompagnera une brioche ou une génoise simple.
On l'appelle «confiture de vieux garçon» en souvenir de celle que se préparait, au siècle dernier, les célibataires gourmands avec les restes de leur compote et un grand bocal d'alcool.
Ne pas oublier de retirer le bâton de vanille au moment de verser la confiture dans les pots.

Vins
Difficile de donner
des vins sur cette recette.
Tenter :
Muscat-de-Frontignan
Muscat-de Rivesaltes
Servir à 8-9°

Pour 1,5 kg
3208 Calories

CONFITURE DE POMMES ET D'AIRELLES

Préparation : 15 mn
Cuisson : 19 mn

Pour 6 pots
- 500 g de pommes
- 1,250 kg d'airelles
- 2 kg de sucre cristallisé
- 2 dl d'eau
- 1 sachet de Vitpris
- 1 noix de beurre

- Eplucher et couper les pommes en lamelles. Laver et égoutter les airelles.
- Les déposer dans une casserole, les écraser légèrement. Verser l'eau et les laisser mijoter à couvert 10 à 15 mn.
- Mélanger dans un bol 1 sachet de Vitpris à 3 cuillères à soupe de sucre. Saupoudrer les fruits en remuant.
- Porter et maintenir à grosse ébullition pendant 2 mn. Tourner constamment.
- Incorporer peu à peu le sucre et le beurre s'il y a de l'écume.
- Porter de nouveau à ébullition, laisser bouillir 2 mn sans cesser de remuer.
- Mettre en pots puis couvrir.

Vin
Difficile d'accompagner ce mets si sucré d'un vin

Par pot
1544 Calories

743

CONFITURE DE POTIRON AU CITRON

Préparation : 20 mn
Cuisson : 24 mn

Pour 5 à 6 pots
- 1 kg de pulpe de potiron
- 2 citrons
- 1 sachet de Vitpris
- 1,250 kg de sucre
- 1 dl d'eau
- 1 noix de beurre

- Couper la pulpe en petits morceaux dans la bassine à confiture.
- Laver et brosser les citrons avant de les couper en rondelles très fines ; détailler chacune en 4 dans la bassine.
- Faire mijoter 20 mn à couvert avec l'eau. Ecraser un peu de fruits avec l'écumoire dans l'eau de cuisson.
- Mélanger dans un bol, 1 sachet de Vitpris à 3 cuillères à soupe de sucre. Saupoudrer le potiron en remuant.
- Porter à ébullition 2 bonnes minutes sans cesser de remuer.
- Ajouter le sucre et le beurre. Ramener à ébullition 2 mn en tournant. Ecumer si nécessaire.
- Mettre en pots en mélangeant bien pour assurer une bonne répartition des fruits.

Vin
Difficile d'accompagner
un mets si sucré d'un vin

Par pot
904 Calories

GELEE DE COINGS ET DE FRAMBOISES

Préparation : 20 mn
Cuisson : 25 mn

- 1 kg de coings
- 200 g de framboises
- 500 g de sucre
- 1/2 l d'eau chaude

- Laver les coings, les couper en tranches fines sans enlever les pépins.
- Mettre dans un saladier avec les framboises et l'eau.
- Couvrir, cuire 15 mn pg cuisson maxi.
- Remuer à mi-cuisson.
- Passer au tamis en pressant de façon à extraire tout le jus.
- Ajouter le sucre, mélanger, couvrir, cuire 10 mn.
- Dès l'ébullition, découvrir et mélanger à nouveau.
- Mettre en pots.

Vin
Difficile d'accompagner un mets si sucré d'un vin.

Au total
2410 Calories

GELEE DE CITRON

Préparation : 25 mn
Cuisson : 20 mn

Pour 7 pots
- 2 kg de citrons
- 700 g d'oranges
- 1,3 kg de sucre
- 1 sachet de Vitpris
- 1 noix de beurre

- Passer les fruits dans un presse-agrumes. Filtrer s'il y a de la pulpe. Peser 1 kg de jus. Le verser dans une bassine à confiture et ajouter le zeste râpé d'1 ou 2 citrons.
- Dans un bol, mélanger un sachet de Vitpris à 3 cuillères à soupe de sucre. Saupoudrer le jus en remuant. Porter à ébullition et la maintenir 2 mn sans cesser de tourner.
- Ajouter peu à peu le sucre et le beurre s'il y a de l'écume.
- Ramener à grosse ébullition, sans cesser de tourner pendant 2 mn.
- Mettre en pots.

Vin
Difficile d'accompagner
cette recette d'un vin

Par pot
927 Calories

MARMELADE D'ORANGES

Préparation : 8 mn
Cuisson : 15 mn

Pour 4 personnes
- 4 grosses oranges non traitées
- 1 citron non traité
- 50 cl de sirop de canne à sucre Canadou

• Brosser les fruits à l'eau courante, les essuyer. Prélever le zeste du citron et d'1 orange, avec le couteau économe pour n'entraîner que l'écorce. Couper les zestes en lanières fines et les blanchir 1 mn à l'eau bouillante à th. 9. Egoutter.
• Tailler en fines rondelles le citron et l'orange zestés et pelés à vif (la peau blanche retirée). Tailler les 3 autres oranges en rondelles avec leur peau. Eliminer le maximum de pépins.
• Mettre les fruits dans une cocotte avec le sirop et les zestes égouttés et faire cuire 15 mn puis laisser tiédir avant de verser en pots.

* Garder cette marmelade, qui n'est pas une confiture, au bas de réfrigérateur.
Pour les grands gourmands : retirer les fruits avec une écumoire. Les arroser d'un petit verre de Cognac ou d'Armagnac. Faire réduire le sirop à consistance très épaisse 3 mn. Reverser sur les fruits.

Vin
Difficile d'accompagner cette recette d'un vin.

Par personne
531 Calories

LA PASSEE JABLINOISE

- 2/10 de liqueur de cassis
- 1/10 de poire William
- 1/10 de liqueur de poire
- Verser directement dans le verre
- 6/10 de Champagne.

Pour 200 ml
341 Calories

LE BOUT'BOUT

- 1/10 de jus de pamplemousse
- 2/10 de Cointreau
- 2/10 de Dubonnet
- Verser directement dans le verre
- 5/10 de Champagne
- 1 trait de sirop de grenadine.

Pour 200 ml
458 Calories

GASCON

- 4/10 d'Armagnac
- 3/10 de jus d'orange
- 3/10 de jus de pamplemousse
- Verser directement dans un verre sur glace.

Pour 200 ml
255 Calories

HENRY

- 2/10 jus de pêche
- 4/10 de liqueur de mandarine
- 4/10 d'Armagnac.

Pour 200 ml
501 Calories

JACQUELINE

- 1/10 de Cognac
- 1/10 de Cointreau
- 8/10 de Champagne
- 1 trait de liqueur de cerise
- Verser directement dans le verre.

Pour 200 ml
353 Calories

FANTASIA

- 7/10 de Gin
- 2/10 de crème de banane
- 1/10 de Curaçao bleu
- 1 trait de citron pressé
- Verser dans un shaker avec glace
- Agiter et servir sur glace.

Pour 200 ml
524 Calories

GINCO

- 5/10 de Gin
- 2/10 de lait de coco
- 3/10 de jus de fruit de la passion
- 1 trait de grenadine
- Verser dans un shaker avec glace
- Agiter et servir.

Pour 200 ml
301 Calories

ZIG-ZAG

- 2/10 de jus d'orange
- 2/10 de Grand-Marnier
- 1/10 de liqueur de poire William
- 5/10 de Champagne.
- Verser directement dans un shaker avec glace
- Agiter et servir.

Pour 200 ml
283 Calories

CUBA LIBRE

- 4/10 de Rhum
- 1 trait de jus de citron
- 6/10 de Coca-Cola
- Verser directement dans un verre sur glace
- Décorer avec une rondelle de citron vert.

Pour 200 ml
253 Calories

COCO BLUES

- 4/10 de jus d'ananas
- 1/10 de Curaçao bleu
- 2/10 de lait de coco
- 3/10 de Rhum
- Verser dans un shaker avec glace
- Agiter et servir en décorant d'une tranche d'ananas.

Pour 200 ml
254 Calories

MEXICO

- 3/10 de Tequila
- 7/10 de jus d'ananas
- Verser directement dans un shaker avec glace
- Agiter et servir avec un trait de jus de citron.

Pour 200 ml
226 Calories

RUMBA

- 3/10 de Tequila
- 1/10 de citron pressé
- 1/10 de crème de cassis
- Verser directement dans un verre sur glace 5/10 de Perrier.

Pour 200 ml
216 Calories

BOLCHOI

- 7/10 de Vodka
- 3/10 de jus de citron
- 1 trait de liqueur de cassis
- Verser dans un shaker avec glace
- Agiter et servir.

Pour 200 ml
369 Calories

NASA

- 2/10 de jus de citron vert
- 2/10 de jus de citron jaune
- 1/10 de sirop de Canne
- 5/10 de Whisky
- 1 trait de grenadine
- Verser dans un shaker avec glace
- Agiter et servir en décorant
d'une tranche d'orange et de citron,
et d'une cerise
- Allonger d'eau gazeuse.

Pour 200 ml
348 Calories

NEW WORLD

- 4/10 de Bourbon
- 2/10 de jus de fruit de la passion
- 4/10 de Perrier
- Verser directement dans un verre tumbler.

Pour 200 ml
221 Calories

BECAUSE

- 2/10 de jus de carotte
- 1/10 de jus de betterave
- 1/10 de jus de citron
- 1/10 de Bourbon
- 5/10 de bière blonde
- Verser directement dans un verre et servir frais.

Pour 200 ml
121 Calories

PICON BIERE

- 4/10 de Picon
- 6/10 de bière (blonde ou brune)
- Verser directement dans un verre.

Pour 200 ml
182 Calories (Bière blonde) 172 Calories (Bière brune)

CIDRE AU MIEL

- 1/10 de jus d'orange
- 2/10 de miel liquide
- 1/10 d'eau de fleur d'oranger
- 6/10 de cidre doux
- Faire chauffer le cidre et le miel, puis le jus d'orange et la fleur d'oranger
- Verser dans un verre en décorant d'une feuille de menthe fraîche.

Pour 200 ml
358 Calories

PETIT PIERRE

- 3/10 de sirop de mirabelle
- 3/10 de jus d'ananas
- 2/10 de nectar de poire
- 2/10 de nectar de banane
- Verser directement dans un verre sur glace
- Ajouter un trait de grenadine.

Pour 200 ml
272 Calories

MANGO

- 4/10 de jus de pamplemousse
- 2/10 de jus d'orange
- 4/10 de jus de mangue
- 1 trait de grenadine
- Verser directement dans un verre.

Pour 200 ml
110 Calories

BROCHETTES DE POISSONS FUMES

Pour 20 brochettes
- 1 chou vert
- 10 filets de maquereau fumés au poivre
- 40 sprats
- 1 petit bouquet d'aneth.

Par brochette
108 Calories

• Laver les feuilles de choux, les faire blanchir 5 mn dans de l'eau bouillante salée. Les égoutter et les garder au chaud.
• Couper en morceaux les filets de maquereau en prenant soin de ne pas casser la chair.
• Sur les brochettes piquer en alternance les morceaux de maquereau, les sprats et les feuilles de choux. Décorer de pluches d'aneth.

BROCHETTES DE BEIGNETS DE CREVETTES

Pour 20 brochettes
- 80 beignets de crevettes
- 2 poivrons rouges
- 1 petit bouquet de persil plat.

Par brochette
126 Calories

• Envelopper les poivrons rouges dans deux feuilles de papier d'aluminium, les faire cuire au four 20 mn, th. 7 (210°).
• Ouvrir les papillotes, retirer la peau des poivrons puis les graines qui se trouvent à l'intérieur.
• Couper la chair en fines lanières. Les garder au chaud.
• Faire chauffer les beignets de crevettes soit au four 5 mn, au four à micro-ondes 1 mn ou dans une bassine de friture 2 mn.
• Sur les brochettes piquer en les intercalant, les beignets de crevettes, les lanières de poivrons rouges. Décorer avec des feuilles de persil plat.

BROCHETTES MEXICAINES

Pour 20 brochettes
- 40 tacos
- 1 barquette de tomates-cerises rouges
- 1 barquette de tomates-cerises jaunes
- 4 poivrons rouges
- 4 poivrons jaunes
- 3 gousses d'ail
- 1 bouquet de persil
- 2 citrons
- 2 c. à soupe d'huile d'olive

Par brochette
46 Calories

- Faire cuire les poivrons en papillote dans un papier d'aluminium, 20 mn au four th. 7 (210°).
- Retirer la peau et les graines, puis couper la chair en lanières.
- Peler et écraser l'ail. Ciseler le persil.
- Dans une jatte, mettre les lanières de poivrons égouttées, l'ail, le jus des citrons, l'huile d'olive, sel et poivre. Bien mélanger et laisser macérer.
- Laver et essuyer les tomates-cerises jaunes et rouges. Egoutter les poivrons.
- Sur les brochettes piquer en les intercalant, les tacos farcis de poivrons, les tomates-cerises jaunes et rouges.
- Servir froid.

BROCHETTES PROVENCE

Pour 20 brochettes
- 3 pots de maïs nain
- 4 melons
- 1 poivron rouge
- 1 feuille de chêne

Par brochette
63 Calories

- Laver et trier la feuille de chêne. Egoutter le maïs.
- Ouvrir les melons, retirer les graines. Couper la chair en quartiers, retirer la peau.
- Ouvrir le poivron, retirer les graines et les parties blanches qui se trouvent à l'intérieur, couper la chair en petits triangles.
- Sur les brochettes, piquer un peu de feuilles de chêne, quelques maïs nains, des quartiers de melon et des triangles de poivrons en les intercalant.
- Servir frais.

BROCHETTES DE CRABE

Pour 20 brochettes :
- 400 g de bâtonnets de crabe (mélange crabe et poisson)
- 400 g de crevettes roses
- 1 feuille de chêne
- 5 citrons verts

Par brochette
36 Calories

• Laver et essorer la feuille de chêne. Décortiquer les crevettes.
• Couper les citrons en tranches fines. Couper les bâtonnets de crabe en deux et en biais.
• Sur les brochettes piquer en les intercalant, les morceaux de crabe, les feuilles de salade, les crevettes et les tranches de citron vert. Servir bien frais.

CRABES FARCIS DES ILES

Pour 20 brochettes
- 80 mini-crabes farcis
- 4 citrons verts
- 1 poivron rouge
- 1 botte de ciboulette

Difficile d'évaluer les Calories des crabes farcis

• Enfermer le poivron rouge dans une feuille d'aluminium, le mettre au four pour 20 mn. Ouvrir la papillote, retirer délicatement la peau, puis ouvrir le poivron, ôter les graines et couper la chair en lanières. Ciseler la ciboulette.
• Piquer délicatement sur les brochettes, les crabes farcis (la coquille est fine), les saupoudrer de ciboulette ciselée, décorer de lanières de poivron rouge.
• Vous pouvez ajouter également quelques piments selon le goût.
• Au moment de servir, passer les brochettes 5 mn dans un four très chaud ou 1 mn au four à micro-ondes. Décorer avec des tranches de citron vert.

TOASTS AUX ENDIVES ET AUX EPINARDS

Pour 20 toasts
- 20 tranches de pain rond au son
- 100 g de beurre
- 2 endives
- 250 g de pousses d'épinards
- Paprika, sel

Par toast
80 Calories

• Laisser le beurre se ramollir à température ambiante, puis ajouter un peu de sel, bien mélanger.
• Laver et équeuter les épinards, les essorer délicatement.
• Nettoyer les endives. Couper les plus grosses feuilles en deux ou trois.
• Tartiner les toasts avec le beurre salé, déposer quelques feuilles de pousses d'épinards et d'endives, saupoudrer de paprika.

TOASTS AU RADIS NOIR ET AU HADDOCK

Pour 20 toasts
- 20 tranches de pain de seigle rond
- 100 g de beurre
- 1 botte de radis roses
- 1 radis noir
- 600 g de haddock
- 1 feuille de chêne
- 1 bouquet de persil plat
- Paprika

Par toast
116 Calories

• Nettoyer les radis roses, les émincer. Peler le radis noir, le couper en tranches fines, les saupoudrer de sel fin et les laisser dégorger. Puis les passer sous l'eau froide. Les essuyer.
• Nettoyer la salade.
• Beurrer les tranches de pain puis déposer joliment les tranches de radis noir, de radis rose le haddock coupé en petites tranches fines, les feuilles de salade.
• Saupoudrer de paprika et décorer de feuilles de persil plat.

TOASTS AU SAUMON ET AUX RAISINS

Pour 20 toasts
- 20 tranches de pain rond
- 2 pots de beurre de crabe
- 4 tranches de saumon fumé très fines
- 1 petite grappe de raisin blanc
- 1 petite grappe de raisin noir
- 1 bouquet de cerfeuil.

Par toast
98 Calories

- Laver les raisins, peler les grains de raisin blanc.
- Tartiner les tranches de pain de beurre de crabe.
- Déposer des morceaux de saumon fumé sur les toasts, ajouter les grains de raisins blancs et rouges, décorer de pluches de cerfeuil.

BROCHETTES AU PAVOT

Pour 20 brochettes
- 60 petits feuilletés au pavot (achetés chez votre pâtissier)
- 1 barquette de tomates-cerises rouges
- 200 g de mâche.

Difficile d'évaluer les calories des feuilletés

- Laver et essorer délicatement la mâche.
- Laver et essuyer les tomates-cerises.
- Sur les brochettes, piquer en les intercalant, les tomates-cerises, les feuilletés au pavot et les feuilles de mâche.

CANAPES A LA TAPENADE

Pour 20 canapés
- 20 tranches de pain de mie rond
- 1 avocat
- 200 g de champignons de Paris
- Quelques pousses de soja
- 2 citrons
- 1 c. à café de paprika

Tapenade
- 250 g d'olives noires
- 80 g de câpres
- 100 g de filets d'anchois
- 1 verre d'huile d'olive
- 1 citron
- Poivre moulu

Par toast
115 Calories

- Faire dessaler les filets d'anchois dans de l'eau froide pendant 2 h en changeant l'eau deux fois. Les fendre et retirer les arêtes. Les rincer et les sécher rapidement.
- Dénoyauter les olives. Dans un mixer, mettre les olives, les anchois et les câpres. Mixer, puis ajouter petit à petit l'huile d'olive et le jus de citron. Vous obtenez une pommade foncée et onctueuse. Goûter et rectifier l'assaisonnement si nécessaire.
- Nettoyer et couper en lamelles les champignons. Les citronner aussitôt pour éviter qu'ils noircissent. Réserver.
- Retirer délicatement la peau de l'avocat, couper la chair en fines lamelles dans le sens de la longueur puis en deux. Citronner également.
- Nettoyer les pousses de soja si elles sont fraîches, ou les égoutter si elles sont en conserve.
- Tartiner les tranches de pain avec la tapenade. Déposer les lamelles de champignons sur dix canapés, sur les autres les lamelles d'avocat et le soja.
- Saupoudrer de paprika et décorer avec des fines herbes ciselées.
- Servir bien frais avec des olives vertes et noires.

CROUTONS AUX QUATRE SAUCES

Pour 40 croûtons ou tranches de pain grillées
- 2 pains de seigle aux noix
- 250 g de fromage blanc
- 2 c. à soupe de crème fraîche
- Quelques brins de ciboulette
- 3 bols de mayonnaise
- 200 g d'épinards
- 1/2 boîte de tomates pelées
- 2 gousses d'ail
- Quelques bouquets de chou-fleur
- 200 g de champignons de Paris
- 1 oignon
- 1 c. à café de curry fort
- Sel, poivre.

Par croûton ou tranche
107 Calories

- Laver et équeuter les épinards. Les cuire 10 mn dans de l'eau bouillante salée. Les égoutter et les passer sous l'eau froide avant de les mixer.
- Verser cette purée dans une mousseline, serrer pour extraire le jus des épinards. Verser ce jus dans un bol de mayonnaise.
- Dans une casserole, mettre les tomates pelées et l'ail haché. Saler, poivrer et laisser cuire à feu doux pendant 20 mn. Passer cette purée au mixer, laisser refroidir et ajouter la moitié au deuxième bol de mayonnaise. Vous servirez l'autre moitié dans un bol à part.
- Faire cuire les bouquets de chou-fleur 10 mn dans de l'eau bouillante salée. Laver, émincer les champignons, les faire fondre dans une casserole avec un peu d'eau. Saler et poivrer.
- Eplucher et émincer l'oignon. Dans un bol de mayonnaise restant, ajouter l'oignon émincé, le curry, les champignons et le chou-fleur égouttés et grossièrement écrasés. Mélanger.
- Mêler intimement le fromage blanc, la crème et la ciboulette.
- Couper le pain en tranches, le faire griller. Servir les croûtons chauds avec les sauces bien fraîches.

BROCHETTES DE CHEVRES

Pour 20 brochettes
- 20 crottins de Chavignol
- 20 tranches de pain noir rond
- 100 g de beurre
- 2 chèvres cendrés
- 1 botte de ciboulette.

Par brochette
254 Calories

• Beurrer les tranches de pain avec le beurre ramolli, les couper en quatre.
• Couper les Chavignols en deux, les cendrés en tranches pas trop fines. Ciseler la ciboulette.
• Piquer sur les brochettes en les intercalant, les morceaux de Chavignol, de cendré et les quarts de pain, saupoudrer de ciboulette ciselée.

CANAPES CAMPAGNARDS AU FROMAGE

Pour 30 toasts
- 1 petite boule de pain de campagne (400 g)
- 4 chèvres longs frais
- 1 bouquet de ciboulette
- Poivre en grains.

Par toast
43 Calories

• Couper la boule de pain en tranches de 1 cm d'épaisseur. Les recouper en 4.
• Préchauffer le four th. 4. Mettre à griller les tranches de pain, les retourner au bout de 4 mn. Laisser encore 4 mn.
• Pendant ce temps, couper les fromages de chèvre en lamelles, ciseler la ciboulette après l'avoir lavée et essuyée.
• Déposer les lamelles de fromages sur les tartines de pain grillé et les passer à nouveau sous le gril du four 2 à 3 mn.
• Saupoudrer de ciboulette ciselée et servir aussitôt.

Tables des matières

Cuisson Traditionnelle (trad.)

Soupe (trad.)

Entrées froides (trad.)

Entrées chaudes (trad.)

Terrines (trad.)

Poissons (trad.)

Viandes (trad.)

Volailles (trad.)

Légumes (trad.)

Gratin de courgettes, aubergines, tomates	598
Gratin d'endives	602
Gratin à la monégasque	597
Kunpod de Belle-Ile	642
Pâtes fraîches au citron	638
Petits choux farcis	590
Piperade basquaise	634
Pommes de terre berrichonnes	617
Pommes de terre à la bigouden	620
Pommes de terre en habit de bacon	616
Quenelles de pommes de terre	623
Ratatouille à l'ancienne	635
Riz de Giannina	649
Soufflé aux épinards	603
Soufflé au potiron	629
Spaghetti de Norcia	641
Les spätzeles	639
Storzapreti a la pebronata	579
Tartouffles à la Ventresca	627
Troupeau de légumes	576

Sauces (trad.)

Crème d'ail	660
Coulis de tomates	662
Fumet de poisson aux légumes	663
Fumet de poisson nature	663
Sauce béchamel	655
Sauce mornay	655
Sauce moutarde	653
Sauce normande	653

Desserts (trad.)

Alpage en chocolat	683
Bavarois aux mangues	718
Charlotte au chocolat	689
Charlotte aux framboises	712
Compote de fruits secs aux pommes	709
Compote de rhubarbe aux fraises	717
Confiture de bananes	740
Confiture de figues	741

Cocktails et canapés (trad.)

Micro-Ondes (M. O.)

Soupes (M. O.)

Entrées froides (M. O.)

Entrées chaudes (M. O.)

Terrines (M. O.)

Poissons (M. O.)

Légumes (M. O.)

Sauces (M. O.)

Desserts (M. O.)

Pas de cuisson (pas de c.)

Soupes (pas de c.)

Entrées froides (pas de c.)

Terrines (pas de c.)

Sauces (pas de c.)

Desserts (pas de c.)

Cocktails et canapés (pas de c.)

Gril (gr.)

Entrées chaudes (gr.)

Poissons (gr.)

Viandes (gr.)

Volailles (gr.)

Légumes (gr.)

Aubergines grillées en éventail	570
Champignons de Paris farcis aux œufs	580
Concombre masqué au Gouda	595
Epis de maïs grillés dans leurs feuilles	612
Pommes de terre en papillotes et à la muscade	625
Tomates grillées en persillade	631

Vapeur (vap.)

Entrées froides (vap.)

Salade de raie au pamplemousse	106

Entrées chaudes (vap.)

Asperges tièdes au haddock	161

Poissons (vap.)

Filet de dorade à la fondue de tomate	347
Filets de sole aux cèpes	383
Panaché de la mer à la vapeur d'algues	377
Raie au citron et aux câpres	368

Volailles (vap.)

Poule au riz et aux vapeurs de safran	543
Poulet à la vapeur de céleri	535

Légumes (vap.)

Haricots verts au curry	608
Lisière de poireaux à la crème	615

CREDIT PHOTOGRAPHIQUE

Hervé Amiard
stylisme Jacqueline Saulnier

pages : 3-5-6(h)-8-9-10-12-30-59-62-72-76-78-84-86-88-98-128-142-154-166-178-182-186-188-196-200-209-212-220-226-230-234-236-238-243-248-253-260-263-272-276-280-287-298-302-306-308-310-331-342-354-360-378-402-409-414-419-424-447-452-457-458-466-474-481-492-498-507-511-512-520-529-530-544-550-553-564-567-578-581-583-587-588-591-594-610-624-637-647-670-675-681-687-699-700-706-729-738-744-748-

Hervé Amiard
stylisme Martine Boutron

pages : 13-14-15-60-168-405-448-524-536-664-723-752-755-759-763-764-774-779-

Patrice Duchier
stylisme Martine Boutron

pages : 4-

Jacky Gaignard
stylisme Martine Boutron
page 6(b)-

Alain Lechat
Stylisme Martine Boutron
pages 7-8(h)-11-